HEN ENWAU O FEIRIONNYDD

HEN ENWAU O FEIRIONNYDD

GLENDA CARR

ISBN: 978-1-912173-32-7

Cyhoeddwyd gyda chefnogaeth ariannol Cyngor Llyfrau Cymru.

Cyhoeddwyd ac argraffwyd gan:
Gwasg y Bwthyn, Caernarfon
gwasgybwthyn@btconnect.com
01286 672018

CYNNWYS

Er cof annwyl am
Antony David Carr
1938–2019

Cymar oes ac enaid hoff, cytûn

RHAGAIR

Bydd rhai ohonoch sy'n byw yn Sir Ddinbych a Sir Gaernarfon yn synnu gweld enwau eich cartrefi yn cael eu trafod mewn cyfrol ar enwau lleoedd Meirionnydd. Fodd bynnag, yn y gyfrol hon ystyrir y sir, nid fel y mae heddiw ond fel yr oedd yn yr oesoedd canol, er mwyn medru cynnwys a thrafod rhai enwau diddorol o Edeirnion a Nanmor Deudraeth. Daeth Nanmor Deudraeth yn rhan o Sir Gaernarfon yn 1895 ac Edeirnion yn rhan o Sir Ddinbych yn 1976.

At bwy yr anelwyd y llyfr? Gobeithio y bydd o ddiddordeb i unrhyw un sy'n ymhél ag enwau lleoedd a thraddodiadau llafar gwlad yn gyffredinol. Yn bennaf, mae wedi ei anelu at y cynulleidfaoedd deallus a brwdfrydig yr wyf wedi cael y pleser o gyfarfod â nhw wrth fynd o gwmpas y wlad i ddarlithio a sgwrsio am enwau lleoedd, ac oherwydd hyn rwyf wedi ceisio cadw at arddull anffurfiol ac agos atoch y sgyrsiau, gan grwydro ambell dro i fanylu ar ambell i damaid blasus yn ôl fy mympwy. Ond nid wyf wedi gwneud hyn ar draul ymchwil ac astudiaeth fanwl, felly rwy'n gobeithio y bydd y sawl sydd am astudio'r pwnc yn fwy manwl yn medru elwa o'r chwilota sydd wedi mynd i mewn i'r gyfrol. Dyna pam y cyfeirir at gasgliadau o lawysgrifau ac at lyfrau wrth fynd ymlaen. Penderfynais wneud hyn ar gyfer y sawl sydd yn awyddus i wybod am y ffynonellau, ond hyderaf na fydd y cyfeiriadau hyn yn tarfu ar rediad y llyfr i'r darllenydd cyffredin.

Wrth drafod hen blastai a thai mawr eraill Meirionnydd

rwyf wedi dyfynnu cryn dipyn o'r canu mawl er mwyn dangos pwysigrwydd y tai hyn ym mywydau'r beirdd. Dibynnais yn helaeth ar gyfrol Glenys Davies, *Noddwyr Beirdd ym Meirion*, wrth drafod yr agwedd hon. Oes aur y beirdd a'u noddwyr oedd y cyfnod rhwng canol y bedwaredd ganrif ar ddeg a chanol yr ail ganrif ar bymtheg. Mae'r farddoniaeth yn datgelu inni mor foethus a soffistigedig oedd y noddwyr a'u plastai yn ôl safonau eu dydd. Fodd bynnag, fy mhrif fwriad yn y gyfres *Hen Enwau* yw ceisio taflu goleuni ar darddiad, ystyr ac arwyddocâd yr enwau eu hunain. Yr un yw patrwm y llyfr hwn ag un y ddwy gyfrol arall yn y gyfres,[1] ac o'r herwydd mae'n addas imi ailadrodd rhai pwyntiau a nodwyd yn rhagair ac yng nghorff y llyfrau hynny. Yn wir, mae'n anorfod fod rhyw ychydig o ailadrodd rhwng y tair cyfrol o ran enwau yn ogystal, gan fod rhai o'r un enwau yn digwydd ledled gogledd Cymru. Beth bynnag, ni allaf gymryd yn ganiataol fod darllenwyr y gyfrol hon wedi darllen y lleill.

Rhaid pwysleisio mai detholiad sydd yma. Bydd ambell un yn gweld bai arnaf am beidio â thrafod rhyw enw neu'i gilydd, neu'n siomedig am nad yw enw eu cartref nhw yma, ond rwyf wedi dewis yr enwau am resymau arbennig: enwau sy'n egluro rhyw bwynt penodol, enwau anghyffredin a diddorol, enwau llawn hynafiaeth, ac enwau sy'n apelio ataf yn bersonol.

Rwyf wedi cyfeirio mwy at enwau'r caeau yn y gyfrol hon. Teimlais nad oeddwn efallai wedi rhoi digon o sylw i'r caeau yn y ddwy gyfrol arall, ac mae ganddynt gymaint i'w ddweud wrthym. Wrth gyfeirio at Restrau Pennu'r Degwm mae'n sefyll i reswm mai detholiad bychan iawn o'r enwau a ddefnyddiwyd. Mae llawer mwy o enghreifftiau o bob math o enwau yn y ffynonellau gwerthfawr hyn ac ni fyddai modd nodi ond cyfran fechan iawn ohonynt. Cadwyd sillafiad yr enwau fel y mae yn Rhestrau Pennu'r Degwm. Rhaid cofio

1 *Hen Enwau o Arfon, Llŷn ac Eifionydd,* (Caernarfon, 2011) a *Hen Enwau o Ynys Môn,* (Caernarfon, 2015).

mai cyfeirio at y plwyfi a wneir wrth sôn am y rhestrau hyn, nid at y trefi a'r pentrefi. Felly, wrth gyfeirio at yr enwau yn y rhestrau mae'n naturiol iawn inni ddefnyddio enwau'r plwyfi y lleolid y caeau a'r anheddau ynddynt, gan mai hyn oedd y drefn ar gyfer y degwm. Rwy'n credu ei bod yn bwysig ein bod yn dal i ddefnyddio enwau'r hen blwyfi, er gwaethaf system newydd yr Eglwys yng Nghymru o rannu pob esgobaeth yn froydd a bathu enwau ar eu cyfer. Cyn bo hir fe fydd enwau llawer o'r hen blwyfi wedi cael eu hanghofio onid ydynt hefyd yn enwau ar drefi a phentrefi.

Fe welir fy mod wedi gwneud cryn ddefnydd o gofnodion y Cyfrifiad. Y rheswm am hyn yw fod y cofnodwyr yn tueddu i nodi enwau'r tai yn union fel y clywent y preswylwyr yn eu hynganu, ac mae hyn yn rhoi rhyw agosatrwydd llafar i'r enwau. Yn aml iawn copïwyd Rhestrau Pennu'r Degwm gan groniclwyr di-Gymraeg ac mae'r sillafiadau yn gallu bod yn gamarweiniol ar adegau. Mae copïwyr cofnodion y Cyfrifiad yn fwy tebygol o fod yn Gymry ac yn fwy dibynadwy. Rwyf yn cyfeirio'n bur aml hefyd at *Ystyron Enwau*. Casgliad yw hwn o dri thraethawd gan wahanol awduron ar enwau lleoedd yn Ystumanner. Fe'i gwobrwywyd mewn cystadleuaeth yn Eisteddfod Gadeiriol Tywyn yn 1907. Nid wyf yn defnyddio'r gwaith hwn er mwyn ei wawdio mewn unrhyw fodd. Rhaid cofio fod tasg yr awduron hyn yn fil mwy anodd nag yw ymchwilio i enwau lleoedd i ni heddiw pan fo'r ffynonellau yn llawer mwy hygyrch a hylaw. Ond mae'r llyfr yn dangos yn eglur iawn y peryglon o ddadansoddi enwau lleoedd mewn dull arwynebol ac anfeirniadol. Dyna oedd prif gŵyn y beirniad Syr Edward Anwyl, ac yn anffodus, nid yw'r dull hwn o drafod enwau lleoedd wedi llwyr farw o'r tir hyd yn oed heddiw.

'Rhybudd' oedd teitl rhagarweiniad Syr Ifor Williams i'w lyfr *Enwau Lleoedd* yn 1945: rhybudd i beidio â chymryd dim byd yn ganiatâol wrth drafod enwau lleoedd. Mae'r rhybudd hwn yr un mor berthnasol heddiw, bron i dri chwarter canrif yn ddiweddarach. Yn wir, aeth Syr Ifor mor bell â dyfynnu geiriau Syr John Morris-Jones: "Fydd 'na neb ond ffyliaid yn treio esbonio enwau lleoedd!' Mae'n hawdd gweld pam y dywedodd hyn, gan fod hwn yn faes sydd yn llawn o faglau i'r cyfarwydd a'r anghyfarwydd fel ei gilydd. Rhaid i minnau gyfaddef nad wyf yn hollol hyderus am ambell i ddehongliad a gynigiaf, ond rwyf wedi ceisio seilio fy namcaniaethau ar ymchwil drylwyr. Yr hyn yr hoffwn ei bwysleisio yn arbennig yw nad oes, ar y cyfan, fawr o le i ddyfalu wrth esbonio enwau lleoedd. Yn aml, ni ellir dibynnu ar y ffurf bresennol: mae'n bosib fod yr enw wedi newid yn sylweddol dros y blynyddoedd. Rhaid olrhain datblygiad enw o'i ffurfiau cynharaf cyn belled ag y bo modd. Yr un oedd y rhybudd yn *Ystyron Enwau,* ond mewn arddull ychydig mwy blodeuog: 'Dylem fod ar ein gocheliad rhag gwneyd anturiaethau mympwyol i fro dehongliaeth.' Digon gwir.

YR HEN SIR FEIRIONNYDD

Ffiniau'r Cantrefi ———
Ffiniau'r Plwyfi ·········

SIR DDINBYCH

SIR DREFALDWYN

SIR GAERNARFON

EDEIRNION

PENLLYN

MAWDDWY

ARDUDWY

TAL-Y-BONT

YSTUMANNER

Corwen
CORWEN
Llandrillo
Llanfor
LLANDDERFEL
Y BALA
Llangywer
Llanuwchllyn
Llanycil
Gwyddelwern
Llansantffraid Glyndyfrdwy
Betws Gwerful Goch
Llandderfel
Llanfor
Llanymawddwy
Mallwyd
MALLWYD
Dolgellau
DOLGELLAU
Llanfachreth
Llanelltud
Llanddwywe-uwch-graig
Trawsfynydd
Ffestiniog
BLAENAU FFESTINIOG
MAENTWROG
Maentwrog
Llanfrothen
Beddgelert
Llandecwyn
Llanfihangel-y-traethau
Llandanwg
HARLECH
Llanbedr
Llanddwywe-is-y-graig
Llanenddwyn
Llanaber uwch mynydd
Llanaber is mynydd
ABERMO
PORTHMADOG
Tal-y-llyn
CORRIS
Pennal
Llanegryn
Llangelynnin
Llanfihangel-y-Pennant
MACHYNLLETH
Tywyn
TYWYN
ABERDYFI

HEN ENWAU O FEIRIONNYDD

Abercwm Eiddaw a Llecheiddior

Yn RhPDegwm plwyf Tal-y-llyn yn 1845 nodir annedd o'r enw *Abercwm Eiddw*. Byddai'n anodd esbonio'r enw o'r sillafiad hwn. Yr elfen *eiddw* sy'n achosi'r broblem. Yn ffodus, mae gennym enghreifftiau eraill sy'n taflu ychydig mwy o oleuni ar yr ystyr. Nodwyd *Tythyn Aber Cwm Eiddaw* yn 1633 (RCLCE). Aeth *The Cambrian Register* ar ddisberod yn llwyr yn 1795, gan awgrymu mai *Abercwmeiddan* oedd yr enw a'i gyfieithu fel 'the fall of the river of Cwmeiddan'. Yng Nghyfrifiad 1841 cofnodwyd *Abercwmeuddaw*. Ar y map OS cyfredol nodir *Nant Cwmeiddaw* ac *Abercwmeiddaw Quarry* ('disused') i'r gogledd o Gorris Uchaf. Ymhellach i'r gogledd nodir *Mynydd Cwmeiddaw*. Credai un o'r awduron yn *Ystyron Enwau* mai enw rhywun a fu'n byw yno oedd *Eiddaw* neu *Eiddew*. Mae un arall yn cytuno y gallai hynny fod yn bosib, ond mae hefyd yn cynnig mai 'eiddew', sef 'iorwg' sydd yma. Er na welir y sillafiad safonol yn yr un o'r enghreifftiau uchod, yn ddiau yr hyn sydd gennym yma yw *eiddew*, sef y planhigyn bythwyrdd *Hedera helix* ('ivy') a welir yn aml yn dringo dros furiau hen dai. Ond efallai nad yw'n deg collfarnu'r ffurfiau *eiddw* ac *eiddaw* fel camsillafiadau, gan eu bod yn ffurfiau llafar hollol ddilys yn Arfon a Meirionnydd. Yn achos *Tŷ Eiddew* yn Llanfaglan ger Caernarfon cofnodwyd y ffurfiau *eiddw, eiddaw, eiddiw* a hyd yn oed *iddaw* ac *ieddew* (HEALlE). Enwau eraill ar y planhigyn yw *eiddiorwg* a *iorwg.* Efallai fod y ddamcaniaeth a ganlyn ychydig yn ffansïol, ond mae'r enwau hyn yn dwyn i gof yr enw *Llecheiddior.* Mae anheddau o'r enw hwn yn Nolbenmaen yn Eifionydd ac yn Llanddwywe ym Meirionnydd. Beth yw'r ail elfen yn *Llecheiddior?* Nid oes enghraifft o'r terfyniad –*wg* yn unrhyw un o'r cofnodion o'r enw yn Eifionydd na Meirionnydd, er bod y rheiny'n ymestyn yn ôl i'r drydedd ganrif ar ddeg yn achos yr annedd yn Nolbenmaen. Y cofnod cynharaf a welwyd o'r enw yn Llanddwywe yw *Llecheithior* o 1419–20 (Rec.C). Cofnodwyd *lleghitheor vgha* yn 1546 (Mostyn). Yn yr un ffynhonnell ceir *Tythyn Coid Lleighitheor* o 1582/3. Ym mhapurau Dolfrïog nodwyd *Tythyn Coed llecheiddior* o 1636.

Ar ôl yr elfen *llech* ceir enw personol yn aml, sy'n awgrymu fod yno lech neu faen yn cofáu unigolyn arbennig, ac mae'n hollol bosib mai gŵr o'r enw *Eiddior* a goffeir yma. Ond gellir hefyd ddychmygu hen faen wedi ei orchuddio ag eiddew neu iorwg. Ai *Llecheiddiorwg* oedd yr enw i gychwyn cyn iddo golli ei gynffon? Os felly, yn anffodus, ni chadwyd yr un enghraifft o'r ffurf hon ar glawr. Dim ond awgrym petrus yw hwn ac mae'n eithaf posib fod cyfuno'r enwau *Abercwm Eiddw* a *Llecheiddior* yma yn yr un adran yn enghraifft o ieuo anghymharus. Fodd bynnag, roedd yr un posibilrwydd wedi taro J. Lloyd-Jones yn achos yr enw yn Eifionydd, er nad yw ef yn awgrymu o gwbl mai enw personol sydd yno (ELlSG). Ond efallai mai enw personol oedd *Eiddior*, yn union fel y llu o enwau anghofiedig eraill a welwn yn dilyn yr elfen *bod.*

Aberserw

Lleolir *Aberserw* rhwng Bronaber a'r Ganllwyd, ac mae *Craig Aberserw* i'r gogledd-orllewin o'r Ganllwyd. Er ein bod yn tueddu i feddwl am *aber* fel man lle mae afon yn llifo i mewn i'r môr, rhaid cofio fod *aber* hefyd yn golygu *cymer*, sef man lle mae afon yn ymuno ag afon arall. Yn *Aberserw* mae afon Serw yn llifo i mewn i afon Eden. Mae *Serw* yn elfen ddiddorol a gofnodir mewn mannau eraill hefyd. Ceir cyfeiriad at *Nant Serw* yn y Cantref Mawr yn Llyfr Llandaf (EANC; ADG2). Ceir *Llyn Serw* yn Ysbyty Ifan a Thrawsfynydd. Mae gan Tomos Roberts gofnod hynod o ddiddorol ar enw'r annedd *Penamser* ger Porthmadog (ADG2). Credai ef mai llurguniad o *Pennant Serw* oedd yr enw *Penamser.* Ym Meirionnydd nodwyd y ffurf *Come Sero* am *Cwm Serw* yn Llanelltud yn 1592 (AMR).

Tybir mai ansoddair yn golygu 'tywyll' yw *serw* (EANC; ADG2; LlE). Fodd bynnag, mae GPC yn cynnig ystyr hollol groes, sef 'disglair, pefriog'. Ond gan mai Iolo Morganwg a Wiliam Owen Pughe yw'r ffynonellau ar gyfer yr ystyr hon, efallai y byddai'n well aros gyda 'tywyll'. Credai Tomos Roberts y gellid olrhain *serw* i'r Frythoneg ac mai dyna sydd yn *Sorviodunum*, enw Rhufeinig *Old Sarum*, sef safle gwreiddiol dinas Caersallog[2] (ADG2).

'Adar y nefoedd a drigant gerllaw iddynt,
y rhai a leisiant oddi rhwng y cangau'
                                             (Salm 104)

Mae'n syndod cynifer o enwau ffermydd a thai ledled Cymru sy'n cynnwys cyfeiriad at yr eryr. Credir fod eryrod wedi diflannu o Gymru erbyn diwedd y ddeunawfed ganrif, felly a yw'r cyfeiriadau hyn yn dyst i hynafiaeth yr enwau? Yn sicr, gellir olrhain rhai o'r enwau ym Meirionnydd sy'n cyfeirio at yr eryr i gyfnod pan oedd yr aderyn hwn yn dal i nythu yn Eryri a'r cyffiniau. Ceir cyfeiriad at drefgordd

2 Salisbury

Bryneryr ym Metws Gwerful Goch yn 1528 (Bach). *Bryn yr Eryr* sydd yn RhPDegwm y plwyf yn 1844, ac mae annedd *Bryn Eryr* yno hyd heddiw. Cofnodwyd *Nant yr Eryr* ym Mhennal yn 1510. Enw nant ydoedd yn wreiddiol, ond ar un adeg yr oedd yno dŷ hefyd o'r un enw. Yn RhPDegwm nodwyd annedd *Nant yr Eryr* yn Llanuwchllyn a chae *Llwyn yr Eryr* yn Llanfor. Ceir cofnod o *ffryth Karreg Eryr* yn Nhalsarnau yn 1602 (Brog). Mae'r holl enwau hyn yn mynd â ni yn ôl i adeg pan fyddai eryrod yn weddol gyffredin. Nodwyd dau gae, *Bryn eryr* a *Bryn eryr canol* yn RhPDegwm plwyf Llanycil yn 1838; tŷ o'r enw *Cefn-yr-eryr* yn Llanfachreth ar fap OS 1838; cae o'r enw *Llwyn yr Eryr* yn Llanfor (RhPDegwm), ac annedd *Bron yr Eryr* yn Llanfihangel-y-traethau (RhPDegwm). Roedd annedd *Llannerch eryr* yn RhPDegwm Llandderfel ac ar y map OS yn 1838; mae'r fferm yno hyd heddiw.

Mae mwyafrif yr adar a geir mewn enwau lleoedd yn llawer mwy cyffredin na'r eryr. Ymhlith yr adar rheibus eraill ceir nifer o gyfeiriadau at y barcut ym Meirionnydd. Cofnodwyd *Gorsedd y barkett* ym Maentwrog yn 1612 (Tyb) ac yn y ffurf *Korsudd y Barcut* gan Edward Lhuyd tua 1700 (Paroch). Ceir sawl cyfeiriad at annedd o'r enw *Gwern y Barcud* ym Mrithdir. Rhestrir y caeau canlynol yn RhPDegwm y plwyfi a nodir: *Bryn Barcit isa / ucha* (Llanfihangel-y-traethau); *Bryn barcut* (Llanfor); *Dryll y Barcut* (Llanbedr a Llanfair); a'r anheddau *Nant y Barcut* (Llanuwchllyn); *Pant y barcit* (Llandderfel) a *Cae Barcyttan* (Tywyn). Mae *Nant y Barcud* yno o hyd. Nodir yr annedd *Ffrwd yr Hebog* yn RhPDegwm plwyf Llanfachreth yn 1848, ond mae cyfeiriad ato fel *tythyn ffrwd yr hebog* mor gynnar ag 1570 (Tyb a Nannau). Mae yno hyd heddiw. Cofnodwyd annedd *Gallt yr hebog* ym Mhennal.

Un o'r adar a welir fynychaf mewn enwau lleoedd yw'r frân. Cofnodwyd y caeau a ganlyn yn RhPDegwm y plwyfi a nodir: *Bryn brain* yng Nghorwen a Llandecwyn; *Cae bran* yn Llanfair; *Cae Brain ucha / isa* a *Maen / Maes gareg y fran* yn Llanfihangel-y-traethau; *Cae carreg y frân* yn Nhywyn;

Rhos carreg y frân yn Nhrawsfynydd; *Pant y brain* yn Llandrillo; *Trwyn Nyth y Gigfran* yn Llandecwyn; *Coed y brain isaf / uchaf* a *Rhos y brain* (Llanfor). Mae *Craig Nyth y Gigfran* i'r gorllewin o Flaenau Ffestiniog a *Bwlch Carreg y Frân* i'r dwyrain. Nodwyd yr enw *Llwyn y Brain* ar anheddau ym mhlwyfi Llanfor, Llandderfel a Gwyddelwern yn RhPDegwm. Enw diddorol yw *Branas*, annedd yn Llandrillo, a drafodir ar wahân isod.

Ni welwyd cyfeiriad at y golomen ei hun hyd yn hyn yn enwau lleoedd Meirionnydd ond ceir cyfeiriadau at golomendy yn RhPDegwm plwyfi Gwyddelwern (cae ac annedd); Corwen (annedd) a Llanfor a Llandecwyn (cae). Arferid cadw colomennod ar gyfer y bwrdd bwyd yn gynnar iawn, ac adeiladwyd colomendai ar eu cyfer mewn llawer o dai mawr yng Nghymru. Mae'r *Cae colomendy* a gofnodwyd yn RhPDegwm plwyf Llandecwyn ar dir Plas Llandecwyn. Ceir cyfeiriadau at y bioden yn enwau'r anheddau *Pant y Piod* (Llanfachreth), *Llwyn Piod* (Llanycil), *Llwyn y Piod* (Llanuwchllyn) a *Pentre Piod* (Llangywer). Gwelir y fwyalchen yn enw'r annedd a gofnodwyd fel *Llechwedd fialchen* yn Llanuwchllyn yng Nghyfrifiad 1871. Mae'r ffurf wedi dirywio ymhellach erbyn Cyfrifiad 1911, sef *Llechweddalchen*. Nodwyd cae *Fron mwyalchen* ym Metws Gwerful Goch. Yn RhPDegwm plwyf Gwyddelwern nodwyd *Cae gwenoliaid* a *Llety'r wennol* yn Llanenddwyn. Nodwyd annedd *Bryn-wennol* yn Ffestiniog ar fap OS 6" 1901. Cofnodwyd enw annedd *Bronfraith* yn RhPDegwm plwyf Tal-y-llyn yn 1838, a *Fronfraith Farm* yn Aberllefenni yng Nghyfrifiad 1911. Ond mae'r enw hwn yn enghraifft dda o'r hyn y rhybuddiodd Syr Ifor Williams i'w ochel, sef dibynnu'n ormodol ar y ffurf fodern heb olrhain tras yr enw. Os edrychir yn fanwl ar y map OS fe welir fod yr annedd hwn yng nghysgod *Mynydd Fron-fraith*, ac mae'n fwy na thebyg mai bryn brith ei liw sydd yma yn hytrach nag aderyn.

Ceir cyfeiriadau at yr wylan yn *Cae'r Wylan* (Tywyn), *Moel Gwylan* yn Llandecwyn, ac yn enw'r annedd *Gwylan* ym Maentwrog. Cofnodwyd caeau o'r enw *Erw eos* yn RhPDegwm plwyf Gwyddelwern, a *Cae ffynon eos* yn Nhywyn. Nodwyd anheddau *Cilfach y Gog* yn Llanegryn a *Ffridd y Gog* yng Nghorwen. Mae *Fedw'r Gog* yn Llanycil hyd heddiw, ac fe'i cofnodwyd fel *Tyddyn Bedow y Gog* yn 1592/3. Enwir yr ehedydd yn anheddau *Cae'r Hedydd* (Llanfachreth), *Pant-yr-ehedydd* (Ffestiniog) a *Nantyrhedydd* (Mallwyd). Nodwyd *Cae'r dylluan* yn Llandrillo, ac mae *Rhosdylluan* yn Llanuwchllyn hyd heddiw.

Ymddengys y dofednod yn fwy aml yn enwau'r caeau nag yn enwau'r tai. Caeau yw *Buarth bryn yr ŵydd* (Trawsfynydd) a *Pwll yr ŵydd* (Llandrillo), ond anheddau oedd *Bryn y gwythey* a gofnodwyd yn ardal Llandecwyn yn 1495 (MyN) ac *Erw r Gwyddeu* yn Llansanffraid Glyndyfrdwy yn 1707. Caeau a enwyd yn RhPDegwm oedd y canlynol: *Ddol whyad* (sic) (Llangar); *Erw dôl hwyaid* (Llandrillo); *Pwll yr hwyad* (Gwyddelwern); *Wern hwyaid* (Llanfor); *Dryll y ceiliog* (Gwyddelwern) a *Bryn ceilog* [sic] (Corwen). Roedd yna ddarn o dir o'r enw *garth y keiliog* yn Llandecwyn yn 1576 (Dfrïog) ac annedd o'r enw *Bryn y Keiliog* ym Mrithdir yn 1695 (Thor). Cofnodwyd annedd o'r enw *Llann'ch Erieir*[3] yn Llandderfel yn 1592 (AMR).

Arthog

Mae *Arthog* yn enw ar bentref ac ardal tua saith milltir i'r gorllewin o Ddolgellau. Ar y map OS cyfredol nodir pentref *Arthog* a'r anheddau *Arthog Hall* ac *Arthog Hall Farm*. Ychydig o gyfeiriadau hanesyddol a welwyd at yr enw, er bod cofnod o *Pull Arthoge* yn 1592. Nodwyd *Pont Pwll Arthog* ar fap OS 6" 1901. Pwll yw hwn yn afon Arthog sy'n llifo drwy'r ardal. Yr afon yn ddiau a roes ei henw i'r ardal, er bod erthygl ar y We yn honni fod y lle wedi ei enwi ar ôl pendefig Cymreig o'r enw Arthog ap Ceredig. Credai'r Athro

---

3 *Llannerch yr Ieir*

Melville Richards fod yr enw yn tarddu o'r ferf *arthu*, sef cyfarth neu floeddio'n groch fel arth, a'i fod yn cyfeirio at sŵn y rhaeadrau yn yr afon (AtM). Mae D. Geraint Lewis yn dehongli'r enw fel 'place of bears' (LlE), ond mae hyn yn annhebygol. Ceir sawl afon sydd wedi ei henwi ar ôl anifail. Er enghraifft, *banw*, sef mochyn bach, sydd yn enw afon Ogwen. *Ogfanw* oedd y ffurf wreiddiol. Nid yw 'mochyn bach' yn enw mor od â hynny ar afon. Camp y mochyn, fel yr afon, yw medru tyrchu ei ffordd drwy'r tir. Ceir afonydd o'r enw *Hwch*, *Twrch* a *Colwyn* am yr un rheswm. Cenau neu gi bach yw *colwyn*, ac maent hwythau yn rhai da am dyrchu. Felly, cynneddf yr anifail a gyfleir yn yr enw, nid y ffaith ei fod yn byw yno. Yn yr un modd, cynneddf yr afon ym Meirionnydd yw ei bod yn 'arthog' gan ei bod yn gwneud sŵn fel arth. Mae'n debyg mai'r un ystyr sydd i enw afon Arth yng Ngheredigion.

Bach y Sul / Bachysil

Nodwyd yr enw hwn yn RhPDegwm plwyf Llangelynnin yn 1839 fel *Bachysul*. Ceir *Bach y Sul* o 1673 a *Bach y Siele* o 1682 ym mhapurau stad Peniarth. Mae'n debyg mai elfennau'r enw yw *bach* + *sul*. Mae'n hawdd esbonio *bach*, gan fod hon yn elfen gyffredin mewn enwau lleoedd yn yr ystyr o 'gilfach'. Byddai'n ddigon naturiol cael enw personol ar ôl yr elfen hon fel ag a welir yn *Bach Riffri* yn Llanddeiniolen yn Arfon.[4] Mae *Sul* yn enw personol cydnabyddedig. Awgrymodd yr Athro Melville Richards mai ffurfiau anwes yw *Sul* a *Silio* (a welir yn *Llandysilio*) ar yr enw *Sulien*, sef plentyn a anwyd ar ddydd Sul. Ond mae rhyw naws hynafol i'r enw a byddid wedi disgwyl cael cofnodion llawer cynharach ar gyfer *Bach y Sul* os mai'r enw personol *Sul* sydd yma. Ceir *Capel Sul* a *Ffynnon Sul* yng Nghydweli. Awgrymodd Francis Jones yr enwau *Selyf* a *Sawyl* fel tarddiadau posib i'r enw yn y fan honno (HWW).

4 Llurguniwyd yr enw hwn yn *Braich Effri* ar lafar (HEALlE).

Ceir cryn amrywiaeth yn y sillafu yn yr enw yno: *Funnon Syell* yn 1597 a *fynnon Seal* yn 1753 (AMR). Cyfeiria Gwynedd O. Pierce at enghreifftiau o *Erw'r Sill* a *Cae'r Sill* yn Ninas Powys. Nid yw ef yn awgrymu'r posibilrwydd mai enw personol sydd yma, ac mae'n cynnig yr ystyr o 'eisin' neu 'gibau' (PNDPH). Mae *Bryn-sil* yn digwydd ym Mhen-rhys, Morgannwg; a *Rhyd-sil* yn Llangoedmor, Ceredigion. Ceir dau gae hefyd ar dir Plas Dinas, Llanwnda, o'r enw *Cae'r Sil* a *Coedgae Sil*. Fodd bynnag, yr enghraifft fwyaf nodedig o'r elfen yw *Gallt y Sil* ar gyrion Caernarfon. Gellir cynnig yn eithaf hyderus mai cyfenw yw'r *Sil* yno, oherwydd gwyddom fod gwŷr o'r enw Henry Sill a Robert Sill yn byw yng Nghaernarfon yn 1552 (HEALlE). Ceir cofnodion o'r enw hwn wedi eu sillafu fel *Sill, Syll* a *Syll*. Felly, mae'n bosib mai cyfenw sydd yn *Bach y Sul* hefyd. Cofnodwyd y ffurf *Bachysil* yng Nghyfrifiad 1861, 1881, 1891 ac 1911, a *Bachsil* yn 1841 ac 1871, felly mae'n amlwg fod yna ansicrwydd ynglŷn â ph'run ai *u* ynteu *i* oedd y sain yn y drydedd elfen.

Mae'n eithaf cyffredin cael y fannod o flaen enw personol i ddangos meddiant, yn enwedig mewn enw gweddol ddieithr neu enw anghyfiaith. Ceir *Tyddyn y Bisley* ym mhlwyf Llanrug, Arfon, ac mae enghreifftiau o'r fannod yn enw *Cae Bold* yng Nghaernarfon: cofnodwyd *Cae y Bwlt* yn RhPDegwm yn 1841 (HEALlE). Cyfeiria Gwynedd O. Pierce at sawl enghraifft o Forgannwg o'r fannod gyda chyfenw anghyfiaith, e.e. *Craigybwldan* (o'r cyfenw *Bulden* neu *Boulden*) a *Tir y Barnard* (Llantrisant) (PNDPH), a chyfeiria Dr B.G. Charles yntau at enwau megis *Coed y Devonald* yn Sir Benfro (PNPem). Er mai cyfenw anghyfiaith sydd yn dilyn y fannod gan amlaf, fe geir ambell ddefnydd o'r gystrawen hon gydag enw cyntaf Cymraeg: cofnodwyd y ffurf *Cae'r Llowarch* ym mhlwyf Llandwrog a cheir enghreifftiau o'r ffurfiau *Cae'r Gethin* a *Tyddyn y Cethin* mewn mwy nag un man. Felly, gallai'r elfen *Sul* fod yr enw cyntaf *Sul* neu'r cyfenw *Sill*, ac mae'n bur debyg mai enw personol sydd yma.

Mae'n bosib nad *Bach y Sul* yw'r unig enghraifft o'r elfen hon ym Meirionnydd. Cofnodwyd annedd o'r enw *Tyddyn y Sel* ym Mrithdir yn 1694. *Tythyn Seal* oedd y ffurf yn 1720/21, a *Tythyn y Sel* yn 1753 (Thor).[5]

Blaidd

Credir fod bleiddiaid wedi diflannu o Gymru a Lloegr erbyn diwedd y bedwaredd ganrif ar ddeg, er bod traddodiad mewn rhai mannau yn honni iddynt oroesi i'r bymthegfed ganrif, ac ar ôl hynny mewn ambell le. Ond hyd yn oed wedi iddynt ddiflannu mae'r atgof amdanynt yn parhau ar lafar gwlad. Ceir llu o gyfeiriadau at y blaidd yn enwau lleoedd Meirionnydd. Dechreuwn gyda'r anheddau. Cofnodwyd annedd yn Llanegryn yn syml fel *Blaidd* yn 1771 (Pen), ar fap OS 1837, ac yn RhPDegwm yn 1841. Mae'n fwy na thebyg mai'r un lle yw hwn â *Tyddyn y Blaidd*. Cofnodwyd *tythin y Blaidd* yn Llanegryn yn 1682 (Pen), ond ceir cyfeiriadau hefyd at *Tir y Blaidd* yno yn 1673 ac 1675 (Pen). Tybed pwy oedd y Madog Blaidd a enwyd yn *Kay Madok blaith* yn Llanbedr yn 1592? (MyN). Lleolir *Cae'r Blaidd* yn Llan Ffestiniog. Tŷ Fictoraidd wedi ei droi'n westy sydd yno heddiw, ond mae'r enw'n hŷn. Fe'i cofnodwyd yn 1775 (Elwes) ac mae yn RhPDegwm plwyf Ffestiniog yn 1842.

Mae *Castell y Blaidd* yng Nghwm Cewydd ger Mallwyd. Nodwyd yr enw fel *Kastell y Blaidd in Kwm Kewth* yn 1563 (Nannau). Rhaid cofio y cyfunir yr elfen *castell* gydag enw anifail neu aderyn ambell dro i gyfleu man anghysbell neu hen adfail. Cyfeiria Dr B.G. Charles a'r Athro Gwynedd O. Pierce at enghreifftiau megis *Dinas-y-frân*, *Castell-y-frân*, *Llys-y-frân*, *Castell-y-dryw*, *Castell-y-geifr*, *Castell*

---

5 Mae gan Melville Richards nodyn ar yr enw *Bachysylw*, fferm ym mhlwyf Cilymaenllwyd, Sir Gaerfyrddin, yn BBGC, XXIII, Rhan IV, 1970. Credai mai'r enw personol *Sulfyw* sydd yno. Nodir hyn er diddordeb yn unig gan fod datblygiad yr enw *Bachysylw* yn wahanol i *Bachysil*, er y tebygrwydd yn yr enwau.

Crychydd a *Llysyfalwen* mewn gwahanol rannau o Gymru (PNPem a PNDPH). Mae'r cyfuniad o elfen gyntaf urddasol megis *dinas, castell* a *llys*, ac ail elfen ddirmygus yn cyfleu gwrthgyferbyniad ac awgrym o rywle a welsai ddyddiau gwell, fel yn englynion Evan Evans i Lys Ifor Hael: 'Y llwybrau gynt lle bu'r gân / Yw lleoedd y dylluan'. Ond rhaid cofio hefyd y byddai hen adfail yn gallu rhoi lloches dderbyniol iawn i fleiddiaid ac anifeiliaid gwyllt eraill.

Ambell dro mewn enw lle ceir y ffurf luosog *bleiddiaid* neu *bleiddiau*. Ar un adeg roedd pwll dwfn yn afon y Glyn yn Llangywer a elwid yn *Llyn Bleiddiaid*, ond mae bellach wedi ei lenwi â graean (GyB). Cofnodwyd annedd o'r enw *Llechwedd y bleiddie* yn nhrefgordd Cynfal yn Nhywyn yn 1633 (RCLCE). Yn RhPDegwm plwyf Trawsfynydd yn 1840 nodir cae o'r enw *Bryn y bleiddiaid*. Mae adfeilion *Llannerch y Bleiddiau* ym Mhennal. *Llannerch y Blyddye* oedd y ffurf yn 1592 (GyB) a *Llanerch y Bleiddie* yn RhPDegwm 1838. Cofnodwyd cae *Pant y bleiddiau* yn RhPDegwm plwyf Betws Gwerful Goch, a *Maes y bleiddiau ucha* yn Llanfor. Bwthyn bach yn ardal Maentwrog yw *Coed y Bleiddiau* a atgyweiriwyd yn ddiweddar gan y Landmark Trust. *Coed-Bleiddia* oedd ffurf yr enw yng Nghyfrifiad 1881. Ceir cyfeiriad at fleiddast hefyd yn *Twll y fleiddast* ar Gadair Idris. Mae Robert Prys Morris yn honni i fleiddast gael ei lladd yno mor ddiweddar ag 1785, ond mae'n anodd derbyn y dyddiad hwn (CM). Ceir cofnod o *Ogo'r fleiddast* yn Llanuwchllyn, ond mae'r enw a'r ogof wedi diflannu erbyn hyn (GyB).

Yn Llanegryn yr oedd tyddyn a thafarn o'r enw *Bryn Bleiddyn* neu *Bryn Bloeddyn*. *Bryn y bleuddyn* sydd yn RhPDegwm yn 1841. Mae'n bosib mai *Bryn y Blaidd* oedd yr enw gwreiddiol ac mai dyna oedd enw'r bryncyn gerllaw (GyB). Beth yn hollol yw ystyr yr elfen *bleiddyn*? Yn syml, blaidd ifanc neu flaidd bychan yw *bleiddyn*, ac mae'n elfen a welir mewn sawl enw lle ym Meirionnydd. Ceir nifer o gofnodion am annedd *Garth Bleiddyn* yn Llanelltud ger Dolgellau: *garth bleddynn* yn 1534 (Dolrhyd); *garth blethyn*

24

yn 1548 a *Garth-Blethin* yn 1675 (Nannau). *Garth Bleiddyn* sydd yn RhPDegwm 1843. *Garth-bleiddyn* sydd ar y map OS cyfredol. Mae'r elfen i'w gweld hefyd yn *Hafod bleuddyn* yng Ngwyddelwern. Dyna'r ffurf yn RhPDegwm 1836: *Hafod-y-blaiddyn* sydd ar fap OS 1838. Cofnodwyd annedd *Bryn y bleuddyn* yn RhPDegwm plwyf Llanegryn. Nodwyd hefyd y caeau canlynol yn RhPDegwm: *Cae bleiddyn* (Llanfair) a *Pant bleuddyn* (Corwen). Yn ôl yr hanes boddwyd nifer o feddwon yn *Llyn Bleiddyn* neu *Pwll Bleiddyn* yn y Bala. Dywedir hefyd i'r blaidd olaf yn y rhan honno o'r wlad gael ei erlid a boddi yn y llyn (GyB). Mae map OS 1838 yn cofnodi annedd o'r enw *Aber-bleiddyn* yn yr un ardal.

Cyn gadael y bleiddiaid mae'n werth sylwi ar ddau enw arall sy'n gysylltiedig â'r anifail, sef *Cae Wlff* a *Bleiddbwll*. Mae tyddyn *Cae Wlff* yn Llandderfel. Fe'i nodwyd yn y ffurf hon yn RhPDegwm 1838, ond yn y Cyfrifiad yn 1871 ceir *Cae wolf.* Benthyciad o'r Saesneg *wolf* sydd yma, wrth gwrs. Nid yw'r elfen yn unigryw: cofnodwyd *Bryn Wlff* yn Niserth, Sir y Fflint a *Dôl Wlff* yn Llanwenog yng Ngheredigion. Mae hanes diddorol i'r enw *Bleiddbwll*. I ddal bleiddiaid gynt arferid cloddio pyllau a'u gorchuddio â brigau i'w cuddio. Byddent yn byllau pur ddwfn i rwystro'r blaidd rhag dringo allan ohonynt. Cofnodwyd mwy na dau gant o enwau lleoedd yng Nghymru sydd yn cynnwys rhyw gyfeiriad at flaidd, a thuag ugain o gyfeiriadau at byllau i ddal bleiddiaid (GyB). Ym Meirionnydd ceir *Bleiddbwll* yn Llanfair yn Ardudwy. Fe'i nodwyd fel *Y Blaith bwll* yn 1542 (MyN). *Blaidd Bwll* sydd ar y map OS cyfredol. Cyfeirir ato fel *Bribwll* ar lafar. Mae'r ffurf *Bribwll* yn digwydd hefyd yng Nghenarth, Eryrys, Llanbedrog, Llanfihangel-ar-arth a Llanrwst (GyB). Ceir enw lle cyfatebol o ran ystyr, sef *Pol-bleiz*, mewn Llydaweg Canol yn 1242, a chyfuniad o'r un elfennau yn y Gernyweg, sef *bleit* a *pol*, a roddodd yr enw lle *Blable* yng Nghernyw. Mae rhai o'r siarteri cynnar yn Lloegr yn cyfeirio at 'wolf-pits', a esgorodd ar enwau megis *Woolpit[s]* yn siroedd Caerloyw, Suffolk, Essex a Hertford (EFND; CODEPN; CDEPN).

Boch y Rhaeadr

Mae *Boch y Rhaeadr* ar lan ddeheuol Llyn Celyn. Y cofnod cynharaf a welwyd hyd yn hyn yw'r ffurf ryfedd *Moctraidre* mor gynnar ag 1232/3 (CalCR iii). Nodwyd y ffurf *Hokerader* yn 1285 (CalCR ii). Cofnodwyd y ffurfiau *Birgho Radder* yn 1561/2 (AMR); *Boch y Rhaiad* gan Edward Lhuyd tua 1700 (Paroch) a *Voch yr haiad* yn 1743 (CalMerQSR); *Boch-y-rhaiad* oedd ar y map OS yn 1838 a *Bochrhaeadr* yn RhPDegwm plwyf Llanycil yn yr un flwyddyn. *Boch-y-rhaiadr* oedd ar fap OS 6" 1901. Ar y map OS cyfredol nodir *Boch y Rhaeadr, Coed Boch y Rhaeadr* a *Moel Boch y Rhaeadr.*

Gwyddom fod *Bochrhaeadr* a *Gwernhefin* ym mhlwyf Llanycil yn ffermydd ('granges') a oedd yn eiddo i Sistersiaid Abaty Dinas Basing. Ceir cyfeiriad at fynaich *de moghrade* yn Stent Meirionnydd yn 1285, ac mae'n amlwg mai ymgais i gyfleu'r enw *Boch y Rhaeadr* sydd yma. Y mynaich hefyd oedd biau Llyn Tegid a'r hawliau pysgota yno (ACLW). Mae'n anodd esbonio'r enw *Boch y Rhaeadr.* Gellid awgrymu efallai ei fod yn disgrifio'r modd yr oedd rhaeadr yno yn bochio allan rhwng y cerrig.

Bodelith

Mae'r enw *Bodelith* yn bodoli hyd heddiw yn Llandderfel. Y cyfeiriad cynharaf ato a welwyd hyd yn hyn yw *Bodelith* o 1765 (CalMerQSR). Fe welir ei fod wedi ei sillafu fel un gair yn y cofnod hwn. Yna ceir nifer o gofnodion lle nodir ef fel dau air: *Bod Elith* sydd yn *The Cambrian Register* yn 1795, lle esbonir yr enw fel 'Elith's ham'. Ceir y ffurf wallus *Bodelyff* ar fap OS 1838. *Bod-Elith* sydd ar y mapiau OS o 1886 hyd 1983. *Bod Elith* sydd ar y map OS cyfredol. Mae'n bur debyg fod esboniad *The Cambrian Register* o'r enw yn hollol gywir ac mai'r hyn sydd gennym yma yw *bod* yn yr ystyr o 'breswylfa' + yr enw personol *Elith.*

Bodlosged

Tŷ o'r unfed ganrif ar bymtheg yw *Bodlosged* sy'n sefyll hyd heddiw i'r de o Lan Ffestiniog. Datgelodd astudiaethau dendrocronoleg fod rhannau ohono yn dyddio o 1561 (DTHE). Ceir cofnod o'r enw mor gynnar ag 1292–3 yn y ffurf *Botlosked* (MLSR). Yna ceir nifer o gyfeiriadau ato yng nghasgliad Elwes yn y Llyfrgell Genedlaethol: *Bodlosged* o 1532; *Botlosked* o 1674; *Bodleschoed* o 1772 a *Bodlosged* o 1775. Cofnodwyd y ffurf *Bodlosked* yn 1739 (Maenan) a *Bodlosged* yn 1743 (CalMerQSR). *Bodlosgad* sydd yn RhPDegwm 1842; *Bodlosgad* yng Nghyfrifiad 1841; *Bod-llosged* ar fap OS 1838 a *Bodlosgiad* yng Nghyfrifiad 1911. Yna, rywbryd yn ystod yr ugeinfed ganrif mae'r hen enw hwn yn diflannu. Yn ei le mae'r ffurf hollol amheus *Bodloesygad* yn dechrau ymddangos. Gellir gweld ar unwaith mai enw sydd wedi ei fathu'n fwriadol yw hwn er mwyn rhoi rhyw naws hanesyddol ffug i'r lle.

Mae'r tŷ bellach yn cael ei osod i ymwelwyr aros ynddo ac fe'i hysbysebir yn helaeth ar y We. Yn un o'r hysbysebion hynny ceir 'esboniad' o'r enw. Honnir mai cri Lleu Llaw Gyffes wrth iddo gael ei droi'n eryr a roes ei enw i'r tŷ. Yn ddiau roedd yna 'loes' yn y digwyddiad hwnnw, ond nid oes sôn am 'gad' yn yr hanes. Gallwn wrthod yr eglurhad chwerthinllyd hwn ar unwaith, ond mae'n fwy anodd darganfod gwir ystyr yr enw *Bodlosged*. Mae Melville Richards yn gweld cysylltiad rhyngddo a *golosg* ('charcoal') neu *golosged*, hen air am rywbeth sydd wedi ei losgi. Nid yw'n ymhelaethu ymhellach ar ystyr yr enw, ond gellir cynnig naill ai fod golosg yn cael ei gynhyrchu yno ar un adeg neu fod yr annedd ei hun wedi mynd ar dân ganrifoedd yn ôl.

Bodorlas

Enw ar hen drefgordd ym mhlwyf Corwen oedd *Bodorlas*. Mae'n amlwg mai *bod* yn yr ystyr o breswylfa yw'r elfen gyntaf, a byddai hynny'n awgrymu efallai mai enw personol sydd yn yr ail elfen. Ond pa enw? Unwaith eto, rhaid cyfaddef fod llawer iawn o'r hen enwau personol hyn wedi mynd yn hollol anghyfarwydd i ni bellach. Awgrymodd Melville Richards y gallai mai *Morlas* sydd yma, gan gofio'r enw *Rhyd Forlas* yng Nghanu Llywarch Hen (ETG; CLlH; YODW). Rhyd ar afon Llawen ger Selatyn ar y gororau yw hon, ond nid awgrymir bod unrhyw gysylltiad rhwng yr enw hwn a *Bodorlas*. Yn wir, mae Melville Richards yn hytrach yn troi ei sylw at yr enw personol *Gorloes*, sydd yn gynnig llawer mwy derbyniol, gan mai *Bodoryles* (1292), *Bdorloys* [sic] a *Boderloys* (1309–10) oedd y ffurfiau cynharaf a welwyd hyd yma (AMR). Erbyn yr unfed ganrif ar bymtheg mae'r enw wedi ymsefydlu fel *Bodorlas*. Yn 1549 y ffurf oedd *Bodderlase* (Cal. Pat. R.). Nodwyd *Bodorlas* yn 1591 (Rug); *Boderlas* yn 1581 a *Bodorlas* yn 1609 (Bach). Ond y ffurfiau cynharaf sy'n cynnig yr esboniad gorau, gan fod *Gorloes* yn enw cydnabyddedig. Yn ôl y chwedl, *Gorloes* oedd enw gŵr Eigr, mam y Brenin Arthur, er nad oes unrhyw awgrym mai ef a gofnodwyd yn enw'r drefgordd yng Nghorwen. Mae Melville Richards yn cyfeirio at y posibilrwydd mai'r un enw sydd yn *Bosworlas* a *Treworlas* yng Nghernyw (ETG).

Bodwenni

Lleolir *Bodwenni*, neu *Bodwenni Hall* fel y cyfeirir ato yn aml, yn Llandderfel. Gwyddom mai ffurf wreiddiol yr enw oedd *Bedwenni,* ond ychydig iawn o enghreifftiau o'r ffurf hon sydd wedi goroesi ar glawr. Cofnodwyd *tythyn y Bedweni* yn 1561; *Bedwenny* yn 1630 a *Bedwennie* yn 1659/60 (EFD). *Bodwenni* sydd gan Edward Lhuyd tua 1700 (Paroch), ond mae *The Cambrian Register* yn 1795 yn nodi'r enw fel *Bedweni* ac yn ei ddehongli'n gywir fel 'the birches'. Cofnodwyd *Bodwenni otherwise Bodwenny* yn 1740 (EFD) a *Bodwenn* yn 1793 (CalMerQSR). *Bodwenni* oedd yn RhPDegwm 1838. *Bodweni* oedd ar fap OS 6" 1901 a dyna'r ffurf ar y map OS cyfredol.

Roedd *The Cambrian Register* yn llygad ei le. *Bedwenni* yw ffurf gywir yr enw, sef lluosog *bedwen*. Rydym ni heddiw yn fwy tueddol o ddefnyddio 'coed bedw' am y lluosog, ond roedd *bedwenni* yn ffurf hollol naturiol yn y gorffennol. Yn ei gywydd 'Anrhegion Dafydd, Madog ac Iorwerth' dywed Dafydd ap Gwilym iddo dderbyn gan ei gariad rodd o dlws wedi ei lunio o bren bedw a ddisgrifia fel 'teilwng seren bedwenni' (CDapG). Mae'n hawdd gweld sut y trodd *Bedwenni* yn *Bodwenni* yn enw'r annedd. Fel yr aeth y defnydd o *bedwenni* yn fwy prin roedd yn naturiol i bobl dybied mai *Bod + wenni* oedd yr enw, gan fod cynifer o enwau tai yn dechrau â'r elfen *bod* yn yr ystyr o 'breswylfa'. Nid oedd raid trafferthu i ystyried pwy neu beth oedd *wenni*. Mae'n ddiddorol sylwi fod *bed–* wedi troi yn *bod–* yma, tra yn enw *Bedlinog* ym Morgannwg, digwyddodd y broses o chwith pan drodd **Bod**linog yn **Bed**linog.

Bodwylan

Lleolir *Bodwylan* mewn man eithaf diarffordd i'r dwyrain o Lwyngwril. Er bod y tŷ yn dyddio o'r unfed ganrif ar bymtheg, pe baech yn mynd i chwilio amdano erbyn dechrau'r ugeinfed ganrif fe gaech drafferth i ddod o hyd iddo. Y rheswm am hyn yw fod ei enw wedi cael ei newid o *Bodwlan* i *Bodwylan*. Mae Melville Richards yn cyfeirio at gofnod o *Tyddyn Modwllan Vechan* o'r flwyddyn 1592 (ETG), ond prin iawn yw'r cyfeiriadau cynnar ato er ei hynafiaeth. Pam y newidiwyd yr enw a pha bryd y digwyddodd hynny? Mae'n debyg na fedrid esbonio'r enw, a thybiwyd mai gwall oedd *Bodwlan* am *Bodwylan*. Ond *Bodwlan* sydd yn gywir, er ei fod yn anodd iawn ei esbonio. Nid yw Melville Richards yn mentro gwneud hynny. Gellid awgrymu efallai mai enw personol oedd *Gwlan*, ac mai'r ystyr fyddai 'preswylfod Gwlan'. *Bodwlan* yw'r ffurf yn y Cyfrifiad yn 1841, 1861, 1881 ac 1911. Ond ar fapiau o 1899 ac 1900 ceir *Bodwylan*, a dyna sydd ar y map OS cyfredol. Felly, rhaid casglu fod yr enw wedi cael ei newid yn fwriadol tua dechrau'r ugeinfed ganrif i geisio rhoi ystyr fwy cyfarwydd iddo.

Bodyfuddai

Mae *Bodyfuddai* i'r de-ddwyrain o Drawsfynydd. Ym mhapurau stad Peniarth ceir cofnodion o'r enw drwy'r canrifoedd. Y cynharaf a welwyd hyd yn hyn yw *Tythyn Bodevethe* o 1457. Nodwyd *Bodyvythe* yn 1519; *Bodyvythe* yn 1537; *Bod y Vydde* yn 1559; *Bodyvyddei* yn 1570; *Bodyfyddey* yn 1594; *Bod y Vyddei* yn 1599 a *Bod y Fydde* yn 1710. *Bodyfudda* oedd yng Nghyfrifiad 1841 a *Bodyfyddai* yn 1911. *Bodyfuddau* sydd ar y map OS cyfredol.

Mae elfennau'r enw yn hollol amlwg, sef *bod* ('preswylfa') + y fannod + *buddai*. Ystyr *buddai* yw corddwr, sef llestr a ddefnyddir i guro llaeth neu hufen nes iddo droi'n ymenyn. Gynt roedd yn beiriant hynod o gyffredin mewn ffermydd, ond ni wyddom beth oedd mor arbennig am y fuddai ym *Modyfuddai* i beri iddi roi ei henw i'r annedd. Gwelir yr un elfen mewn enwau eraill ym Meirionnydd. Ceir cyfeiriad at *Gwern y vydde* yn 1651 a *gwerne y fydde* yn 1682 yn Llanelltud (Tyb). Cofnodwyd *Hafod y fudda* yn RhPDegwm plwyf Trawsfynydd yn 1840, a cheir *Nant y fuddai* yn Llanymawddwy.

Bonwm

Ar y map OS cyfredol nodir yr annedd *Bonwm-uchaf* rhwng Corwen a Charrog. Mae bellach yn Sir Ddinbych, ond mae hefyd yn Edeirnion, ac oherwydd hynny caiff ei gynnwys yma. Enw'r drefgordd yng Nghorwen gynt oedd *Bonwm*, ac er ei bod yno yn 1292, nid yw wedi ei chynnwys yn Rhôl Trethdalwyr Meirionnydd yn y flwyddyn honno (MLSR). Fodd bynnag, mae gennym gofnod o'r enw o'r un flwyddyn, sef *Bodhong*', er nad yw'r ffurf ryfedd honno'n fawr o gymorth (Tax.Nich). Cyn bo hir, mae'n ymsefydlu yn *Bonwm*, er bod y sillafiad yn amrywio.

Cofnodwyd *Bonwm* yn 1650 (Rug); *Bonwm* yn 1795 (Camb.Reg.); *Bonum* yn 1796 (Rug). Yn 1696 gwelwyd un o'r cyfeiriadau cynharaf at *Plas yn Bonwm* (MyN). Erbyn RhPDegwm plwyf Corwen yn 1839 cofnodwyd *Plas yn Bonwm* ynghyd â *Bonwm ucha*. Yng nghofnodion y Cyfrifiad ceir *plas yn bonwn* a *Bonwm ucha* yn 1841; *Bonwm ucha* yn 1871, a *Plas Bonwm* yn 1911. Ar fap OS 6" 1888–1913 nodir *Coed Bonwm, Bonwm-uchaf, Bonwm* a *Plas ym Monwm*. Mae *Plas yn Bonwm, Bonwm Uchaf* a *Bonwm Cottage* yng Nghorwen heddiw.

Mae *Bonwm* yn enw anodd iawn ei ddehongli. I unrhyw un a fu'n astudio Lladin, y gair cyntaf a ddaw i'r meddwl yw ffurf ddiryw yr ansoddair *bonus*, y gellid ei chyfieithu fel 'rhywbeth da'. Ond mae hyn yn esboniad rhy syml a rhy gymhleth ar yr un pryd. Yn 1795 cynigiodd *The Cambrian Register* yr ystyr 'basement' i'r enw. Yn ôl GPC, elfennau'r enw yw *bôn* + *-wm*, ac mae'n rhoi'r ystyron 'boncyff', 'plocyn' a 'pen praffaf peth'. Dyfynnir yno gwpled o waith Guto'r Glyn:

> Troi blaen gwayw, graen o'i grwm,
> Tua'i fwnwgl, tew fonwm.

Trown yn awr at wefan ardderchog Guto'r Glyn.net. Yn y cywydd mae Guto'r Glyn (os ef yw'r awdur, ac mae peth amheuaeth am hyn) yn disgrifio ymosodiad Gruffudd Fychan ap Gruffudd Deuddwr o'r Collfryn ar ormeswr o Sais. Cyfeiriad difrïol at hwnnw yw'r 'tew fonwm'. Cynigir yr aralleiriad 'y plocyn tew' a'r cyfieithiad 'the fat lump'. Dyma, felly, enghraifft o ddefnyddio *bonwm* yn yr ystyr o 'blocyn'. Ond nid yw hyn yn addas ar gyfer enw trefgordd nac annedd. Efallai y byddai awgrym arall GPC, sef 'boncyff', yn well. Gwell fyth yw'r awgrym 'pen praffaf'. Mae'n bosib mai rhyw fath o sylfaen gadarn yw'r ystyr ac mai anelu at hynny yr oedd *The Cambrian Register* yn ei wneud gyda'r 'basement'. Byddai 'sylfaen' neu 'sail' yn gwneud synnwyr. Roedd *Sylfaen* yn enw ar drefgordd yn Sir Drefaldwyn, ac mae'n bosib mai'r un ystyr oedd i enw trefgordd *Bonwm* ym Meirionnydd. Mae *Sylfaen* hefyd yn enw ar annedd i'r gogledd o Abermo.

Botalog

Lleolir *Botalog* i'r de o Dywyn. Mae'r tŷ presennol yn dyddio o ganol y bedwaredd ganrif ar bymtheg ac yn ymgorffori darn o annedd cynharach. Yn RhPDegwm plwyf Tywyn yn 1838 disgrifiwyd *Bodtalog* fel 'mansion'. Ceir nifer o gyfeiriadau pur gynnar at yr enw.[6] *Botalog* oedd enw'r hen drefgordd hefyd a chyfeiriadau at honno sydd yn y cofnodion hynaf. Daw'r cynharaf a welwyd hyd yma o 1419–20 yn y ffurf *Bottaloc* (Rec.C). Cofnodwyd *Bottalog* yn 1546 (Pen). Nodwyd *Botallock* yn 1574 ac 1591/2 a *Botalog* yn 1588 (Rec.C.Aug.). *Bodtalog* oedd ar fap John Evans yn 1795; *Bottalog* oedd ar fap OS 6" 1901 a *Bod Talog* sydd ar y map OS cyfredol.

Yn ôl Melville Richards, mae'n bur debyg mai *bod* (preswylfa) + *halog* (budr) sydd yma. Mae ar yr un patrwm â *Rhydtalog* yn Sir y Fflint a mannau eraill (ELlBDA), lle mae'r cyfuniad o'r cytseiniaid *d* + *h* yng nghanol yr enw wedi peri caledu'r *d* > *t*. Ond mae'n fwy naturiol rywsut gael rhyd halog gan y byddai dynion ac anifeiliaid yn croesi drwyddi yn aml gan gynhyrfu'r llaid yn y dŵr. Byddai'n rhaid i annedd fod yn bur fudr i gael yr enw *Bodhalog*.

---

6 Er gwaethaf y cyfeiriadau at ryw *Bodtalog* yn Nhywyn, Sir Ddinbych, yn AMR, nid oes unrhyw gyfeiriad at y lle hwnnw yn WATU nac yn ETG, ac mae manylion y cofnodion yn AMR yn dangos yn eithaf eglur mai cyfeiriadau at y *Bodtalog* yn Nhywyn, Meirionnydd, sydd yma.

Oherwydd hyn, o bosib, mae Melville Richards yn awgrymu'n betrus mai *bod + talog* sydd yma, ond nid yw'n ymhelaethu ar hyn. Gall unigolyn fod yn 'dalog' yn yr ystyr o 'hyderus' neu hyd yn oed 'haerllug', ond nid yw'r ystyr hon yn cyd-fynd â'r elfen *bod*. Ceir rhai enghreifftiau o 'talog' yn yr ystyr o fod â thalcen uchel mewn adeilad, a byddai hynny'n addas yma. Neu efallai mai'r un hen stori sydd yma, ac mai enw personol a gollwyd o'r iaith oedd *Talog*, fel sy'n digwydd mor aml ar ôl yr elfen *bod*.

Branas

Lleolir *Branas Isaf* a *Branas Uchaf* i'r gorllewin o Landrillo. Mae *Branas Uchaf* yn dŷ-neuadd uchelwrol o'r unfed ganrif ar bymtheg. Mabwysiadodd y tŷ enw'r hen drefgordd. Cofnodwyd enw'r drefgordd fel *Branes* yn 1592 (Wynn) ac mae'r ffurf hon yn arwyddocaol. *Branes* hefyd oedd y ffurf a ddefnyddiodd Lewys Glyn Cothi mewn cerdd sy'n sôn am Gruffudd ap Rhys o Franas yn mynd ar bererindod i Santiago de Compostela. Roedd yn amlwg yn dŷ go foethus, oherwydd mae Lewys yn ei gymharu â Sieb:[7]

> Ba dir yw wyneb y dawn?
> Ba dir wyneb Edeirniawn?
> Ba lys ar blasau hirion?
> *Branes*, Sieb yr ynys hon.   (GLGC)

Yn raddol trodd *Branes* yn *Branas*. Cofnodwyd *Brannas* yn 1609 (Bach); *Branas ycha ag isa* tua 1700 (Paroch) a *Branas* yn 1795 (JE/MNW). Ond y ffurf *Branes* sy'n dangos ystyr yr enw.

Terfyniad torfol yw'r –*es*, sef 'haid'. Yma mae'n cyfeirio at haid o frain. Gwelir yr un terfyniad yn enw *Eryrys* i'r dwyrain o Ruthun. Haid o eryrod oedd yno, a'r ffurf wreiddiol oedd *Eryres*. Rydym yn fwy cyfarwydd â'r

---

7 Sieb = Cheapside yn Llundain, a oedd yn ardal fasnachol brysur a llewyrchus.

terfyniad mewn enwau cyffredin megis 'llynges' neu 'buches', ond yr un yw'r ystyr, sef fflyd, gyr neu dorf. Mae Tomos Roberts yn cyfeirio at enghraifft ddiddorol yn yr enw *Taliaris*, plasty ger Llandeilo Fawr (ADG2). Dangosodd mai tarddiad yr enw anghyffredin hwn oedd *tal* + *iares*, sef pen y fan lle ceid haid o ieir. Fodd bynnag, brain oedd yn ymgasglu ym *Mranas*.

Nid Lewys Glyn Cothi oedd yr unig fardd i ganu clodydd Gruffudd ap Rhys. Canodd Hywel Cilan awdl a dau gywydd moliant iddo. Mae Hywel yn canmol Gruffudd, ei noddwr, gan ddweud ei fod yn olynydd teilwng i'w frawd Dafydd:

> Ei frawd oedd haela'n ei fro – a welwyd
> Nac a welais eto,
> Gruffudd – ni wnaeth ymguddio –
> Yw'r ail fyth ar ei ôl o. (NBM)

Roedd Rheinallt, mab Gruffudd, yr un mor barod i groesawu'r beirdd, ac mae Tudur Aled yntau yn llawenhau fod y nawdd yn parhau ym Mranas:

> Dy dad, hyd y dywedynt,
> A garai gerdd y gwŷr gynt,
> A chwithau, tra foch weithian,
> A gâr cerdd a'r gwŷr a'i cân. (NBM)

Er i lawer o nawdd i'r beirdd edwino dros amser, parhaodd y traddoddiad i ffynnu ym Mranas, fel y tystiodd Simwnt Fychan mewn cywydd i Forgan ap Robert, ŵyr Rheinallt a gorwyr Gruffudd:

> Un gŵr yno a garwn,
> A gair a haedd y gŵr hwn,
> Un da'n byw, enw Duw'n ei bart,
> Heb breib, Morgan ap Robart. (NBM)

Brandy

Yn RhPDegwm plwyf Mallwyd ceir cyfeiriad at annedd â'r enw rhyfedd *Brandy*. Ar fap OS 1836 fe'i nodwyd fel *Brandi*. Mae'n amlwg nad y ddiod feddwol sydd yma. Ffurf lafar ar y gair *ebrandy* yw *brandy*. Mae'r enw wedi ei nodi'n llawn fel *Ebrandy* ar y map OS cyfredol. *Brandi* oedd ar fap OS 1836. Ystyr *ebrandy* yw tafarn lle medrai teithwyr gynt aros a chael porthiant i'w ceffylau. Elfennau'r enw yw *ebran + tŷ*. Er y gall *ebran* gyfeirio at fwyd anifeiliaid yn gyffredinol, fel rheol fe'i defnyddir am fwyd ceffylau neu asynnod. Yn Genesis XLIII, 24, sonnir am Joseff yn croesawu ei frodyr yn yr Aifft ac yn darparu ebran ar gyfer eu hasynnod. Mae Iolo Goch yn cyfeirio at y croeso a gâi yn llys Ieuan, Esgob Llanelwy: gwely a bwyd i'r gwesteion ac *ebrangeirch* i'r meirch (GIG).

Nid yw'r enw *Brandy* yn gyfyngedig i Fallwyd. Nodwyd cae o'r enw *Cae pwll y brandy* yn RhPDegwm plwyf Tywyn. Ceir rhigwm am dafarndai yng Nghlwyd, lle cyfeirir at *Brandy Bach* yn Llandegla (GPC). Roedd yna dafarn o'r un enw yn Nolbenmaen yn Eifionydd (YEE), a chofnodwyd *Pant y Brandy* yn Llanfaelog, Môn (HEYM).

Brondanw

Lleolir *Plas Brondanw* yn Llanfrothen ar y lôn sy'n mynd i Groesor. Hwn oedd cartref Clough Williams-Ellis, y pensaer a greodd bentref Eidalaidd Portmeirion. Mae *Plas Brondanw* yn enwog am ei erddi hyfryd. Adeiladwyd y tŷ gwreiddiol tua 1550, ond ychydig o gofnodion cynnar a welwyd o'r enw. Ceir *Bron Dannw* a *bron Dannow* o 1568 (Tyb), ond am ryw reswm fe newidir yr enw wedyn yn *Brondanwg* am gyfnod. Cyfeiriodd Bob Owen, Croesor, at ewyllys a welsai o'r flwyddyn 1693, ac meddai: 'Brondanw was then spelt Brondanwg, the same Tanwg as in Llandanwg'.[8] Dyma oedd barn *The Cambrian Register* hefyd

8 CCHChSF (1959)

yn 1795, lle nodir yr enw fel *Brondanwg*, a'i esbonio fel 'the rise or breast of Tanwg'. Mae D. Geraint Lewis yntau yn dehongli'r enw fel 'plas + bron (ochr mynydd) + Tanwg (sant)' (LlE). Nodwyd *Brondanwg uchaf* yng Nghyfrifiad 1841, ond *Brondanw Uchaf / Isaf* a gofnodwyd yn 1851, 1861 ac 1871.

Honnir fod Tanwg Sant yn byw yn y chweched ganrif a'i fod yn un o feibion Ithel Hael. Cysegrwyd eglwys Llandanwg ger Harlech iddo. Mae'n bosib fod rhywrai wedi ceisio esbonio'r elfen *danw* yn enw *Brondanw* trwy ei chysylltu â *Tanwg*, enw personol mwy cyfarwydd. Ai ar glawr yn unig y defnyddid yr *g* ar ddiwedd yr enw a hynny'n fwriadol mewn ymgais i'w esbonio? Mae'n wir fod *danw* yn elfen anodd ei hegluro. Ond nodwyd *Dryll Danw* yn Nolbenmaen a *Gardd Danw* yn Y Gogarth (AMR). Mae'r enwau hyn yn awgrymu mai enw personol oedd *Danw* neu *Tanw*. Gwyddom fod *Tanno* yn ffurf anwes ar yr hen enw personol benywaidd *Tangwystl*. Tybed a oedd *Tanw* yn ffurf anwes arall ar yr enw hwnnw, ar batrwm *Begw* a *Nanw*? Ai merch o'r enw *Tanw* neu *Tangwystl* sydd yn cuddio yn ail elfen *Brondanw*?

Fe welir mai ychwanegiad diweddarach at yr enw oedd yr elfen *plas*. Nodwyd *Plas Brondanw* a *Brondanw-isaf* ar fap OS 1838. Ychwanegwyd *plas* at yr enw yn y Cyfrifiad am y tro cyntaf yn 1911.

Bron Turnor

Lleolir yr annedd hwn i'r dwyrain o Faentwrog. Elfennau'r enw yw *bron* + *turnor*. Crefftwr sy'n creu gwrthrychau o bren trwy eu naddu ar durn ('lathe') yw'r *turnor*. Mae sillafiad y gair *turnor* yn amrywio gryn dipyn: *turnor*, *turnwr*, *turniwr*, *twrner* a *turner*. Ceir cofnod o *Bron Turnor* yn y flwyddyn 1591/2 yn y ffurf *Bron e etvrnor* (Bach). Fe'i cofnodwyd fel *Bron y Turner* yn 1665 (MyN). *Bronturnor* sydd yn y Cyfrifiad yn 1861 ac 1891, ond yn 1911 nodir dau annedd, sef *Bronturnor Isaf* a *Bronturnor Uchaf*. Ceir yr un elfen yn *Coed y Turnor* yn Llanelltud. Dyna oedd y ffurf yn 1697; *Coed-y-Tyrnor* yn 1700, a *Coed Turner* yn 1802, i gyd yn llawysgrifau Nannau. Mae AMR yn nodi enghraifft arall o'r elfen ym Meirionnydd yn yr enw *bryn Kayer Tyrner* tua 1592 yn Llanenddwyn. Nodwyd cae o'r enw *Ddol Turner* yn RhPDegwm plwyf Llanbedr, er y gallai hwn gyfeirio at y cyfenw *Turner*. Er bod *turnor* yn elfen bur anghyffredin fe'i gwelir mewn mannau eraill megis *Bronturnor* (Llanllyfni); *Nant y Turnor* (Llannarth); *Pant y Turnor* (Llanddeusant, Sir Gaerfyrddin) a *Tir y Turnor* (Llandyrnog).

Bryn Bugeilydd

Cofnodwyd *Bryn Bugeilydd* yn Llandanwg. Yr hyn sydd gennym yn yr ail elfen yw ffurf luosog amgen ar *bugail*. Yn ôl GPC, y ffurf luosog reolaidd gynt oedd *bugelydd*, ond cyflwynwyd y ffurf *bugeiliaid* ym Meibl 1588, a derbyniwyd y ffurf honno fel y ffurf safonol wedyn. Amrywiad ar *bugelydd* yw *bugeilydd*. Ceir *Bryniau Bugeilydd* uwchben Penmaenmawr a *Llwyn Bugelydd* ger Cricieth (HEALlE; ELlSG).

Daw'r cofnod cynharaf a welwyd hyd yma o'r annedd yn Llandanwg o'r flwyddyn 1613, sef *Bryn y Beegelydd* (Mostyn). Erbyn RhPDegwm yn 1841 mae wedi troi'n *Bryn begeilin*. Yn yr un flwyddyn nodwyd *bryn bygelyn* yn y Cyfrifiad. Mae'r elfen *bugeilyn* yn digwydd mewn enwau lleoedd mewn mannau eraill. Ym Mhenegoes nodwyd *Llyn Begeulin* yn 1795 (JE/MNW) a *Bugeilyn* ar fap OS 1836. Mae'n debyg mai *bugeilyn* a olygid hefyd wrth y *Bryn-bugailen* a nodwyd yn Llangollen ar fap OS 1838.

Nid yw GPC yn cynnwys y ffurfiau *bugeilyn* / *bygelyn*. Fodd bynnag, erbyn Cyfrifiad 1851 mae enw'r annedd yn Llandanwg wedi magu elfen newydd sydd yn cael ei chydnabod gan GPC, sef *bogelyn*. Ffurf yr enw yng Nghyfrifiad 1851 oedd *Bryn-bogelyn*, a *Brynbogellyn* yn 1881. Mae hwn yn ddatblygiad rhyfedd. Er bod y gair *bogelyn* yn bodoli, go brin ei fod yn ddigon cyfarwydd iddo

37

gael ei fabwysiadu fel modd o 'gywiro' neu esbonio'r elfen *bugeilydd*, a oedd wedi ei golli o'r iaith fwy neu lai erbyn hyn, na'r elfen ddieithr *bugeilyn*. Fodd bynnag, mae *bogelyn* yn digwydd fel elfen mewn enw lle. Ceir llyn yng Nghwm-y-glo ger Llanberis o'r enw *Llyn Bogelyn*, a cheir annedd yno heddiw o'r enw *Glan Bogelyn*. Mae GPC yn esbonio *bogelyn* / *boglyn* fel 'cnepyn crwn', 'bwcl' neu 'fwrlwm'. Mae'n debyg mai ffurf fachigol ar *bogail* sydd yma. Ond pam y trodd *bugeilyn* yn *bogelyn*? A oedd hwn yn newid bwriadol gan rywun a oedd yn gyfarwydd â *Llyn Bogelyn*, neu o leiaf â'r gair anghyffredin *bogelyn*? Ailadroddir yr un ffurf eto yng Nghyfrifiad 1861, lle nodwyd *Brynbogelyn*. Mae AMR yn nodi un enghraifft o *bogelin* mewn cofnod o *Keven bogelin* yn 1647 ym Meifod. Roedd hwnnw wedi troi'n *Cefn Bugeilyn* erbyn map OS 1836. Fodd bynnag, mae rhywun yn llwyddo i weld y goleuni ac mae enw'r annedd yn Llandanwg wedi ei adfer i'r ffurf *Bryn-bugeilydd* erbyn map OS 6" 1901.

Bryn Cerist

Lleolir *Bryn Cerist* i'r gogledd-orllewin o Ddinas Mawddwy. Cofnodwyd yr enw fel *Tythyn Bryn Cerist* yn 1611 (Nannau), ond ychydig iawn o gyfeiriadau a nodwyd ar ôl hynny, ac eithrio *Bryn Cerist* yn y Cyfrifiad yn 1841, a *Bryncerist* a *Cerist* yn 1851. Mae'n amlwg sut y cafodd yr annedd ei enw gan fod afon *Cerist* yn llifo drwy'r ardal. Prif darddle'r afon yw Llyn y Fign i'r de o Aran Fawddwy ac mae ail darddle mewn cwm dan glogwyni Maesglase. Yna mae'r afon yn llifo'n gyfochrog â ffordd yr A470 cyn ymuno ag afon Dyfi ger Dinas Mawddwy.

Credai R.J. Thomas mai enw personol oedd *Cerist* (EANC). Mae'n croesgyfeirio at *Pwll Ceris*, y trobwll rhwng y ddwy bont yn Afon Menai, gan awgrymu mai *Cerist* sydd yno hefyd. *Cerist* oedd enw'r hen drefgordd ym Mallwyd a cheir cyfeiriad at *Mayrde* [sic] *Kerist* yno yn 1295 (Cal. Pat. R). Cofnodwyd yr enw *Cerist* sawl gwaith ym mhapurau Nannau, gan gynnwys *kerrist* (1563); *keryst* (1570) a *Kerist* (1587 ac 1614). Cofnodwyd y ffurf *Cerist* yn 1745 (CalMerQSR).

Bryn Cyfergyd

Ffermdy ar lan afon Cynfal i'r de-ddwyrain o Lan Ffestiniog ac i'r gorllewin o Bont Newydd yw *Bryn Cyfergyd*. Adeiladwyd y tŷ tua 1650, ond mae rhannau ohono yn ychwanegiadau diweddarach.

Trown yn awr at bedwaredd gainc y Mabinogi ac at hanes Blodeuwedd, y ferch a greodd Gwydion o flodau'r maes i fod yn wraig i Lleu Llaw Gyffes. Fe gofiwn fod Blodeuwedd wedi twyllo Lleu a godinebu â Gronw Pebr. Llwyddodd i ddenu Lleu i ddod i fryn 'a elwir weithon Brynn Kyuergyr' ar lan afon Cynfael[9] (PKM). Yno ceisiodd Gronw ei ladd â gwaywffon wenwynig, ond ar y funud olaf llwyddodd Lleu i ddianc drwy droi'n eryr a hedfan ymaith.

Mae'n amlwg fod yna fryn o'r enw *Bryn Cyfergyr* yn yr ardal pan adroddodd y cyfarwydd hanes Lleu i'w gynulleidfa yn yr oesoedd canol. Ar y llecyn hwn yn ddiau yr adeiladwyd *Bryn Cyfergyd* yn ddiweddarach. Yn awr, sylwch ar ffurf yr enw. *Cyfergyr* yw'r ail elfen yn y Mabinogi, ond *Cyfergyd* yw'r ail elfen drwy'r blynyddoedd hyd heddiw. Yn wir, cofnodwyd y ffurf *Bryn Kyvergid* yn 1626, rai blynyddoedd cyn adeiladu'r tŷ presennol (Poole). Nodwyd *Bryn Cyfergid* yn 1771 (Pen); *Bryn Cy-fergid* yn 1775 (LlB); *Bryncyferged* yn 1799 (PA), a *Bryn-cyfergyd* sydd ar y mapiau OS o 1838 ymlaen. Felly, y cyfeiriad yn y Mabinogi yw'r unig fan hyd yma lle gwelwyd y ffurf *cyfergyr*. Hawdd tybio fod hyn yn gwneud môr a mynydd am newid un llythyren ar ddiwedd y gair. Pam newid *cyfergyr* yn *cyfergyd*? Yn GPC nodir 'ymladdfa' a 'cynllwyn' fel ystyron *cyfergyr*. Byddai'r ddwy ystyr yn gweddu i'r hyn a ddigwyddodd rhwng Lleu a Gronw Pebr. Awgrymodd yr

9 *Cynfal* yw'r ffurf arferol heddiw

Athro Gwynedd Pierce (wrth drafod yr enw *Tirergyd* yn Aberdâr) y gallai *ergyd* fod yn amrywiad ar *ergyr* trwy ddadfathiad cytseiniaid (ADG2). Digon gwir, ond mae'n anodd credu na fu rhywfaint o ymyrryd bwriadol yn enw *Bryn Cyfergyd*. Fel y daethpwyd i gysylltu'r enw â hanes Gronw Pebr ac ergyd y waywffon, onid oedd yr elfen gyfarwydd *ergyd* yn gwneud llawer mwy o synnwyr na'r elfen ddieithr *ergyr*? Rydym yn hoff iawn o addasu enwau lleoedd i'n dibenion ni ein hunain.

Mae'r ardal o gwmpas Cwm Cynfal yn frith o enwau sydd â chysylltiad â phedwaredd gainc y Mabinogi. Yn ogystal â *Bryn Cyfergyd*, ceir *Bryn Llech* a *Bryn Saeth*, ac mae *Mur Castell* (*Tomen y Mur*) a *Llyn y Morwynion* yn weddol agos (GyeL). Ond efallai mai un o'r enwau mwyaf diddorol sydd ynghlwm wrth yr hanes yw *Llech Ronw*, sef carreg fawr â thwll ynddi yng Nghwm Cynfal. Ceir cofnod o'r enw 'llech Ronw uchaph namely gweirglodd llech ronw' yn 1567/8 (Bach). Dewisodd y cyfarwydd ei chynnwys yn y bedwaredd gainc fel y maen a osodod Gronw Pebr fel rhwystr rhyngddo a Lleu. I ddial am dwyll Gronw penderfynodd Lleu y byddai yntau yn defnyddio gwaywffon i ladd ei elyn. Yn ôl yr hanes, ni fu'r garreg o unrhyw gymorth i Gronw oherwydd aeth y waywffon yn syth drwyddi a'i ladd. Meddai'r cyfarwydd: '... ac yno y mae y llech ar lan Auon Gynuael yn Ardudwy, a'r twll drwyddi.' Dywed mai *Llech Gronwy* fu enw'r maen byth ers hynny (PKM). Bu'r garreg ar goll am flynyddoedd, ond llwyddwyd i ddod o hyd iddi a'i hailosod ger *Bryn Saeth* (GyeL).

Bryn Llefrith

Lleolir yr annedd hwn i'r dwyrain o ffordd yr A470 rhwng Trawsfynydd a Bronaber. Ceir llu o gyfeiriadau ato yn yr unfed a'r ail ganrif ar bymtheg ym mhapurau stad Peniarth. Yno ceir cofnod diddorol o 1589 sy'n cyfeirio at *Tyddyn Davydd Bwl otherwise Bryn y Llefrith*. Yn yr un ffynhonnell ceir *Bryn y Llefrith* o 1636; *Bryn y Llevrith* o 1653 ac 1678/9, a *Bryn y Lleverith* o 1654. Nodwyd *Brun Llefrith* yn 1744 (CalMerQSR). *Bryn-llefrith* sydd ar fap OS 1838 ac ar y map OS cyfredol. Nid yw'r enw yn gyfyngedig i Drawsfynydd: fe'i nodwyd hefyd yn Llangybi, Llanrwst, Llanystumdwy, Felindre a Llangrannog. Nodwyd *Maes y Llefrith* hefyd ym Meirionnydd yn Nhywyn.

Mae'n anodd gweld arwyddocâd yr elfen *llefrith*. Gallai gyfeirio at y fan lle arferid godro'r gwartheg. Ceir cyfeiriad at odro'r fuches yn yr awyr agored, yn enwedig yn yr haf, mewn cofnod o gae o'r enw *Cae godro ha* yn RhPDegwm plwyf Llanycil. Ar y llaw arall, efallai fod y tir yn arbennig o dda ar gyfer magu gwartheg a gynhyrchai llawer o lefrith, a bod yma fuches arbennig o gynhyrchiol ar un adeg.

Bryn Pader

Mae *Bryn Pader* yn enw ar fryn a fferm ar gyrion Llanfor i'r gogledd o'r Bala. Y cyfeiriad cynharaf a welwyd hyd yn hyn at yr enw yw *Bryn y Pader* gan Edward Lhuyd yn y *Parochialia* tua 1700. Fe'i cofnodwyd fel *Bryn-Pader* ar fap OS 1838. *Brynpader* yw'r ffurf yn y Cyfrifiad yn 1841, 1861, 1871, 1891 ac 1911. Fodd bynnag, mae Edward Lhuyd yn ychwanegu sylw hynod o ddiddorol am y lle: 'Arverynt gynt dwedyd i pader pan dhaent gynta i olwg yr Eg[l]wys.' Yn y sylw hwn mae'n cynnig esboniad o'r enw. Elfennau'r enw yw *bryn + pader.* Nid unrhyw weddi oedd hon, ond Gweddi'r Arglwydd, oherwydd dyna darddiad y gair *pader*, sef *Pater noster*, geiriau cyntaf Gweddi'r Arglwydd yn Lladin.

Rhaid gofyn yn awr pwy oedd y bobl ddefosiynol hyn, a pham y byddent yn gweddïo wrth weld eglwys Llanfor? Ni wyddom yr ateb, ond gellir cynnig rhai posibiliadau. Efallai eu bod ar eu ffordd i Landderfel, lle cedwid delw Derfel Gadarn a oedd yn gyrchfan boblogaidd i bererinion. Roedd Ffynnon Deiniol nid nepell o eglwys Llanfor, ond nid oes sôn ei bod yn gyrchfan arbennig o boblogaidd ac ni wyddys pa rinweddau oedd ganddi.

Yn Lloegr ceir sawl cae o'r enw *Paternoster, Paternoster*

Field a *Paternoster Croft* (EFND). Dyma'r mannau lle adroddid Gweddi'r Arglwydd ar Ddyddiau'r Gweddïau,[10] yn ystod litani'r saint am dri diwrnod cyn Dydd Iau Dyrchafael. Ond mae sylw Edward Lhuyd yn awgrymu arferiad mwy cyson na defod a gynhelid unwaith y flwyddyn, ac efallai fod a wnelo eglwys Llanfor ei hun rywbeth â'r peth. Ambell dro yn Lloegr mae'r enw *Paternoster* ar ddarn o dir yn cyfeirio at y ffaith ei fod yn cael ei ddal drwy'r gwasanaeth o adrodd y pader yn feunyddiol dros enaid y sawl a'i cymynnodd.

Mewn rhai mannau yng Nghymru cynhelir yr arfer o gerdded terfynau'r plwyf bob saith mlynedd. Fe'i cynhelir ym Miwmares, ond ni welwyd cyfeiriad at hyn yn digwydd yn ardal Llanfor, a byddai hynny hefyd yn achlysur llawer rhy anfynych i gyd-fynd â sylw Edward Lhuyd. Yn Lloegr esgorodd yr arferiad hwn ar enwau caeau megis *Amen Corner*, *Epistle Field*, *Gospel Hill* a *Psalms* i ddynodi'r mannau lle arhosid i adrodd gwahanol rannau o'r gwasanaeth.

A yw'n bosib mai ofergoel oedd wrth wraidd y gweddïo wrth weld eglwys Llanfor? Roedd hen draddodiad fod y Diafol yn arfer ymweld â'r eglwys ar ffurf mochyn. A oedd y pererinion yn ceisio cael ymwared rhagddo drwy adrodd y pader? Mae'n amlwg fod yr enw yn mynd yn ôl ymhell cyn amser Edward Lhuyd, yn sicr yn enw ar y bryn lle arhosent i weddïo. Gresyn na fyddai gennym ragor o enghreifftiau cynnar ohono. Byddai'n braf hefyd cael rhagor o fanylion am y ddefod.

Bryn Re

Lleolir *Bryn Re* yn Nhrawsfynydd, i'r gogledd o Fronaber ac i'r de o Lyn Trawsfynydd. Mae elfen gyntaf yr enw, sef *bryn*, yn hollol gyfarwydd, ond rhaid cyfaddef fod yr ail elfen yn ymddangos yn ddieithr iawn i ni heddiw. Yr hyn sydd gennym yno yw'r enw benywaidd *gre*. Collwyd y fannod o flaen yr enw ond cadwyd y treiglad. Ystyr *gre* yw gyr o anifeiliaid: ceffylau neu wartheg, fel rheol. Gofelid amdanynt gan y *greor* neu'r *grëwr.* Mae Iolo Goch yn defnyddio'r gair mewn cywydd, lle mae'n gofyn am farch gan ei noddwr, Ithel ap Robert:

> *Gre* sy eiddo, gras eiddun,
> A meirch; pam na rydd im un?   (GIG)

Er bod y gair wedi ei hen golli ar lafar, mae gennym enghreifftiau eraill yng Nghymru o'r elfen *gre* mewn enwau lleoedd. Yn wir, ceir enghraifft arall ym Meirionnydd yn enw *Buarth y Re* yn Llanfachreth. Ceir *Buarth y Re* hefyd yn Llanrhaeadr-ym-Mochnant. Mae *Bwlch y Re* ger Beddgelert, a gwelir y ffurf luosog yn *Foel Greon* ger Bylchau yn Sir Ddinbych. Mae'n llai amlwg yn yr enw *Olgra* ger Benllech yn Ynys Môn, ond tarddiad yr enw hwnnw yw *ôl + gre*, sef llwybr neu drywydd gyr o anifeiliaid.

Os yw *gre* yn elfen ddieithr i ni heddiw, mae'n amlwg ei bod wedi peri dryswch ers canrifoedd. Cofnodwyd y ffurf ddisynnwyr *Bryn yre* mor gynnar ag 1580 (Bach), ac mae'n amlwg nad oedd gan y sawl a nododd *Bryn yr ef* yn 1595 (Bach) unrhyw syniad o'r ystyr. Mae'r ffurf sydd ar fap OS 1838, sef *Bryn-yr-E* yr un mor ddi-glem. Ceir ymgais i ddangos yr acen yn y ffurf *Brynré* yn y Cyfrifiad yn 1841. *Bryn-re* sydd ar y map OS cyfredol.

Bryn y Froches

Mae'n bur debyg fod *Bryn y Froches* yn Llanegryn yn rhan o stad Peniarth. Gwyddom fod *Bryn y Froches* a *Maes Peniarth* wedi dod i ddwylo Gruffudd ab Aron yn 1417/18 (NBM; YstE). Fe'i cofnodwyd ar y ffurf *Bryn yvroches* yn 1467/8 (Pen). Ni welwyd cyfeiriad ato wedyn, ond roedd yn gyfarwydd i ddau o awduron *Ystyron Enwau*. Cyfeiria'r naill ato fel 'amaethdy', felly mae'n bosib ei fod yn bodoli yn 1907 pan gyhoeddwyd y llyfr. Fodd bynnag, nid oedd yr awdur hwn wedi deall ei ystyr, oherwydd awgryma mai gwall sydd

43

yma am *Bryn y Fuches*. Nid oedd gan yr awdur arall ddim i'w ddweud am y fferm ei hun, ond mae'n nes ati gyda'i esboniad gan iddo gynnig 'Bryn y Broch, h.y. y ddaear-fochyn (*badger*)'.

Er nad oes gennym lawer o gofnodion o'r enw, mae'n werth ei ystyried oherwydd y drydedd elfen anarferol a diddorol. Nid oes cyfeiriad at yr enw *broches* yn GPC, ond ymddengys mai enw benywaidd unigol sydd yma, a rhaid casglu mai'r ystyr yw gwâl neu ddaear y broch, sef y mochyn daear. Cydnabyddir yr ystyr hon gan B.G. Charles wrth drafod yr enw *Frochest* (PNPem). Credai un o awduron *Ystyron Enwau* mai'r *broch* ei hun yw ystyr yr enw yn hytrach na'i wâl, a dyna hefyd oedd barn J. Lloyd-Jones (ELlSG). Erbyn heddiw mae'r enw *broch* wedi ei ddisodli gan y termau 'mochyn daear' neu 'bryf llwyd', ond *broch* oedd yr hen enw. Ceir hanes chwarae 'broch yng nghod' yng nghainc gyntaf y Mabinogi.

Un rheswm dros dybio mai gwâl y mochyn daear yw'r ystyr yw fod y terfyniad –*es* yn dilyn patrwm enwau megis *branes*. Terfyniad torfol yw hwn sydd yn dynodi llu o rywbeth neu'i gilydd – brain yn achos *branes*. Llunnir yr enw torfol drwy ychwanegu –*es* at ffurf unigol yr enw. Felly cawn *eryres* am haid o eryrod, *buches* am yrr o wartheg, *dafates* am braidd o ddefaid a *llynges* am fflyd o longau. Os gellir ychwanegu –*es* at *eryr*, *buwch*, *dafad*, a *llong* i ffurfio enw torfol pam na ellir ychwanegu –*es* at *broch* i ddynodi nifer o frochod? Enw benywaidd yw *y froches* yn union fel *y fuches* a'r enwau torfol eraill i gyd. Wedi'r cyfan, mae moch daear yn byw mewn teuluoedd eithaf niferus, ac efallai fod un o'r teuluoedd hyn yn byw ar dir *Bryn y Froches* yn y bymthegfed ganrif.

Ym Meirionnydd mae'r elfen i'w gweld hefyd yn *Y Froches* yn Llanaber yn 1715 (AMR) a nodwyd cae o'r enw *Frochas* ar dir Talwern Fawr yn RhPDegwm plwyf Llanenddwyn yn 1840. Cofnodwyd *Frochas* yn ogystal ym Moduan yn Llŷn (HEALlE) ac yn *Moel Froches* yn Llanrhaeadr-ym-Mochnant.

Bwbachod a bodau brawychus eraill

Mae'n syndod cynifer o gyfeiriadau at hen ofergoelion a thraddodiadau llafar y gellir eu gweld mewn enwau lleoedd, ac mae digonedd ohonynt ym Meirionnydd fel ym mhob rhan arall o Gymru. Enw ar ardal yn Llandecwyn yw *Bryn Bwbach* bellach, ond enw ar annedd ydoedd yn wreiddiol. Ceir cyfeiriad ato yn 1623 fel *tuy Bryn y Bwbach* (ACR). *Bryn y Bwbach* sydd gan Edward Lhuyd tua 1700 (Paroch). Cofnodwyd *Bryn Bwbach* yn 1732 a *Bryn y bwbach* yn 1771 ac 1797 (Thor). *Bryn bwbach* sydd ar fap John Evans yn 1795 a *Bryn Bwbach* sydd yn RhPDegwm plwyf Llandecwyn yn 1842.

Gwelir yr elfen *bwbach* mewn mannau eraill ym Meirionnydd. Nodwyd annedd o'r enw *Murddyn bwbach* yn RhPDegwm plwyf Llangelynnin yn 1839 a chae o'r enw *Cae twll y bwbach* yn RhPDegwm plwyf Trawsfynydd yn 1840. Ceir cofnod o *Twll y bwbach* ym Mrithdir hefyd. Mae gan AMR gofnodion o'r elfen *bwbach* o bob rhan o Gymru. Yr ystyr, wrth gwrs, yw rhyw fath o fwgan neu goblyn. Yn wir, enw arall ar fwgan brain yw 'bwbach y brain'. 'Hill of the sprite' yw cyfieithiad *The Cambrian Register* o enw *Bryn y Bwbach* Llandecwyn yn 1795. Yr un yw ystyr *bwci* a *pwca*, elfennau a welir hefyd mewn enwau lleoedd, yn amlach yn ne Cymru. Gwelir creadur tebyg yn *Pont y Coblyn* ger Dolwyddelan.

A yw'n gywir tybied fod *ellyll* yn fwy arswydus na *bwbach*, neu oes a wnelo hyn rywbeth â sain feddalach y gair *bwbach*? Yn sicr, mae GPC yn nodi 'ysbryd drwg' fel un ystyr i *ellyll*. Nodwyd annedd o'r enw *Brynllyllon* [sic] yn RhPDegwm plwyf Llanenddwyn yn 1840. *Brynllyllon* yw'r ffurf yng Nghyfrifiad 1881 hefyd, ac mae'n debyg mai dyma sut yr yngenir yr enw ar lafar. *Bryn Ellyllon* sydd yng Nghyfrifiad 1851 a *Brynellyllon* yn 1911, sy'n dangos yn eglur ystyr yr enw. Er nad yw ym Meirionnydd, mae *Bryn yr Ellyllon* enwocaf Cymru yn ddiau yn Yr Wyddgrug, oherwydd yno y darganfuwyd y fantell aur ysblennydd yn dyddio'n ôl i 1900–1600 C.C. sydd bellach yn yr Amgueddfa Brydeinig.

I fynd yn ôl at ellyllon Meirionnydd: nodwyd *Craig yr ellyll* yn Llanfor. Yn Llandecwyn cofnodwyd *Mvr r ellyll* yn 1614 a *Mvr yr Ellill / Mvr yr Ellyll* yn 1617 (Elwes). Efallai mai ellyll mwyaf adnabyddus Meirionnydd yw'r un yr honnid ei fod yn arfer trigo yng *Ngheubren yr Ellyll* ar dir Nannau. Yn ôl yr hanes bu anghydfod hir rhwng Owain Glyndŵr a'i berthynas Hywel Sele. Daeth i ben pan laddwyd Hywel gan Owain mewn ysgarmes ar dir Nannau. Dywedir fod Owain wedi gwthio corff ei elyn i mewn i geubren hen dderwen a dyna lle bu am ryw ddeugain mlynedd. Dinistriwyd y dderwen ei hun mewn storm yn 1813. Ond dros y blynyddoedd roedd hanesion brawychus wedi tyfu am synau rhyfedd a fflamau o gwmpas y goeden (Nan). Ceir ysgrif am y ceubren yn *The Cambro-Briton* yn 1820 sy'n dyfynnu disgrifiad o'r arswyd a oedd ynghlwm wrth *Geubren yr Ellyll*:

E'en to this day, the peasant still
With cautious fear treads o'er the ground;
In each wild bush a spectre sees,
And trembles at each rising sound.   (Cam-Brit; WFL)

Dyna'r effaith a gâi'r hanesion am ellyllon a bwbachod ar y werin ofergoelus.

Elfen arall mewn enwau lleoedd a allai fod wedi peri braw ar un adeg yw *gwrach*. Fodd bynnag, mae'n bur debyg mai hen wragedd pur ddiniwed oedd llawer o'r gwrachod tybiedig hyn. Efallai fod gan rai ohonynt sgiliau iacháu â llysiau, ac efallai fod eraill ar adegau yn manteisio ar hygoeledd ac ofergoeledd eu gelynion a hisian ambell felltith wrth fynd heibio. Nodwyd caeau o'r enw *Llwyn y wrach* yn RhPDegwm plwyfi Llanycil, Llanfor a Thywyn, a chofnodwyd annedd o'r un enw yn Llanuwchllyn yng Nghyfrifiad 1851 ac 1871. Cofnodwyd annedd *Panty* [sic] *wrach* yn RhPDegwm plwyf Llanfrothen yn 1840. Mae *Pant y Wrach* a *Coed Pant y Wrach* yno hyd heddiw. Ceir annedd o'r enw

Gaflywrach yno hefyd yng Nghyfrifiad 1861. Yn RhPDegwm cofnodwyd annedd *Nant y wrach* ym Metws Gwerful Goch a chaeau o'r enw *Cae'r wrach* yn Llanfor, *Cae pant y wrach* a *Pant y wrach* yn Nhywyn a Llandecwyn, *Llechwedd Pant y wrach* ym Metws Gwerful Goch, *Bryn y wrach* yng Ngwyddelwern, *Cae wrach* a *Cae bwlch wrach* (Llanfair). Dylid sylwi hefyd ar gae o'r enw *Ddôl widden* ar dir *Branas Isaf* yn RhPDegwm plwyf Llandrillo. Mae'n debyg mai *gwiddon* sydd yn yr ail elfen, sef 'gwrach'.

Ceir cyfeiriadau at fodau goruwchnaturiol eraill ym Meirionnydd fel ym mhobman arall. Nodwyd cae o'r enw *Bryn y cawri* yn RhPDegwm plwyf Llanfor yn 1847. Ai *cewri* sydd yn yr ail elfen? Ceir cyfeiriad yn *The Cambrian Register* yn 1795 at *Carnedd y Gawres* ger Corwen fel 'a vast heap of stones on Berwyn mountain'. Nodir *Ffedogad* [sic] *y Gawres* ar y map OS cyfredol i'r gogledd o Lanfachreth. Mae'r enw yn digwydd hefyd yn Llanfairfechan ac yn y ffurf *Arffedogiad y Gawres* yn Nant Gwynant ger Capel Curig. Yr un syniad sydd yn *Barclodiad y Gawres*, siambr gladdu Neolithig uwchlaw Porth Trecastell ym Môn, a'r un hanes sydd ynghlwm wrth yr enwau hyn i gyd. Carnedd neu bentwr o gerrig mawrion sydd yma, a'r gred oedd fod cawres wedi eu cario yn ei barclod neu ffedog nes i'r llinynnau dorri a bwrw ei baich i'r ddaear yn un twmpath mawr.

Roedd y cewri a'r hen arwyr chwedlonol yn medru gwneud campau a oedd y tu hwnt i allu meidrolion. A'r mwyaf medrus ohonynt i gyd, wrth gwrs, oedd y Brenin Arthur. Yn ôl yr hanesion, un o'i brif gampau ef oedd gafael mewn penllech cromlech a'i thaflu fel petai'n goeten neu ddisgen fach ysgafn. Gwelir yr enw *Coeten Arthur* ar feini mawr o'r fath mewn sawl lle yng Nghymru ac mae un ohonynt yn Llanddwywe ym Meirionnydd. Ceir disgrifiad o'r maen hwn yn *The Cambrian Register* yn 1795: 'a Cromlech … having the print of a large hand dexterously carved on the side of it, as if sunk in from the weight in holding it.' Yn RhPDegwm plwyf Llanaber yn 1839 cofnodwyd cae o'r enw *Buarth llech arthyr.* Ai 'coeten' arall sydd yma? Os mai Arthur sy'n gadael ôl ei law yn Llanddwywe, yn Nhywyn credid fod march y brenin wedi gadael ôl ei droed ar graig o'r enw *Carn March Arthur* (APNW). Roedd bwrdd Arthur a'i farchogion, sef y Ford Gron, yn adnabyddus i bawb drwy'r chwedlau amdano, ond roedd gan Arthur fyrddau eraill mewn sawl lle. Ym Meirionnydd cofnodwyd un yn Llandrillo, a ddisgrifiwyd fel 'Bwrdd Arthur, Arthur's Table, a very large flat stone, or *cromlech*, on Berwyn mountain' (Camb. Reg). Nodwyd craig ar Gadair Idris o'r enw *Cadair Arthur* (APNW), sy'n cyfateb i'w gadair fwy enwog, sef *Arthur's Seat* yng Nghaeredin.

Wrth gwrs, mae gan gawr enwocaf Cymru ei gadair ym Meirionnydd hefyd, sef *Cadair Idris*. Roedd Idris, fel Arthur, yn amlwg yn hoff o arddangos ei sgiliau taflu. Ar lan *Llyn y Tri Greyenyn* ym mhlwyf Tal-y-llyn, ceir tri maen mawr. Ffurf fachigol unigol *graean* yw *greyenyn / graeanen*, sef gronyn bach o dywod neu garreg, ond yr hyn a geir yma yw meini mawr, nid darnau o raean. Yn ôl y chwedl, yr oedd Idris Gawr wedi taflu'r meini hyn allan o'i esgid am eu bod yn brifo'i droed. Roedd hyn cyn hawsed i'r cawr â phetaent yn ddarnau bach o ro. Nodwyd *Llyn Tregraenin* yn 1754, sy'n awgrymu efallai nad oedd y cofnodwr wedi deall ystyr yr enw (CalMerQSR). Ar fap John Evans yn 1795 ceir *Llyntrigraienyn*, a chofnodwyd *Llyn Trigraienyn* yn *The Cambrian Register* yn yr un flwyddyn, gyda'r esboniad mai'r cerrig mawrion a dynnodd Idris o'i esgidiau oedd y 'graean'.

Ceir cyfeiriadau hefyd at fod goruwchnaturiol sy'n fwy arswydus na'r holl fwbachod ac ellyllon gyda'i gilydd, sef y Diafol ei hun. Cofnodwyd *Buarth y gwr drwg* yn RhPDegwm plwyf Trawsfynydd. A oedd yna hanes ynghlwm wrth y cae hwn ynteu a oedd yn arbennig o anodd ei drin? Yn sicr roedd yna hanes ynghlwm wrth graig o'r enw *Carreg y Gŵr Drwg* ar dir Rhiwogo yn Llanfihangel-y-Pennant. Dywedir i'r Diafol ei hun ar lun asyn ymuno â phlwyfolion y plwyf hwnnw wedi iddynt ymgasglu i ddawnsio a chwarae cardiau ar Sul y Pasg. Ffodd y trigolion am eu bywydau ac ni fentrodd neb fynd yn agos at y graig wedyn am beth amser. O'r diwedd, magodd dau fugail ifanc ddigon o ddewrder i fynd ati, ond yn ôl yr hanes, brawychwyd hwythau wrth weld ôl traed asyn ar wyneb y graig (YstE; WFL). Ceir cyfeiriadau hefyd at graig o'r enw *Pulpud y Diawl* neu *Bulpud y Cythraul* yn Llangelynnin. Adroddir yr hanes y tu ôl i'r enw hwn yn *Ystyron Enwau*. Dywedid yr arferid gweld y Diafol yn ymrithio yno ar garreg a oedd yn debyg i siâp pulpud. Ond peidiwch ag ofni mynd heibio i'r lle, oherwydd fe'n sicrheir: 'yn ffodus nid yw yntau yma mwy' (YstE).

Byrllysg

Enw ar annedd yn Llanenddwyn yn Nyffryn Ardudwy yw *Byrllysg*. Rhaid dweud ei fod yn enw rhyfedd iawn ar dŷ, gan mai ystyr *byrllysg* yw 'gwialen, ffon, teyrnwialen neu bastwn'. Nid nepell o fferm *Byrllysg* mae olion hen gaer sy'n dyddio o bosib o'r Oes Haearn. *Byrllysg* yw enw'r gaer, felly ymddengys fod yr annedd wedi mabwysiadu'r enw. Ond mae *Byrllysg* yn enw yr un mor annisgwyl ar gaer. Rhaid tyrchu i'r cofnodion cynharaf sydd gennym o'r enw i weld a ydynt yn taflu unrhyw oleuni ar yr ystyr.

Ychydig o gofnodion sydd gennym, ond mae un neu ddau o'r rhai cynharaf yn eithaf arwyddocaol. Ceir y ffurf *Birlisse* o'r flwyddyn 1508 (Mostyn) ond erbyn 1589 mae wedi troi'n *y Byrllysg* yn yr un ffynhonnell. Fodd bynnag, ceir cyfeiriad at *Tythyn y Byr llys* yn 1636 ym mhapurau Dolfrïog. Mae Lewys Dwnn yn ei *Heraldic Visitations*, a luniwyd rhwng 1586 ac 1613, yn nodi'r ffurf *Byrllys*.

Yn aml ar lafar troir y gair *byrllysg* yn yr ystyr o 'wialen' yn *brysgyll*. Petai'r ffurf hon i'w gweld yn enw annedd *Byrllysg* byddai lle i amau mai *Prysgyll*, sef llwyn o goed cyll, oedd ystyr yr enw. Ond nid yw'r llurguniad hwn i'w weld o gwbl yn enw'r gaer na'r fferm yn Llanenddwyn. Felly, rhaid ystyried y cofnodion o 1508 ac 1616 a chofnod Lewys Dwnn a chasglu oddi wrth y rhain mai *Byrllys* oedd yr enw gwreiddiol. *Byrllysg* oedd yn RhPDegwm plwyf Llanenddwyn yn 1838. Nodir *Byrllysg* a *Coed y Byrllysg* ar y map OS cyfredol. Elfennau'r enw, felly, yw *byr* + *llys*. Rhaid tybio efallai mai 'bychan' yw ystyr *byr* yn y cyswllt hwn. A oedd traddodiad fod yna lys o ryw fath yn y gaer ar un adeg? Fel arall, mae'n anodd iawn cynnig esboniad i'r enw anghyffredin hwn.

Cablyd

Saif yr annedd â'r enw anarferol *Cablyd* i'r gogledd o Sarnau. *Cablyd* sydd ar y map OS cyfredol, a dyna'r ffurf ar fap OS 1838. *Tyddyn y Cablyd* oedd yr enw i gychwyn, a dyna'r ffurf yn 1592 (AMR), a *Tythin y Cablyd* yn 1612 (Ban). *Cablid* oedd y ffurf yng Nghyfrifiad 1841, ond *Cablyd* a nodwyd yn y Cyfrifiad yn 1851, 1871 ac 1901, ac yn RhPDegwm 1847. Nid yw'r enw yn gyfyngedig i'r annedd ger Sarnau: fe'i ceir hefyd yn Llanfihangel Glyn Myfyr a Llangynog, a chofnodwyd enwau dau gae, *Cablyd Mawr* a *Gwern y Cablud* ar stad y Penrhyn ym Mangor yn 1768 (GPC).

Os ydych yn Eglwyswr neu'n Babydd fe fydd yr enw'n hollol gyfarwydd i chi. *Dydd Iau Cablyd* yw'r diwrnod cyn Dydd Gwener y Groglith. Daw'r gair *cablyd* yn y pen draw o'r Lladin; o *capitilauium* sy'n golygu golchiad y pen, neu o *capillatio*, sef eillio'r pen. Arferid torri gwallt y mynaich a golchi eu traed cyn y Pasg i goffáu hanes Crist yn golchi traed ei ddisgyblion (Ioan XIII). Yr enw Saesneg ar Ddydd Iau Cablyd yw 'Maundy Thursday'. Daw'r gair 'maundy' o'r Lladin *mandatum*. Yn yr antiffon a genid ar Ddydd Iau Cablyd ceir y geiriau '*Mandatum* novum da vobis', sef 'Gorchymyn newydd yr wyf yn ei roddi i chwi'. Dyma eiriau Crist wrth iddo annog ei ddisgyblion i garu ei gilydd (Ioan XIII, 34).

Mae'n arfer yn Lloegr hyd heddiw ar Ddydd Iau Cablyd i'r brenin neu'r frenhines rannu arian a fathwyd yn arbennig i unigolion dethol. Tybed a oedd yr arian a geid o renti'r anheddau o'r enw *Cablyd* yn cael ei ddefnyddio ar un adeg i'w roi i'r tlodion ar Ddydd Iau Cablyd? Ceir enghreifftiau o gaeau a enwyd yn *Charity Close* a *Charity Pastures* yn Lloegr lle defnyddid y rhenti i bwrpas elusennol (EFND). Yng Nghymru hefyd ceir enghreifftiau o dai a enwyd yn *Tyddyn Tlodion* am fod eu rhenti yn mynd i gynnal tlodion y plwyf (HEYM). Ni wyddys a oedd hyn yn wir am y tai o'r enw hwn ym Meirionnydd, ond mae'r enw i'w weld mewn sawl lle. Yn 1769 nodwyd annedd o'r enw *Cae Meredith alias Cae'r Tlodion* yn Llanenddwyn (Thor). Cofnodwyd *Dol-y-Tolodion* ym Mallwyd yn 1787 (AMR), a *Tyddyn tylodion* yn Llandderfel yn 1791 (EFD).

Caeau da a drwg

Fe welir fod llawer iawn o gyfeiriadau at Restrau Pennu'r Degwm drwy'r gyfrol hon. Daeth y Rhestrau i rym yn dilyn Deddf Cyfnewid y Degwm yn 1836. Y degwm oedd y ddegfed ran o gynnyrch blynyddol tir amaethyddol a da byw. Fe'i telid fel treth i gynnal yr offeiriaid a'r Eglwys. Yn wreiddiol fe'i telid mewn nwyddau, ond ar ôl 1836 codwyd treth gyfwerth mewn arian. Roedd y Rhestrau manwl hyn ar gyfer pob plwyf yn fodd o bennu gwerth pob eiddo, ac maent yn ffynhonnell werthfawr iawn i chwilota am enwau anheddau a chaeau, yn ogystal â mesuriadau a defnydd pob darn o dir. Roedd map manwl o'r holl gaeau i gyd-fynd â phob Rhestr.

Er bod enwau anheddau yn newid o bryd i'w gilydd, ar y cyfan maent yn llawer mwy sefydlog nag enwau'r caeau. Mae enwau ein caeau yn diflannu o flwyddyn i flwyddyn ac o'r naill genhedlaeth i'r llall. Fe'u collir wrth i dir newid dwylo neu gael ei lyncu gan adeiladau newydd, a phan gyfunir dau gae fe gollir un enw fel rheol. Yn Rhestrau Pennu'r Degwm cawn ddarlun clir o'r caeau fel yr oeddynt yn nhridegau a phedwardegau'r bedwaredd ganrif ar bymtheg. Maent yn datgelu pa gnydau a dyfid, pa anifeiliaid a gedwid, a pha grefftau a diwydiannau oedd yn cynnal y gymdeithas yr adeg honno. Ond maent yn datgelu rhywbeth mwy personol, agwedd nad ystyrir mohoni yn aml. Maent yn dangos teimladau'r perchenogion a'r tenantiaid tuag at y tir.

Gwelodd Kate Roberts yr agwedd bersonol hon yn glir. Meddai: 'Mae caeau i mi yr un fath â phobl ... Mae gan y caeau a adwaen bob un ei bersonoliaeth ...' (ErthKR). Mae'n cyfeirio at y *Cae cefn tŷ*, lle gallai plentyn wneud drygau yn weddol ddiogel heb i neb ei weld. Mae'r *Cae bach* ar y llaw arall yn llawn o atgofion hapus am chwaraeon a chwmnïaeth. Bwriwn olwg yn awr ar beth sydd gan Restrau Pennu Degwm Meirionnydd i'w ddweud wrthym am deimladau'r sawl a oedd yn trin y tir yno.

Ar y cyfan roedd yn haws ganddynt ladd ar y caeau anodd na chanmol y caeau braf. Ond ceir rhai enwau caredig a chanmoliaethus, megis *Cae teg, Talwrn teg, Ffridd rywiog, Erw gefnog, Ffron* [sic] *berffaith* a *Cae hudol*, i gyd yn RhPDegwm plwyf Llandderfel yn 1838. Nodwyd *Cae clyd* yn Nhywyn. Canmolir ffrwythlondeb rhai caeau: *Clwt tew, Ffridd yr aur* a *Wern fras* (Llandrillo) a *Cae digon* (Corwen). Mae'n bosib hefyd mai porfa fras a fyddai'n cynhyrchu llaeth da sydd yn *Ffrith y menyn* yng Ngwyddelwern. Ceir enghreifftiau o gaeau â'r enwau *Butter Field, Butter Pasture* a *Buttermilk Meadow* yn Lloegr â'r un ystyr (EFN). Ambell dro cyfeirir at brydferthwch y caeau, fel yn *Bryniau Gleision* a *Werglodd deg* (Llanfor), *Buarth Hardd* (Llandecwyn), *Cae sovel*[11] *hardd* (Llanfair), *Clwt teg* (Llanenddwyn), *Cae teg* (Llanddderfel), a'r ddau enw deniadol *Llannerch wen* a *Llannerch sidan* yn Llandanwg. Yr un lle yw hwn â'r *llannerch sidan* a gofnodwyd yn Harlech yn 1613 (Mostyn). Dro arall pwysleisir mor ddymunol yw cae arbennig: *Talar heulog, Talar heulog isa, Cae heulog isa* a *Blaen cae heulog* (Llanfair); *Cae issa garedig* [sic] (Tywyn).

Gwaetha'r modd, rhaid troi'n awr at agwedd fwy mileinig ein cyndeidiau wrth iddynt fwrw eu llid ar y caeau hynny a

---

11 *sovel* = sofl, sef bonion a adewir ar ôl medi cnwd, yn enwedig ŷd

barai drafferth iddynt o ddydd i ddydd. Mae'r rheswm dros eu hatgasedd tuag at ambell gae yn hollol amlwg: nodwyd *Cae budr* ym Metws Gwerful Goch, Llangar a Gwyddelwern; *Y Ddol fudr* yn Nhrawsfynydd; *Weirglawdd fudyr* yng Nghorwen; *buarth bydr* yn Llanuwchllyn; *Battin bydr* yn Llanycil; *Pwll budr* yng Ngwyddelwern a *Llwyn budr* yn Llanddwywe, er ei bod yn anodd dychmygu sut y gall llwyn fod yn fudr. Os yw budreddi yn gwneud cae yn atgas, mae gwlybaniaeth lawn cyn waethed. Cofnodwyd *Erw wlyb* yn Llandrillo, Corwen a Gwyddelwern; *Cae glyb* a *Bryn glyb* yn Llanenddwyn; *Tir gwlyb* yn Llanenddwyn a Llandrillo, *Taleri glybion* yn Llanfair, a gwaethaf oll, *Cae tan dwfr* yng Ngwyddelwern.

Hawdd deall y byddai llymder neu erwinder y tir yn peri trafferth. Cofnodwyd *Cae llwm* (Corwen a Llanfor); *Fridd* [sic] *lom* (Llanycil); *Garw* (Llandderfel); *Tir garw* (Gwyddelwern); *Buarth garw*, *Wern arw* a *Cae garw* (Llanddwywe); *Gweirgloddiau geirwon* (Trawsfynydd); *Accre galed* (Llandanwg); *Y Weirglodd galed* (Trawsfynydd); *Cae haiarn* (Llandanwg); *Cae trwsgl* (Llanenddwyn) a *Cae crach* (Llandanwg, Tywyn a Llanenddwyn). Un o'r beiau eraill oedd ansawdd y pridd. Nodir dau annedd yn RhPDegwm plwyf Llangar, sef *Erw sur fach* ac *Erw sur fawr*. Yn RhPDegwm y plwyfi a nodir ceir y caeau canlynol: *Cae sur* (Llanegryn); *Cae llwyd main*, *Yr Ardd fain*, *Cae main* a *Buarth main* (Llanenddwyn); *Pumrhwd main* (Llandanwg), a'r enw torcalonnus *Tir bach egwan* (Llanddwywe).

Mae gwendidau caeau eraill yn llai amlwg a'r rheswm dros eu collfarnu yn codi o deimlad personol y sawl a'u henwodd: *Erw flin* (Corwen); *Allt ddrwg* (Llandecwyn); *Ffridd gas* (Llanddwywe); *Wern hyll* a *Fron hyll* (Corwen). Tybed pa anffawd a ddigwyddodd yn *Cae'r helbul* yn Nhrawsfynydd? Beth hefyd oedd o'i le ar y cae a nodwyd fel *Bryn merfedd* yn RhPDegwm plwyf Corwen yn 1839? Mae'n debyg mai'r ansoddair *merfaidd* sydd yma. Yr ystyr yn ôl GPC yw 'anniddorol, difywyd, llesg'. Nid yw'n ansoddair a ddefnyddir fel rheol i ddisgrifio cae, onid oedd efallai yn gae sâl a diffrwyth.

Yn olaf, cawn y caeau mwyaf atgas. Pam y galwyd dau gae yn *Erw sothach* yn Llandrillo ac *Erw bedlam* yn Llangar? Ni wyddom a oedd *Erw sothach* yn cyfeirio at natur wael y cae, neu a arferid taflu'r sbwriel yno? Mae John Field yn cyfeirio at gaeau o'r enw *Rubbish Meadow* a *Rubbishing Shutt* lle ceid tomen sbwriel (EFN). Wrth gwrs, llurguniad yw *bedlam* o enw'r gwallgofdy canoloesol yn Llundain a enwyd ar ôl y Santes Fair o Fethlehem. Mewn rhai mannau yn Lloegr gallai *Bedlam* gyfeirio at ryw fath o ysbyty ar gyfer pobl wallgof. Nid oes awgrym mai dyna beth sydd gennym yn Llangar. Daethpwyd i ddefnyddio'r gair *bedlam* yn gyffredinol i gyfeirio at rywle gwyllt, di-drefn, er yr awgrymwyd efallai y byddai rhoi'r fath enw ar gae yn golygu y byddai'n rhaid i rywun fod yn wallgof i ystyried ei drin (HEFN). Cofnodwyd *Gwern Bedlan* yn Llandanwg, ond ni wyddys ai *bedlam* a olygir yno. Yn sicr, nid oes unrhyw amheuaeth am agwedd y ffermwr at ddau gae arall yn Llandanwg o'r enw *Uffern* ac o bosib cae *Ruffran* [sic] *bach* yn Llandecwyn.

Cae Batin

Cofnodwyd enw'r annedd *Cae Batin* yn Ninas Mawddwy fel *Cae-battyn* ar fap OS 1836 ac fel *Cae Battin* yn RhPDegwm plwyf Mallwyd yn 1838. Mae *batin* yn derm sydd yn digwydd mewn amrywiol ffurfiau ledled Cymru. Fe'i cofnodwyd mewn gwahanol fannau fel *betin, beting, bietin, bieting, batin* a *bating*. Gwelir y term yn amlach mewn enwau caeau nag enwau anheddau. Ym Meirionnydd ceir y caeau canlynol yn RhPDegwm y plwyfi a nodwyd: *Batting* a *Battin bach* (Betws Gwerful Goch); *Cae betting* (Tywyn); *Ffridd battin* (Llangywer); *Hen Battin* (Llandderfel) a *Battin glas* (Llanuwchllyn) ymhlith eraill. Ai ffurf fachigol sydd yn *Battingen* yn RhPDegwm plwyf Llandanwg?

Benthyciad o'r Saesneg 'beating' yw *batin*, a'r ystyr yw

tyweirch sydd wedi cael eu ceibio â haearn pwrpasol neu aradr frest er mwyn eu llosgi a'u gwasgaru fel gwrtaith. Mewn rhai mannau, arferid casglu'r tyweirch yn dwmpathau ar ffurf cwch gwenyn a'u llosgi'n araf. Wedyn byddai'r lludw yn cael ei aredig i mewn i'r ddaear. Yr oedd y potash a geid yn y lludw hwn yn llesol iawn i'r tir.

Mae gan y Sais fwy o amrywiaeth yn yr enwau a roddir ar gaeau sydd wedi eu ceibio a'u llosgi fel hyn. Gwelir y ffurfiau *Beatlands*, a hyd yn oed *Beaten Flat*, ac yn aml ceir *Beak Field* a *Beakland*. Yn ne Lloegr y term a ddefnyddid oedd *Burnbake*. Mewn ambell le ceir *Paring Field*, ac yn Sir Gaer cyfeirid at gae o'r fath fel *Push Ploughed Field* oherwydd y math o aradr a ddefnyddid (EFND).

Dyna ystyr *batin*, felly. Ond digwyddodd rhywbeth rhyfedd yn enw *Cae Batin* yn Ninas Mawddwy. Fel y nodwyd, *Cae-battyn* a *Cae battin* oedd y ffurfiau yn 1836 ac 1838. Ond yna mae'r *–n* ar ddiwedd y gair yn diflannu. Ceir *Caerbatty* yn y Cyfrifiad yn 1841 ac 1881 a *Caerbati* yn 1861. Mae'r ffurfiau hyn yn adlewyrchu newid yn ynganiad yr enw, ac yn wir yn ei ystyr dybiedig. Efallai fod y term *batin* wedi mynd yn anghyfarwydd, neu efallai fod yma ymyrryd bwriadol. Y canlyniad oedd fod yr enw yn dechrau cael ei ddeall fel *Cae Abaty*. Mae'n bosib fod yma ddylanwad rhyw awch i ramanteiddio'r enw. Arweiniwyd llawer hynafiaethydd ar drywydd cyfeiliornus, mae'n siŵr.[12]

Cae Mab Seifion

Ffermdy o'r ail ganrif ar bymtheg i'r gogledd-orllewin o Lanelltud yw *Cae Mab Seifion*. Un o'r cyfeiriadau cynharaf a welwyd yw *Mabsimon or Kay mabsimon* o'r flwyddyn 1562 (Bron). Nodwyd *Kae mab Sivion* yn 1649 a *kae mab seivion* yn 1652 (Nannau). *Kae Masseifion* oedd gan Edward Lhuyd tua 1700 (Paroch). Yn 1733 nodwyd *Cae Mabseifion*

12 Am drafodaeth bellach o'r elfen *batin* gweler HEYM, ADG2 ac YEE.

(CalMQSR). Cofnodwyd *Camseifion* yn 1874 (Worr). Y ffurf ar fap OS 1838 oedd *Cae-mab-seifion*, a dyna sydd ar y map OS cyfredol.

Elfennau'r enw yw *cae* + *mab* + yr enw personol gwrywaidd *Seifion*. Mae *Seifion* yn enw anarferol, o bosib wedi dod o'r enw Lladin *Sabi nus* (EANC). Mae'n ddigon hawdd esbonio'r ffurf *Mabsimon* yn 1562. Ymgais i newid enw anghyfarwydd am un mwy cyfarwydd sydd yma. Mae'r ffurf *Camseifion* yn 1874 yn ddiddorol gan ei bod yn dangos y cywasgu a fu yn yr ynganiad nes i'r ystyr fynd ar chwâl. Digwyddodd rhywbeth tebyg yn enw *Cae Mab Ynyr* yn Y Waunfawr yn Arfon, a nodwyd fel *Cam-bynnar* ar fap OS 1838, a cheir sawl enghraifft o nodi *Cae Mab Adda* ym Mangor fel *Cambadda* (HEALlE).

Ceir enghreifftiau eraill o *Seifion* mewn enwau lleoedd. Cofnodwyd *Kay Ieuan ap syvion* yng Nghororion ger Tregarth yn Arfon yn 1549, ac eto fel *Kay Jen ap syveon* yn 1565 (Penrhyn). Nodwyd yr enw *Seifion* hefyd yn Llanwrin, ac yn Llanddyfnan a Chaergybi ym Môn.

Caer-gai

Plasty yn Llanuwchllyn yw *Caer-gai* sydd wedi ei adeiladu ar olion hen gaer Rufeinig. Roedd yn gartref i'r bardd Tudur Penllyn (*c.*1420–*c.*1485–90) a'i wraig Gwerful Fychan. Camdybiodd llawer un, gan gynnwys O.M. Edwards, mai Gwerful Mechain, y bardd, oedd hon. Gwyddom fod Tudur yn gyfaill i'r bardd Ieuan Brydydd Hir (*fl.c.*1450). Buont yn cyfnewid cerddi dychan, ac yn wir o gerddi Tudur y cawn yr ychydig wybodaeth sydd gennym am Ieuan (GIBH). Mae'n ddiddorol sylwi fod Ieuan yn cyfeirio at y lle fel *Caer-gai* mewn un cywydd, ond mewn un arall defnyddia'r enw *Caer Gynyr*. Esbonia M. Paul Bryant-Quinn y credid fod *Caer-gai* wedi ei enwi ar ôl Cai ap Cynyr (GIBH). Mae'n ddiddorol sylwi fod y bardd Huw ap Dafydd ap Llywelyn ap Madog (*fl.c.* 1526–80) yntau yn cyplysu'r ddau enw yn ei gywydd moliant i Siôn ap Hywel Fychan o Gaer-gai:

Caer ddyffryn Penllyn pioedd
Caergynyr, ceirw a gwinoedd?
Caer-gai gynt, cerrig a gwŷdd
Caer Siôn yw'r curas[13] newydd,
Hywel, fonedd hil f'ynys,
Fychan, llin Fechain, a'u llys.   (GHDLlM)

Cyfeiriodd Wiliam Llŷn (1534/5–80) hefyd at y tŷ fel *Caer Gynyr* mewn cywydd moliant i Owain ap Siôn o Gaer-gai:

Ty Owain maint win a medd
Ap Sion a bwyssai Wynedd
Llys y gerdd lliossoc wŷr
Lle kair gwin llew *Kaer gynyr.*   (BWLl)

Mae'r hanesion am y Brenin Arthur yn cyfeirio at Cai ap Cynyr fel un o brif farchogion y Ford Gron. Gwelir cyfeiriadau at Arthur ei hun mewn enwau lleoedd ledled Cymru: ceir sawl *Coetan Arthur*, *Maen Arthur* a *Bwrdd Arthur* (APNW). Ond mae'n bosib mai *Cai* yw'r unig un o'r marchogion a goffeir mewn enw lle: yng Ngaer-gai, a hefyd yn hen enw *Nant y Gwryd*, sef *Nant Gwryd Cai* yn Nyffryn Mymbyr, ger Capel Curig. Ystyr *gwryd* yw *gwrhyd*, sef mesur gŵr o bennau bysedd y naill law at y llall pan fo'i freichiau ar led. Felly, roedd yr enw *Nant Gwryd Cai* yn awgrymu fod yr arwr hwnnw yn ddigon anferth i fedru ymestyn ei freichiau ar draws yr holl ddyffryn (ELl). Daethpwyd i gredu mai cartref yr arwr oedd yr hen gaer yng Nghaer-gai.

Mae'r tŷ presennol yn dyddio o'r ail ganrif ar bymtheg. Adeiladwyd tŷ newydd ar y safle gan y bardd Rowland Vaughan (*c.* 1587–1667). Llosgwyd hwnnw yn ystod y Rhyfel Cartref, ond adeiladwyd tŷ arall yn ei le yn fuan wedyn. Hwn yw'r plasty a welir yno heddiw, er y bu rhywfaint o atgyweirio arno yn y bedwaredd ganrif ar bymtheg.

Yn ogystal â'r enghreifftiau a ddyfynnir uchod o waith y beirdd, ceir cyfeiriadau cyson at *Gaer-gai* dros y canrifoedd.

13 curas = arfwisg, sef benthyciad o'r Ffrangeg *cuirasse*

Roedd Humphrey Llwyd (1527–68) yntau yn ystyried mai hwn oedd cartref y marchog Cai, a ddisgrifiodd fel brawdmaeth Arthur (APNW). Wrth gyfeirio at *Gaer-gai* nid yw William Camden (1551–1623) yn sôn am y cysylltiad Arthuraidd, ond dywed mai cadfridog Rhufeinig o'r enw Caius a roes ei enw i'r tŷ (APNW). Roedd Edward Lhuyd ar y llaw arall yn fodlon ystyried mai hwn oedd llys Arthur ei hun. Meddai: 'Kaer Gai "Lhys Arthur medhent hwy"' (Paroch).

Cofnodwyd *Kair Gay* yn 1637 (Wynn); a *Caergai* yn 1662 (MHTax). *Caer Gai 'the fort of Cai'* sydd yn *The Cambrian Register* yn 1795. *Caer Gai* oedd ar fap OS 1838, a *Caergai* yn y Cyfrifiad yn 1851, 1871, 1891 ac 1901. Digon claear oedd ymateb O.M. Edwards i *Gaer-gai* yn *Cartrefi Cymru*. Roedd ganddo fwy i'w ddweud am y wlad oddi amgylch, er ei fod yn crybwyll y traddodiadau Arthuraidd sydd ynghlwm wrth y lle.

Caerynwch

Plasty yn dyddio o ddiwedd y ddeunawfed ganrif yw *Caerynwch*. Saif i'r dwyrain o Ddolgellau ac i'r de o Frithdir. Er bod yr adeilad presennol yn dyddio o'r ddeunawfed ganrif mae'r enw yn llawer hŷn. Ceir cyfeiriad yn 1592 at *Tyddyn Cay yr ynwch* (AMR). Nodwyd *Caerunwch* yn 1780 (Col). *Caerynwch* sydd ar fap John Evans yn 1795, a *Caer Ynwch* yn *The Cambrian Register* yn yr un flwyddyn. *Caer-y-nwch* sydd ar fap OS 1837 a *Caerynwch* ar y map OS cyfredol.

Fel rheol, ystyrir mai *caer + ynwch* yw elfennau'r enw. Mae'n debyg mai llurguniad o'r enw personol gwrywaidd *Unhwch* yw *Ynwch*. Mae hwn yn hen, hen enw a welir yng Nghanu Llywarch Hen, er na ellir cysylltu'r Unhwch ffyrnig yno â *Chaerynwch*. Ar y cyfan ystyrid mai *caer* yw elfen gyntaf yr enw: 'the fort of Ynwch' yw dehongliad *The Cambrian Register* yn 1795. Ond mae'r cofnod cynharaf a welwyd hyd yma, sef yr un o 1592, yn deall yr enw fel *cae + yr + ynwch*. Gellid derbyn mai enw personol yw *Ynwch* yma, er bod y fannod o'i flaen. Ceir enghreifftiau o'r fannod o flaen enwau cyntaf gwrywaidd ambell dro. Wrth gwrs, byddai'r ffurf hon yn newid yr ystyr, ond mae 'cae gŵr o'r enw Ynwch' yn gwneud synnwyr hefyd. Fodd bynnag, nid yw'r *Cae-y-nwch* ar fap OS 1837 yn gwneud unrhyw synnwyr o gwbl.

Caethle a Trefri

Ffermdy rhwng Tywyn ac Aberdyfi yw *Caethle* heddiw. Fe'i hystyrid yn blasty ar un adeg a chyfeirir ato fel *Y Plas yn Caethley* yn 1712 ac 1728/9 (Pen). Mae'r enw ei hun yn hŷn byth, gan mai *Caethle* oedd enw'r hen drefgordd gynt. Daw'r cyfeiriad cynharaf a welwyd, sef *Catheleu*, o'r flwyddyn 1292–3 (MLSR). Fe'i camgopïwyd fel *Cathlen* yn 1308–9.[14] Nodwyd *Cathley* yn 1574 (Rec.C.Aug.) a cheir nifer o gyfeiriadau o'r ail ganrif ar bymtheg ym mhapurau stad Peniarth: *Caethley* yn 1617, 1644/5 ac 1656. Dyma'r ffurf hefyd yng Nghyfrifiad 1841. Nodir *Caethle Farm* a *Foel Caethle* ar y map OS cyfredol.

Beth yw ystyr yr enw? Gallai olygu lle cyfyng, a byddai hynny'n enw digon addas i annedd ond nid i drefgordd, a rhaid cofio mai enw'r drefgordd oedd *Caethle* i gychwyn. Mae Melville Richards yn awgrymu mai cyfeiriad sydd yma at y gwŷr caeth yn y oesoedd canol, ac mae'n hawdd derbyn hynny. Roedd y boblogaeth ganoloesol wedi ei rhannu yn wŷr caeth a gwŷr rhydd. Gwelir olion y rhaniad hwn mewn rhai enwau lleoedd, megis *Bodegri Gaeth* a *Bodegri Rydd* ym Môn ac yn enw hen drefgordd ym Mangor gynt, sef *Tre'r Gwŷr Rhyddion*. Gellir ychwanegu *Caethle* at yr enghreifftiau hyn. Roedd y gŵr caeth neu'r taeog ynghlwm wrth y tir ac ni fedrai symud heb ganiatâd ei arglwydd. Byddai'r arglwydd yn hawlio gwahanol fathau o wasanaethau ganddo yn ogystal â doniau bwyd. Yn dâl am

14 Rhôl Siryf Meirionnydd am 1308–9 yn E.A. Lewis, 'The decay of tribalism in North Wales', *Trans. Cymm.*, 1902–3.

hyn câi'r gŵr caeth ddarn o dir i dyfu cnydau a chadw
anifail neu ddau i gynnal ei deulu. Y prif wahaniaeth rhwng
y gŵr caeth a'r rhydd oedd ei ach. Disgrifiwyd y gŵr caeth
fel 'gŵr heb ach'. Wrth gwrs, yr oedd ganddo hynafiaid fel
pawb arall, ond yr oedd yn gwbl ddibynnol ar ei arglwydd,
heb hawliau personol arno ef ei hun na'i dir. I'r gŵr rhydd,
ar y llaw arall, yr oedd ei ach yn hollbwysig. Ni waeth pa
mor dlawd ydoedd, os medrai olrhain ei ach yn ddi-dor i wŷr
rhyddion yr oedd ganddo hawl i freintiau a oedd allan o
gyrraedd y taeog (MedAng).

Er mai cartref y gwŷr caeth o bosib oedd trefgordd
Caethle i gychwyn, llwyddodd rhyw ŵr rhydd i ddod yn
berchennog tir yno ac adeiladu tŷ gan fabwysiadu enw'r
drefgordd. Roedd yn amlwg yn dŷ o bwys yn yr oesoedd
canol a'i berchenogion yn noddwyr i'r beirdd. Yr enghraifft
gynharaf o fardd yn canu i deulu *Caethle* yw cywydd mawl i
Siencyn ap Siôn gan Ieuan Rhaeadr, a oedd yn byw yn
niwedd y bymthegfed ganrif. Dros y blynyddoedd canwyd
cywyddau mawl a marwnadau i'r teulu gan Huw Arwystli,
Wiliam Llŷn a Siôn Cain (NBM). Dyma sut y canodd Siôn
Cain ar farwolaeth Siôn Fychan yr Ail yn 1643:

> Duo wnâi byd, nid o'n bodd,
> Dwyn blaenor, Duw a'n blinodd;
> Cur a ddeil, cerydd elawr
> Caeth wylo o fewn Caethle fawr. (NBM)

Pam y cyplyswyd *Caethle* a *Threfri*? Mae'r ddau enw wedi
eu cydosod mor gynnar ag 1285 yn Stent Meirionnydd, ac os
edrychir ar ffurf yr enw yn y Stent fe ddaw'r rheswm yn
hollol amlwg. Yno gellir gweld ffurf wreiddiol yr enw *Trefri*,
sef *Trefrydd*. Os mai *Caethle* oedd trefgordd y taeogion,
Trefrydd oedd trefgordd y gwŷr rhydd. Nid yw mor hawdd
adnabod yr enw yn y ffurf a gofnodwyd yn 1292–3, sef
Treueryth (MLSR). Nodwyd *Trefryth* yn 1308–9.[15] Yn 1627

---

15 Rhôl Siryf Meirionnydd am 1308–9 yn E.A.Lewis, 'The decay of
tribalism in North Wales', *Trans. Cymm.*, 1902–3.

nodwyd *Trevridd*, a *Trefrydd* yn 1710/11 (AMR). Er mai *Tre-frydd* [sic] sydd ar fap OS 1838, mae'n amlwg fod yr enw wrthi'n newid i *Trefri* erbyn 1795, ac mai hynny a barodd i *The Cambrian Register* ei gamddehongli fel 'high town', gan ddeall yr ail elfen fel *fry*, mae'n debyg. Gellir esbonio'r rhaniad yn y ffurf *Tre-frydd* yn 1837 hefyd, oherwydd yn RhPDegwm plwyf Tywyn yn 1838 ffurfiau'r enw oedd *Tre ffrydd fawr* a *Tre ffrydd fach*, felly mae'n amlwg y tybid am gyfnod mai *ffridd* oedd yr ail elfen. Mae'r broses o newid yn parhau yn 1841: nodwyd y ffurf *Trefriedd* [sic] *Fawr* yng Nghyfrifiad y flwyddyn honno. Erbyn Cyfrifiad 1891 mae'r sain, os nad y sillafiad, wedi ymsefydlu yn ei ffurf bresennol: nodwyd yno *Trefry*, *Trefry Lodge*, *Trefryfawr* a *Trefryfach*. Ar y map OS cyfredol ceir *Trefrifawr* a *Trefri*, ond yn aml cyfeirir at blasty *Trefri* fel *Trefri Hall*.

O'r tri thraethawd yn *Ystyron Enwau*, a gyhoeddwyd yn 1907, un yn unig a fentrodd drafod *Trefri*. Mae'n nodi'r enw fel *Trefri, –fawr, –fach*, ond nid yw ef ei hun yn cynnig esboniad o'r ystyr. Yn hytrach, mae'n cyfeirio at ddau eglurhad hynod gyfeiliornus, sef 'Tref-rydd (the wanderer's home)' a 'Trefhudd … tref neu gartref mewn cilfach gysgodol'. Ond yr oedd y sillafiad yn ôl yn 1285, a'r ffaith fod yr enw wedi ei gyplysu â *Caethle*, yn dangos yn eglur mai'r hen raniad cymdeithasol rhwng caeth a rhydd oedd yma.

Carreg Hylldrem

I ddringwyr mae'r enw hwn yn golygu clogwyn yn ardal Llanfrothen sydd yn cynnig cryn her iddynt wrth ei ddringo. I'r sawl sydd â diddordeb mewn enwau mae'n enw lle ac iddo ail elfen bur anarferol. Yng Nghyfrifiad 1841 nodwyd dau annedd, sef *Carreg hylldrem uchaf* a *Carreg hylldrem isaf.* Yn 1851 sillafwyd yr enw yn *Caregalltrem* a *Caraghylldrem.* Ceir y ffurf wallus *Garreglldrem* yn 1861, ynghyd â *Carregalltrem*, a *Garreghulldrem* yn 1871. *Garreghylldrem Uchaf* ac *Isaf* a nodwyd yn 1891, ond yn y Cyfrifiad yn 1901 ac 1911 yr enwau oedd *Garreghylldrem* a *Garreghylldrem bach*. Ar y map OS cyfredol nodir *Garregelldrem* a *Pont Garreg-Hylldrem*.

Cyn mynd i'r afael â'r ail elfen ddieithr, *hylldrem*, efallai y dylid crybwyll yr elfen gyntaf *carreg*. I ni heddiw, mae *carreg* yn awgrymu darn gweddol fychan o faen, sef 'stone', ond nid yw hyn yn wir mewn enwau lleoedd. Mae'n hynod o gyffredin gweld defnyddio *carreg* mewn enwau anheddau am graig neu glogwyn, a all fod yn eithaf sylweddol ambell dro. Ym Meirionnydd gellid crybwyll anheddau *Hafod y Garreg* (Trawsfynydd); *Maes y Garreg* (Llanfachreth) a *Tyn y Garreg* (Brithdir). Mae'n digwydd mewn enwau pentrefi: *Carreg* i'r gorllewin o Lanfrothen a *Carreg-lefn* a *Cerrigceinwen* ym Môn. Yn y ffurf *Garreghylldrem* mae'r treiglad meddal ar ddechrau'r enw yn awgrymu fod y fannod wedi ei cholli ac mai *Y Garreghylldrem* a olygir.

Mae *hylltrem* yn enw ac yn ansoddair. Fel enw yr ystyr yw 'edrychiad cas' neu 'wyneb hyll neu guchiog', ac fel ansoddair yr ystyr yw 'ffyrnig' neu 'gwgus'. Mae'n amlwg yn cyfeirio at olwg fygythiol y clogwyn. Er bod GPC yn nodi'r ffurf *hylldrem*, fel a welir ym mwyafrif y cofnodion o'r enw, mae'n ffafrio caledu'r *d* ar ôl *ll* i roi *hylltrem*. Mae'n amlwg oddi wrth y ffurf *alltrem* nad oedd yr ystyr yn hollol glir, onid oedd y ffurf honno yn ymgais i newid yr ystyr i olygu 'edrychiad tuag allan'. Cydiodd Iwan Arfon Jones yn y ffurf hon yn *Enwau Eryri* a dehongli'r enw fel *allt* + *trem* gyda'r ystyr 'golwg serth'. Ond er mor ddieithr yw *hylldrem* i ni heddiw, mae'n hen air. Fe'i defnyddiwyd gan Rys Goch Eryri yn y bymthegfed ganrif i ddisgrifio cleddyf[16] (GRhGE), ond rhaid dweud ei fod yn annisgwyl mewn enw lle.

Carrog

Mae *Carrog* yn elfen eithaf cyffredin mewn enwau lleoedd. Fe'i ceir ar ei phen ei hun ym Mryncroes, Llanystumdwy a Phenmachno yn Sir Gaernarfon, yn Llanddeiniol yng

16 Yn y cywydd 'Gofyn cyllell gan Ddafydd ap Hywel'.

Ngheredigion ac mewn mwy nag un lle ym Môn. Fe'i ceir hefyd wedi ei chyfuno ag elfen arall mewn sawl enw lle. Yr un sydd o ddiddordeb i ni yma yw *Carrog* ger Corwen. Heddiw mae'n cyfeirio at bentref bychan, ond enw'r hen drefgordd ydoedd yn wreiddiol. Yna daeth yn enw ar anheddau, ac mae *Carrog Uchaf*, ffermdy sy'n dyddio o'r ail ganrif ar bymtheg, a *Carrog Newydd* yn bodoli hyd heddiw.

Cofnodwyd enw'r drefgordd fel *Carrocke* yn 1549, fel *Karrog* yn 1608 ac fel *Carrog* yn 1641 (Rug). Yn 1839 cofnodwyd enwau'r anheddau *Carrog ucha* a *Carrog issa* yn RhPDegwm plwyf Corwen. Yng nghofnodion y Cyfrifiad ceir *Carrog* a *Carrog isaf* yn 1841 a *Carrog*, *Carrog isaf* a *Carrog uchaf* yn 1871.

Mae GPC yn esbonio *carrog* fel enw benywaidd gyda'r ystyr o ffrwd neu afon gyflym neu lifeiriant. Yr un gwraidd sydd yn y Lladin *curro* = 'rhedaf', a'r *car* Cymraeg a welir yn *cerbyd*. Cyfeiriodd Syr Ifor Williams at gyfieithiad cynnar o Salm 126 lle ceir y geiriau: 'Ymchwel, Arglwydd, ein caethiwedig, megis *carrog* yn nehau craig'[17] (ELl). Mae afon o'r enw *Carrog* yn codi yn ardal Rhostryfan ac yn llifo i'r Foryd yn Arfon. Ni welwyd cyfeiriad at afon neu ffrwd o'r enw hwn yng nghyffiniau *Carrog* ym Meirionnydd, ond mae afon Dyfrdwy yn llifo drwy'r ardal, ac mae'n bosib mai cyfeiriad at lif cryf yr afon honno sydd yma.

Cedris

Lleolir ffermdy *Cedris* rhwng Abergynolwyn a Thal-y-llyn. Mae *Cedris* yn elfen sydd i'w gweld yn aml yn ardal Tal-y-llyn a Llanfihangel-y-Pennant: yn *Llangedris*, *Maes Llangedris*, *Mynydd Cedris*, *Bwlch Cedris*, *Coed Cedris* a *Pont Cedris*. Dechreuwn gyda *Llangedris*, gan mai cyfeiriad at y lle hwnnw yw'r cofnod cynharaf sydd gennym o'r elfen *cedris*. Y ffurf yn 1292–3 oedd *Langederos* (MLSR). Mae'n bosib fod yma gapel anwes, hynny yw, rhyw fath o fetws a

---

17 'Dychwel, Arglwydd, ein caethiwed ni, fel yr afonydd yn y deau.'

geid mewn plwyfi gwasgarog pan nad oedd yn hawdd i bawb gyrraedd eglwys y plwyf. Roedd hefyd yn amlwg yn enw ar drefgordd. Ceir cyfeiriad at '*t[ownship of] Llangedrys*' yn 1492 (Pen). Mae'n anodd dweud ai'r un lle oedd hwn â *Maesllangedris*, gan fod trefgordd o'r enw hwnnw yn yr un ardal. Ceir cyfeiriad at y lle hwnnw mor gynnar ag 1308–9 fel *Maeslangedrys*.[18] Fe'i cofnodwyd tua 1400 fel *Maesllangedrys* (Rec.C), a'i nodi fel trefgordd, sef *Tref maes Langedrys* yn 1522 (Pen), a *villa de Maeslangederis* yn 1592–3 (AMR).

Mae Edward Lhuyd yn cyfeirio at *Kedris* fel enw'r drefgordd tua 1700 (Paroch). Yna daw'n enw ar annedd. Fe'i nodwyd ar fap John Evans yn 1795 fel *Cae-edris*. Rhyw ymgais garbwl i'w esbonio oedd hwn, mae'n debyg. Yn yr un flwyddyn mae *The Cambrian Register* yn ei nodi fel *Cedris* ac yn ei gyfieithu fel 'the covered treasure'. Mae'n anodd gwybod ar ba sail, os nad oedd yn ei gysylltu mewn rhyw fodd â *ced* yn yr ystyr o rodd haelionus. *Cedris* sydd ar fap OS 1837, a *Cedris Farm* ar y map OS cyfredol.

Mae'n debyg mai enw personol yw *Cedris*. Awgrymodd Melville Richards mai cyfuniad yw'r enw o *cad* + *rhys*, neu ei fod yn tarddu o *cadr*, ansoddair yn golygu 'hardd', ac mae hynny o bosib yn gynnig mwy derbyniol (ETG). Yn sicr, gellir gwrthod honiad *Ystyron Enwau* mai 'llygriad yw'r enw o *Cader Idris*'.

Cefn Bodig

Lleolir *Cefn Bodig* i'r gogledd o Lyn Tegid. Mae'n hen enw: cofnodwyd *Keven bodig* yn 1592 (Ex.P.H-E). Ni cheir unrhyw newid yn ffurf yr enw ei hun dros y canrifoedd, ac eithrio amrywiadau yn y sillafiad. Nodwyd *Keven bodig* yn 1652/3 (Nannau); *Kevenbodig* yn 1658 (Pen); *Kefenbodig* yn 1743 (CalMerQSR); *Cefn Bodig* ar fap John Evans o

---

18 Rhôl Siryf Meirionnydd am 1308–9 yn E.A. Lewis, 'The decay of tribalism in North Wales', *Trans. Cymm.*, 1902–3.

ogledd Cymru yn 1795 a *Cevyn Bodig* yn *The Cambrian Register* yn yr un flwyddyn; *Cefnbodig* yn y Cyfrifiad yn 1841 ac 1871; *Cefn-bodig* ar fap OS 1838 ac ar y map OS cyfredol.

Rhaid dweud ei bod yn anodd egluro'r enw hwn. *Cefn* yn yr ystyr o drum neu esgair mynydd neu fryn yw'r elfen gyntaf, wrth gwrs, ond mae'r ail elfen yn fwy o ddirgelwch. Mae *The Cambrian Register* yn amlwg yn dehongli *bodig* fel ansoddair yn hanu o'r ferf *bod*, gan ei fod yn cynnig y cyfieithiad 'the inhabited hight [sic]', hynny yw, fod pobl yn bodoli yno. Mae hwn yn esboniad braidd yn rhy syml, o bosib, gan fod pob annedd, os nad pob cefnen, yn 'fodig' yn yr ystyr hon. Nid yw GPC yn cynnwys y gair *bodig.*

Mae cynnig R.J. Thomas i esbonio'r enw yn fwy cymhleth (EANC). Cyfeiria at nant o'r enw *Ig* ym Mlaen Ig i'r dwyrain o Dalyllychau yn Sir Gaerfyrddin, ac awgryma mai 'igian' neu 'beichio' yw'r ystyr yno, yn cyfleu sŵn y nant. Yna mae'n crybwyll enw *Cefn Bodig* a holi tybed ai *bod* (preswylfa) + *Ig* (enw personol) sydd yma. Mae'n anodd gweld y cysylltiad rhwng yr esboniad hwn ac enw'r nant, er bod enw afon neu nant ambell dro yn cael ei ddefnyddio fel enw personol. Ond mae nant *Ig* braidd yn bell o *Gefn Bodig* i fod wedi dylanwadu arno. Mae hefyd yn cyfeirio at yr *–ig* yn enw *Pennant-tigi*, sydd o leiaf ym Meirionnydd. Trafodir yr enw hwn ar wahân isod. Rhaid ystyried y posibilrwydd mai *bod* + *Ig,* sydd yma, ac mai enw personol oedd *Ig*, er ei ryfedded. Ond cyfeiriodd Melville Richards yn gyson at y llu o enwau personol coll a geir yn ein henwau lleoedd.

Yr oedd *Cefn Bodig* yn dŷ o bwys, lle croesewid y beirdd. Yn 1648 mae'r bardd Siôn Cain yn moli'r croeso haelionus a gâi yng *Nghefn Bodig* gan ei noddwr Siôn Fychan a'i wraig, Catrin:

> Gwresawglys gaerau seiglawn,
> Gwledd foethus groesawus iawn. (NBM)

Pan fu farw Catrin canwyd englynion yn canmol ei haelioni ac yn galaru am golli gwraig mor rhinweddol. Mae'n werth

dyfynnu dau o'r rhain, gan mai'r awdur oedd y Dr John
Davies o Fallwyd:

> Dwyn cynnes santes, yn siŵr, – anwylaidd,
> > Doe'n alaeth y cyflwr;
> Dwyn gwraig a dawn goreugwr,
> Dwyn gwaeth na dwyn deunaw gŵr.

> Gŵyr tlodion ddynion ddaioni – cytraul
> > Catrin a'i haelioni;
> O'r gwaed ni welir gwedi
> Un byth o'i hail na'i bath hi.   (NBM),

Mae'r beirdd hefyd yn rhoi darlun inni o annedd *Cefn Bodig*
ei hun. Disgrifia Siôn Dafydd Las, a fu farw yn 1694, y gegin
newydd a oedd wedi cael ei hadeiladu yno:

> Yr adeilad sad sy odiaith, – sylfaen
> > Mewn seilfawr gadarnwaith;
> Gwneuthuriad pur a mur maith,
> Cu ail foddion celfyddwaith.   (NBM)

Cefn Pannwl

Cofnodwyd *Kefn y Panwl* yn Ffestiniog yn 1674 (Elwes).
Cefn panwl oedd y ffurf yn RhPDegwm yn 1842. Mae
diddordeb yr enw hwn yn yr ail elfen anghyffredin, sef
pannwl. Dywed Syr Ifor Williams mai ffurf fachigol *pant* yw
pannwl (ELl). Ceir yr ystyron o bant neu gwm bychan,
ceudod a thwll yn GPC. Credai Melville Richards mai'r un
gair oedd yn yr enw *Brynne Pannell*, *Bryn y Pannelle* a
gofnodwyd yn Ffestiniog yn 1592. Mae'n rhaid ei fod yn air
cyfarwydd yn yr ardal honno gan fod *Moel y Panylau* i'r
gorllewin o Drawsfynydd. Ond fe'i gwelir mewn mannau
eraill. Cofnodwyd *Tyddin y Pannull* yn Nhywyn yn 1592
(AMR). Nododd Edward Lhuyd *Ty'n y Pannwl* yn Llanfor
tua 1700 (Paroch). Ceir annedd o'r enw *Pantypannel* yn
Nolgellau yn RhPDegwm y plwyf yn 1838. Roedd Syr Ifor

wedi dotio at y ffurf ansoddeiriol. Meddai: 'Da yw *panhylog drwyn* gan Gruff[udd] ab Ieuan ap Llywelyn Fychan i ddisgrifio march!'(ELl). Roedd bardd arall, Siôn Brwynog, wedi taro ar yr un syniad wrth sôn am farch â'r 'trwyn panwl'.

Mae gennym rai enghreifftiau ym Meirionnydd o *pannwl* mewn enwau caeau hefyd. Yn RhPDegwm cofnodwyd *Panwl Robin* a *Panwl arloes Robin*, y rhain eto yn Nhrawsfynydd; *Pannel* yn Llandecwyn a *Panwl Moel Llech* ym Metws Gwerful Goch.

Cemaes

Yr enghraifft fwyaf adnabyddus o'r enw hwn yw'r pentref dymunol yn Ynys Môn. Mae'r elfen yn digwydd hefyd yn Nhrefaldwyn, Mynwy a Phenfro, ond y *Cemaes* sydd dan sylw yma yw'r annedd yn nyffryn Dysynni i'r dwyrain o Lanegryn. Mae'r ffermdy hwn yn dyddio'n ôl i'r ail ganrif ar bymtheg, gyda rhai rhannau cynharach o bosib.

Yn ei lyfr bach gwerthfawr *Enwau Lleoedd*, a gyhoeddwyd gyntaf yn 1945, roedd Syr Ifor Williams wedi nodi'r amryfusedd yn y modd y sillefid yr enw *Cemaes*. Roedd camsyniad wedi codi mai *cefn* + *maes* oedd elfennau'r enw, ac mai *Cemaes* felly oedd y sillafiad cywir. Nid felly, meddai Syr Ifor. Eglurodd nad oes a wnelo'r enw ddim oll â *maes*. Daw'r enw o air Cymraeg hollol wahanol ei ffurf a'i ystyr, sef *camas*. Ond parhaodd y gred mai *maes* sydd yma. Yn *Ystyron Enwau* awgrymwyd mai ystyr yr enw yw 'amchwareufa, neu ymddyrchfa tuag at chwareufeydd neu ymdrechfeydd'. Gellir beio William Owen Pughe am y camddehongliad hwn gan ei fod ef yn cyfieithu 'cemmaes' fel 'A circle, or amphitheatre for games' yn ei Eiriadur. Roedd Pughe yn dal i gael ei ystyried yn awdurdod ar faterion ieithyddol pan gyhoeddwyd *Ystyron Enwau*, ac yn naturiol roedd yn uchel ei barch yn yr ardal a drafodir yn y llyfr gan iddo gael ei eni yn Nhy'n-y-bryn ym mhlwyf Llanfihangel-y-Pennant.

Mae GPC yn nodi ffurfiau unigol yr enw fel *camas* a *cemais*, ac yn rhoi *cemais* fel y ffurf luosog yn ogystal. Y ffurf yn y Wyddeleg yw *cambas*, *cambus*, gyda'r ystyr o dro neu fforch mewn afon. Yr un ystyr sydd i *camas / cemais* yn Gymraeg, a gall hefyd olygu cilfach o fôr. Efallai mai cyfeiriad at y ffaith fod afon Dysynni yn droellog iawn i'r de o'r annedd sydd yma yn Llanegryn.

Ni welwyd y sillafiad cywir o gwbl yng nghofnodion yr enw yn Llanegryn. Y cofnod cynharaf a welwyd hyd yn hyn yw *y kemays issa* o'r flwyddyn 1592 (AMR). Mae *The Cambrian Register* yn 1795 yn ei nodi fel *Cemaes*, ac yn cynnig yr ystyr 'the top of the plain', sydd yn dangos y modd y tybiwyd mai *cefn* + *maes* oedd elfennau'r enw. Mae'r nodyn yng Nghyfrifiad 1841 braidd yn aneglur, ond ymddengys mai naill ai *Cemás* neu *Cemas* sydd yno. Mae'n bosib mai pwrpas y marc uwchben yr *m* oedd i ddynodi y dylid dyblu'r gytsain. *Cemmas* sydd yn RhPDegwm yn 1841. Mae'n debyg mai sillafu gwallus sydd yn y ffurfiau hyn yn hytrach nag unrhyw ymgais ymwybodol i gael gwared â'r elfen *maes*. *Cemmaes* sydd yng Nghyfrifiad 1881, 1891, 1911 ac ar y map OS cyfredol. Yng Nghyfrifiad 1881 nodwyd hefyd *Rhydygemmaes* yn Llanegryn. Mae'n rhaid fod gan un o awduron *Ystyron Enwau* gryn ffydd yn y dehongliad o *Cemaes* y cyfeiriwyd ato uchod, oherwydd mae'n esbonio *Rhydygemaes* fel 'rhyd (a ford) a *cemmaes* (an amphitheatre)'.

Clegyr / Clegyrog

Ar y map OS heddiw gellir gweld *Clegir Uchaf*, *Clegir Canol* a *Clegir Isaf* rhwng Betws Gwerful Goch a Melin-y-wig. Roedd y rhain i gyd yng Nghyfrifiad 1841, 1861 ac 1891, ond yno cofnodwyd *Clegir Mawr* yn ogystal. Roedd yr anheddau hyn ym mhlwyf Gwyddelwern ac yn RhPDegwm y plwyf hwnnw yn 1836 cofnodwyd *Clegir Uchaf*, *Clegir Canol*, *Clegir Isaf* a *Clegir Mawr*. Ond mae'r enw yn mynd yn ôl yn llawer pellach na hyn. Yn 1560 cofnodwyd y ffurf *Kleger*

(Rug); *Klegir* tua 1700 (Paroch); *Clegir* yn 1701 (Rug) a *Clegir* yn 1733 (CalMerQSR).

Mae'r elfen *clegyr* i'w gweld hefyd yn enw *Pant y Clegyr* ym Maentwrog. Cofnodwyd yr enw fel *Pant y clegir* yn 1795 (JE/MNW); *Pant y Clegyr* yn yr un flwyddyn yn *The Cambrian Register*, a *Pant-y-clegyr* ar fap OS 1838. Lleolir yr anheddau *Glygyrog-ddu* a *Glygyrog-wen* i'r dwyrain o Aberdyfi. Dyna'r ffurfiau ar y map OS cyfredol, ond ceir y sillafiad safonol yn y cofnod *Clegyrog ddu* yn RhPDegwm 1838. Mae'n debyg mai'r un lle oedd *Klegyrog* a *Klegyrog ucha* a gofnodwyd yn Nhywyn yn 1633 (RCLCE).

Mae *clegyr* yn enw gwrywaidd unigol ac yn enw torfol, felly gall olygu 'craig' a 'creigiau'. Ceir yr un elfen mewn Cernyweg yn y ffurf *clegar*, ac mewn hen Lydaweg yn y ffurf *Cleker*, a *Kleger*[19] mewn Llydaweg fodern. Ansoddair yw *clegyrog* â'r ystyr 'creigiog'. Mae'r defnydd o *Clegyrog* fel enw lle ar batrwm enwau megis *Rhedynog*, *Eithinog* a *Brwynog*. Ansoddeiriau sydd yma mewn gwirionedd, ond fe'u defnyddir fel enwau i ddisgrifio man lle ceir llawer o ryw elfen arbennig. Yr unig wahaniaeth yw mai llawer o blanhigyn arbennig a geir yn yr enwau eraill ond llawer o greigiau yn *Clegyrog*.

Y Cleifion

Dyma haen o'r gymdeithas a anghofir yn aml wrth drafod enwau lleoedd. Ond maent hwythau ambell dro yn cael eu coffáu yn yr enwau. Ceir sawl cyfeiriad at *Gwern y Cleifion* ym Mrithdir. Cofnodwyd *gwern y cleifion* yn 1586; *gwern y Kleivion* yn 1607; *Gwern y Cleivion* yn 1636, a *Gwern y Kleivion* yn 1645/6, i gyd ym mhapurau Nannau. Ceir cyfeiriad at *gwayne y Kleision* yng Nghorwen yn 1633 (Rug), ac mae'n debyg mai gwall sydd yma am 'cleifion'. Nodwyd *llety y clave* yn Nhywyn yn 1612 (Pen), a dau gae, sef *Lletty claf isa* a *Lletty claf ucha* yn RhPDegwm plwyf Llanycil yn

19 *Cléguer* yn Ffrangeg.

1838. Mae afon *Cleifion* yn llifo i mewn i afon Dyfi ger Mallwyd ac mae *Pont y Cleifion* yno hyd heddiw. Arni ceir y dyddiad 1637, a hon yw'r unig un sydd ar ôl o'r tair pont a adeiladwyd dan oruchwyliaeth Dr John Davies o Fallwyd pan oedd yn rheithor y plwyf. Nodwyd *Pant y Cla* yn RhPDegwm plwyf Gwyddelwern. Ai 'claf' sydd yma hefyd?

Rhaid cofio fod ystyr arall mwy penodol i'r gair 'claf' yn yr oesoedd canol. Nid rhyw fymryn o annwyd oedd ar y bobl hyn, ond yn aml iawn golygai eu bod yn dioddef o'r gwahanglwyf, a oedd yn gyflwr eithaf cyffredin. Ceir sawl cyfeiriad at y *clafdy* mewn enwau lleoedd; er enghraifft, ceir *Pant y Clafrdy* yng Nghaernarfon, *Rhydyclafdy* ger Pwllheli, *Clafrdy* yn Llanbadrig, Môn, ac yn Llanllyfni, *Clafdy* ger Aberffraw, a *Ffridd y Clafrdy* yn Llandygái (HEALlE). Er na welwyd cyfeiriad penodol at glafdy ym Meirionnydd hyd yn hyn, mae'n amlwg fod yna rai yno fel ym mhobman arall. Mae lle i gredu y byddai yna un ym mhob cwmwd.

Un o'r enwau mwyaf diddorol yn ymwneud â'r cleifion yw *Rhyd y Glafes*. Mae hwn yn enw ar dŷ o'r ddeunawfed ganrif sydd yn bodoli hyd heddiw yng Nghynwyd i'r de o Gorwen. Cofnodwyd yr enw *Rhyd y Glavys* gan Edward Lhuyd tua 1700 (Paroch). Ffurf fenywaidd 'claf' fel enw yw *clafes*, sef 'merch glaf neu wahanglwyfus', yn ôl GPC. Cofnodwyd *Rhyd y glafis* yn RhPDegwm plwyf Gwyddelwern yn 1836, *Rhyd y Glaves* yng Nghyfrifiad 1841 a *Rhydyglaves* yng Nghyfrifiad 1851. *Rhydyglafes* sydd ar y map OS cyfredol. Efallai ei bod yn arwyddocaol fod *Rhyd y Glafes* yng Nghynwyd, gan mai yno roedd canolfan y cwmwd, a thueddid i gael clafdy yn y canolfannau hynny. A oedd rhyw wraig wahanglwyfus druan yn arfer eistedd ar lan yr afon i ofyn cardod gan y rhai a groesai'r rhyd? Ond rhag inni neidio i gasgliad cyfeiliornus, dylid ystyried efallai fod esboniad yr enw yn hollol wahanol. Mae Edward Lhuyd yn honni mai enw'r nant yw *Glavys*, a'i bod yn codi yn y Berwyn ac yn llifo i Landrillo. Byddai'r ystyr, felly, yn llawer symlach, sef rhyd ar y nant o'r enw *Glafes*. Ond mae *Y Glafes* yn enw rhyfedd ar nant, onibai y cais gyfleu nant swrth ac araf ei hynt.

Ceir cyfeiriadau hefyd at rai a oedd yn dioddef o anhwylderau eraill. I ni heddiw mae enw un annedd yn Llanuwchllyn, sef *Llety Cripil*, yn swnio'n eithaf creulon. Ceir cofnod ohono mor gynnar ag 1592/3 fel *llettyr Cripil* (AMR). *Lletty-y-cripple* sydd ar fap OS 1838; *Llettycrupul* a *Lletty Crippil* yn y Cyfrifiad yn 1851; *Lletty Cripil* yn 1871, *Llety Cripil* yn 1891 a *Lletycripil* yn 1911. Benthyciad o'r Saesneg *cripple* sydd yma, a'r ffaith mai benthyciad ydyw sydd i gyfrif am yr amrywiaeth yn y sillafu. Enw arall y gellir ei gynnwys yn yr adran hon yw 'crwth'. Wrth gwrs, gall crwth olygu offeryn cerddorol, ond mewn enw lle mae'n cyfeirio'n aml at rywun cefngrwm. Cofnodwyd *Tyddyn Kay y Crothe* yn Llanfachreth yn 1592 (AMR); *Cay Crwth* yn 1610 (Nannau); *Cae-crwth* ar fap OS 1838 a *Cae crwth* yn RhPDegwm 1846. Mae yno hyd heddiw.

Cyn ffarwelio â'r holl anhwylderau efallai y dylid crybwyll cae o'r enw *Lleinie bryn y byddar* yn RhPDegwm plwyf Tywyn yn 1838. Nid yw'r enw yn unigryw. Cofnodwyd *Brynbyddar* ym Modychen ym Môn, a cheir sawl cyfeiriad at *Crug y Byddar* ym Mugeildy, Maesyfed. Awgrymwyd mai *byddar* sydd yn enw *Llanybydder* hefyd (DPNW). Enw diddorol yw *Cae'r Myngus* a gofnodwyd yn Nanmor, a oedd gynt ym Meirionnydd. Nodwyd *Kay r myngys* yn 1561/2, *Kae r Myngys* yn 1644 a *Kaer Munges* yn 1655 (i gyd yng nghasgliad Dolfrïog). Daeth yr hen dŷ hwn yn ddiweddarach yn rhan o *Gardd Llygad y Dydd*, a drafodir ar wahân isod. Gŵr *myngus* oedd yn byw yn y tŷ hwn ers talwm. Pa anhwylder oedd arno? Gall *myngus* olygu ei fod yn fud, neu fod ei leferydd yn aneglur, neu fod arno atal dweud.

'Cnwd trwm cynhaea tramawr / Yn afrad lif ar hyd lawr' (Dic Jones, 'Awdl y Cynhaeaf')

Mae Rhestrau Pennu'r Degwm yn ffynhonnell ardderchog ar gyfer gweld pa gnydau a dyfid ym Meirionnydd yng nghanol y bedwaredd ganrif ar bymtheg. Cnwd a welir yn fynych iawn yn y rhestrau yw meillion. Ond anaml y gwelir yr enw 'meillion': *clover* a geir bron bob tro. Tyfir meillion yn bennaf yn borthiant anifeiliaid, yn enwedig gwartheg. Cofnodwyd *Cae clover*, a hynny ambell dro fwy nag unwaith, yn RhPDegwm plwyfi Llandderfel, Llanfor, Llanycil, Gwyddelwern, Llanenddwyn, Llangywer, Tywyn a Phennal. Nodwyd *Ffrydd clover* hefyd ym Mhennal, *Buarth clover* yn Llanfair a *Cefn clover* yn Llangar. Ceir ymgais i Gymreigio'r gair yn *Cae clofar* yn Llanfihangel-y-traethau ac *Erw gluver* yn Llandderfel. Gwelir yr elfen 'meillion' yn enw *Maes y Meillion*, sef fferm plasty *Maesyneuadd* ger Talsarnau (Gwy). Yn RhPDegwm nodwyd annedd *Maes y meillion* yn Llangywer, sydd yno o hyd, a'r caeau a ganlyn: *Pwll meillion* (Llanddwywe), *Bryn y meillion* (Llangywer) a *Talar cae meillion* (Llanegryn).

Ceir sawl cyfeiriad at haidd yn enwau'r caeau. *Haidd* yw'r term a ddefnyddir yn ddieithriad ym Meirionnydd, er y clywir *barlys* yn ne Cymru. Tyfir haidd yn bennaf yn borthiant i anifeiliaid, ond rhaid cofio ei fod hefyd yn cael ei ddefnyddio i fragu. Clywir cyfeirio at wisgi fel 'Siôn Heidden' yn Gymraeg, yn union fel y clywir 'John Barleycorn' yn Saesneg. Yn RhPDegwm nodwyd caeau o'r enw *Cae haidd* ym mhlwyfi Corwen, Llandderfel, Betws Gwerful Goch, Llanfor, Tywyn, Llanegryn, Llanuwchllyn, Gwyddelwern, Pennal a Thrawsfynydd. Roedd caeau o'r enw *Buarth haidd* yn Llangywer, *Pig yr haidd* yn Llanuwchllyn a *Sofl haidd* yng Nghorwen. Yn RhPDegwm nodwyd anheddau *Ddol haidd* yn Nhrawsfynydd ac mae *Nant yr erw haidd* yng Ngwyddelwern yno hyd heddiw. Ceir cofnod o *Hafod yr haidd* yn Llanuwchllyn yng Nghyfrifiad 1851.

Yn naturiol iawn, ceir cryn sôn am dyfu gwenith ac ŷd, gan mai'r cnydau hyn yn llythrennol oedd ffon bara y werin. Cofnodwyd *Cae gwenith* yn RhPDegwm plwyfi Pennal a Llanegryn; *Erw wenith* yn Llandderfel a Chorwen; *Y Vron wenith* yn Llangywer a *Ddol wenith* yn Llangar a Betws Gwerful Goch. Cyfeirir yn aml at gnydau grawn yn gyffredinol fel *ŷd*. Yn RhPDegwm nodwyd *Cae'r ŷd* yn

Llanfor; *Bank yr ud* yn Llanycil; *Gwyllt yr yd* yn Nhrawsfynydd; *Erw ydlan*[20] yn Llanfihangel-y-traethau; *Cae cefn yr ydlan* yn Nhywyn a *Cae tu hwnt i'r ydlan* a *Cae tan yr ydlan* yn Llanegryn.

Cnwd arall a welir yn aml yng nghaeau RhPDegwm yw *rhyg*, er mai anaml y gwelir sillafu'r enw yn gywir: *rhug* a geir gan amlaf. Defnyddir rhyg i wneud blawd ar gyfer bara, i wneud rhai gwirodydd, ac yn borthiant i anifeiliaid. Cofnodwyd y caeau a ganlyn yn RhPDegwm: *Cae rhug* (Corwen a Llanfihangel-y-traethau); *Cae Rhûg* (Llandecwyn), ond yn gywir yn Nhrawsfynydd, sef *Cae'r rhyg*; yn lled-gywir yno hefyd yn *Buarth y rhŷg*, ac yn gywir eto yn *Bryn rhyg* yn Llanfor a Gwyddelwern. Nodwyd hefyd *Bwlch cae rhug* (Llanycil); *Cae maes y rhug* (Llanfor); *Sofl Rhug* (Llanfihangel-y-traethau) a *Bryn rhug* (Llanfor). Yn rhyfedd iawn ceir *Buarth Rye* yn Llanycil.

Ceir rhywfaint o sôn hefyd am *rhygwellt*, er nad oes unrhyw arwydd fod neb ym Meirionnydd wedi clywed y gair. *Ryegrass* yw'r enw Saesneg a hwnnw a ddefnyddir yn ddi-feth. Nid yw'r un peth â rhyg, er y tebygrwydd yn yr enw yn y ddwy iaith. Fe'i tyfir yn borfa i anifeiliaid. Cofnodwyd *Cae ryegrass* yng Nghorwen a Llanegryn; *Cae ryegrass* a *Cae reigrass* yn Nhywyn; *Ryegrass* yn syml yn Llanfor a Thrawsfynydd, ac enw anodd ei ddeall, sef *Cae dwy rygrass* yn Llanfor.

Gwair yw'r enw a roir i laswellt a dyfir i'w gynaeafu er mwyn cael porthiant i anifeiliaid y fferm dros y gaeaf. Arferid ei sychu a'i storio mewn teisi gwair ond erbyn heddiw mae'n cael ei fyrnu. Caiff hefyd ei hel cyn iddo grino a'i droi'n silwair mewn silo. Ond yr hen ddulliau a ddefnyddid adeg RhPDegwm. Ychydig o gyfeiriadau yn wir a geir at y gwair, ond cofnodwyd caeau o'r enw *Tir gwair* yn Nhywyn; *Ardd Gwair* yn Llanfihangel-y-traethau; *Gwair Ithel* yn Llandecwyn; *Tyno gwair* yn Llanfair; *Wern wair* yn Llanenddwyn a *Pwll y gwair* yng Nghorwen.

20 ydlan + gardd ŷd, neu fuarth lle cedwir teisi o ŷd.

Ni chafodd croniclwyr RhPDegwm unrhyw drafferth wrth gofnodi'r cnwd cyfarwydd nesaf, sef *ceirch*. Fe'i tyfir yn bennaf yn fwyd i anifeiliaid, er bod llawer o fynd ar fara ceirch ers talwm. Cofnodwyd y caeau canlynol: *Cae ceirch* yn RhPDegwm ym mhlwyfi Llanegryn, Llanfair a Thrawsfynydd; *Cae ceirch bach* yn Llanbedr. Mathau arbennig o geirch a nodwyd yn *Cae ceirch gwyn* (Llanycil) a *Gweirglodd ceirchdu* (Llanegryn). Ceir hefyd *Buarth y ceirch* (Trawsfynydd) a *Foel geirch ucha / issa* (Pennal).

Ceir rhai cyfeiriadau hefyd at dyfu cywarch. Os gellir credu William Salesbury, efallai fod gan y cywarch ddefnydd arall yn oes y teuluoedd mawrion, oherwydd dywed: 'O chymerir dogyn mawr o had y [cywarch] dof diley planta a wna': atal cenhedlu, mewn geiriau eraill. Mae'n ei gymeradwyo hefyd ar gyfer anhwylderau mwy di-nod, megis chwyddiadau a chyrn (LlS). Gwelir enw afon *Cywarch* ac annedd *Blaen Cowarch* yn Llanymawddwy, ac annedd *Glyn Cywarch* yn Llanfihangel-y-traethau, a drafodir ar wahân isod. Ceir yr elfen *cywarch* hefyd yn RhPDegwm yn enwau'r caeau a ganlyn: *Cae cowarch* (Llanddwywe); *Rhos gowarch* (Llanycil) a *Pwll cowarch* a *Llawr cowarch* (Llanymawddwy). Gwelir y sillafiad hwn yn aml. Ceir *Pwll cywarch* yn Llanuwchllyn, ond *Bach yr hemp* yng Ngwyddelwern ac *Erw pwll yr hemp* yn Llandrillo. Nodir *Pwll yr Hemp* fel annedd yn y Cyfrifiad yn 1901.

Ers talwm tyfid llin ('flax') i wneud brethyn cartref o'i ffeibrau. Gellir hefyd gael olew o'r hadau, sef 'linseed oil'. Defnyddir hwnnw mewn paent a phwti, ac at gadw pren dodrefn mewn cyflwr da. Yn RhPDegwm cofnodwyd yr annedd *Llanerch y Llin* ym mhlwyf Tywyn. Mae yno hyd heddiw i'r gogledd o Aberdyfi, er mai *Llanerch-y-llyn* sydd ar y map OS cyfredol. Yn ddiau, roedd yr elfen *llin* wedi mynd yn anesboniadwy gyda'r blynyddoedd a thybiwyd mai *llyn* a olygid. Nodwyd *Brynllin bach / fawr* yn Nhrawsfynydd. Mae *Brynllin Fawr*, ffermdy sy'n dyddio o'r ddeunawfed ganrif, yno o hyd i'r gogledd o Abergeirw. Yn RhPDegwm hefyd cofnodwyd y caeau a ganlyn: *Buarth y llin*

(Trawsfynydd); *Llindir* (Llanfor); *Erw Llindir coch* (Llangar); *Llindir issa* a'r enw rhyfedd *Llindir cawl* (Llandrillo). Cofnodwyd annedd *Bwlchllindir* yn Llanfrothen yng Nghyfrifiad 1851.

Tyfid rhai llysiau, wrth reswm. Cofnodwyd cae o'r enw *Gardd lysiau* yn RhPDegwm Llanddwywe. Wrth gyfeirio at datws, ceir cryn ymwybyddiaeth mai gair benthyg o'r Saesneg 'potatoes' yw hwn, a gwelir enwau megis *Cae pytatws*, *Yr ardd pytatws* a *Cae ty pytatws* ar gaeau yn RhPDegwm plwyf Trawsfynydd. Nodwyd *Ardd Byttatios* yn Llanycil, ond ceir *Cae tattws* yn Llanenddwyn. Roedd annedd o'r enw *Pantyffa* yn RhPDegwm Llangelynnin yn 1839. *Pant ffa* oedd yng Nghyfrifiad 1861 a *Pantyffa* yn 1881 ac 1911. Mae'r fferm bellach yn adfail. Wrth gwrs, gallai'r *ffa* gyfeirio at blanhigyn megis *ffa'r gors*.[21] Cofnodwyd annedd o'r enw *Garthbys* yn Llandecwyn yng Nghyfrifiad 1901. Yn RhPDegwm nodwyd y caeau canlynol: *Cae pys* (Llanfair); *Bach y Pys* a *Bach y Pys isa* (Llanenddwyn) ac *Erw pys* (Llandrillo). Sonnir hefyd am *ffacbys* ('vetches' neu 'lentils' yn Saesneg). Cofnodwyd *Cae ffagbas* [sic] yn Llanycil ac *Erw fagbus* yn Llangar. Roedd cae o'r enw *Buarth y Maip* yn RhPDegwm Llangywer a *Gardd Maip* yn Llandderfel.

Wedi cynaeafu'r holl gnydau gadewir bonion ar ôl. Dyma'r sofl. Mae *sofl* yn elfen a welir yn bur aml mewn enwau lleoedd ym Meirionnydd. Lleolir annedd *Sofl-y-mynydd* yng Nghwm Cynfal i'r de-ddwyrain o Lan Ffestiniog. Mae yno hyd heddiw, ond ceir cofnod o'r enw fel *Savyl y Mynydd* mor gynnar ag 1572 (Poole). Ceir nifer o enghreifftiau o'r elfen mewn enwau caeau yn RhPDegwm: *Cae['r] sofl* (Llanycil, Trawsfynydd a Llandecwyn) a *Cae sofl isaf* yn Llanbedr. Nodwyd hefyd *Sofl* a *Buarth Sofl* (Llandanwg); *Sofl haidd* (Corwen); *Yr hen sofl* (Trawsfynydd); *Sofl Rhug* (Llanfihangel-y-traethau); *Sofl newydd ucha* (Llanenddwyn) a *Ffridd Sofl* (Llandrillo). Wrth gyrraedd

21 *Bog beans* neu *marsh trefoil*

Tywyn gwelir yr –o– ymwthiol sydd yn fwy nodweddiadol o dafodiaith Dyfed yn ymddangos yn yr enwau *Cae Sofol, Cae sofol ucha* a *Sofol issa.*

Cyn gadael y cnydau efallai y dylid crybwyll y cynhaeaf ei hun. Mae *Taicynhaeaf* bellach yn enw ar ardal i'r gorllewin o Lanelltud. Dyna'r ffurf ar y map OS cyfredol. Enw ar annedd ydoedd yn wreiddiol: fe'i cofnodwyd fel *Taicynhaeaf* yn y Cyfrifiad yn 1871 ac 1911. *Tai Cynhauaf* oedd yn y Cyfrifiad yn 1841 a *Tai Cynauaf* yn RhPDegwm yn 1843. *Cynhaeaf* yw'r ffurf safonol gywir, gan mai *cyn* + *gaeaf* yw sail yr enw.[22] Yn RhPDegwm hefyd nodwyd yr annedd *Ty Cynhauaf* ym mhlwyf Llangelynnin a'r caeau *Cae tai cynhauaf* a *Rhos ty y cynhauaf* ym mhlwyf Trawsfynydd.

Coed Ladyr

Dyma enw dyrys, ond un diddorol iawn, serch hynny. Yn wir, gan na wyddom ei ystyr, ceir cryn ansicrwydd ynglŷn â sut i'w sillafu. *Coed-ladyr* sydd ar y map OS cyfredol, ac mae'r annedd hwn i'r de o Lanuwchllyn. Cofnodwyd yr enw fel *Gavell Coid llader* a *Gavell Coyd lader* yn 1550 (Rec.C.Aug.). Ceir *Coed-ladder* yn 1662 (MHTax). *Koed 'Ladyr* yw'r ffurf sydd gan Edward Lhuyd tua 1700 (Paroch). Mae'n anodd gwybod beth yw arwyddocâd y collnod sydd ganddo ar ddechrau'r ail elfen. Fel rheol, byddai'n arwydd fod llythyren neu sillaf ar goll, ond nid oes unrhyw awgrym beth y gallai honno fod. *Coedladur* oedd yn RhPDegwm plwyf Llanuwchllyn yn 1847. Yn y Cyfrifiad cofnodwyd *Coedladyr* yn 1841; *Coedladur* yn 1851; *Coed ladr* yn 1881 a *Coed ladwr* yn 1911.

Un enghraifft yn unig a welwyd o *ll* ar ddechrau'r ail

---

22 Mae'n ddiddorol sylwi hefyd ar enw *Y Gynhawdref* yn Lledrod, Ceredigion, sef cartref Evan Evans (Ieuan Fardd, 1731–88), yr ysgolhaig a'r bardd. Llurguniad o *Y Gynhaeaf-dref* sydd yma. Mae B.G. Charles yn cyfeirio at y ffurf *Cynheidre* yn Sir Benfro (PNPem). Fe'i ceir hefyd yn Sir Gaerfyrddin.

elfen, a hynny yn un o'r cofnodion o 1550, felly mae'n ymddangos mai *l* yw'r sain. Mae'r gair *lladyr* (gydag *ll*) yn digwydd yn Llyfr Coch Hergest yn y bedwaredd ganrif ar ddeg. Fe'i dehonglir yno fel 'lladrad neu eiddo lladrad' gan GPC, ond gyda marc cwestiwn i awgrymu amheuaeth. Fodd bynnag, mae gan Twm Morys ddamcaniaeth hynod o ddiddorol am y ffurf *ladyr* (gydag *l*) a welir mewn man arall yn y Llyfr Coch, mewn cerdd ddienw i glerwr o'r enw Bleddyn (BBeirdd). Yn y gerdd ceir y geiriau 'gwahaneint sein ladyr'. Gan fod 'lladrad' wedi ei awgrymu fel esboniad i *lladyr*, ceisiodd J. Lloyd-Jones esbonio *sein ladyr* fel 'lladronllyd ei sŵn', beth bynnag yw peth felly.

Mae Twm Morys yn gwrthod yr esboniad hwn yn hollol bendant. Yn hytrach, mae'n troi ei sylw at y gair *gwahaneint*, ac yn cynnig mai 'gwahanhaint' sydd yma, sef y gwahanglwyf. Yna mae'n dangos nad *sain* yn yr ystyr o *sŵn* yw'r gair *sein* yma. Dyma'r *sain* a geir mewn enwau megis *Sain Ffagan* a *Sain Dunwyd*, sef *sant*. Credid mai nawddsant y gwahangleifion oedd Lasarus, gan fod hen draddodiad fod Lasarus ei hun yn dioddef o'r gwahanglwyf. Lasarus y cardotyn cornwydlyd a orweddai wrth borth y gŵr goludog oedd hwn (Luc XVI, 19–31), nid Lasarus brawd Mair a Martha a atgyfodwyd gan Grist. Sylweddolodd Twm Morys fod yr enw *Lazarus* wedi rhoi *lazre* mewn Ffrangeg Canol, ond roedd gair arall tebyg, sef *ladre*, a ddaeth hefyd i olygu rhywun a oedd yn dioddef o'r gwahanglwyf, a gallai hwn roi'r ffurf *ladr* inni yn y Gymraeg. Mae Twm Morys yn mynd gam ymhellach ac yn ychwanegu: 'Gyda llaw, yng Nghwm Cynllwyd ym Meirionnydd, heb fod yn bell o Ryd-yr-abad, a safle hen eglwys, mae lle o'r enw Coed Ladyr' (BBeirdd). Sylwer nad yw'n honni'n bendant mai cyfeiriad at Lasarus na rhywun yn dioddef o'r gwahanglwyf sydd yn *Coed Ladyr*, a phwy all ei feio? Ond mae wedi codi cwestiwn hynod o ddiddorol, ac yn niffyg unrhyw esboniad arall mae ei ddamcaniaeth yn sicr yn werth ei hystyried o ddifrif.

Felly, ai rhywun yn dioddef o'r gwahanglwyf oedd yn gysylltiedig â'r coed yn Llanuwchllyn? Mae'n debyg na

77

chawn byth wybod yr ateb, ond rhaid cofio fod y gwahanglwyf yn eithaf cyffredin ar un adeg. Gwelsom eisoes yn yr adran ar 'Y Cleifion' uchod fod sawl cyfeiriad at yr anffodusion hyn mewn enwau lleoedd. Yr oedd y gymdeithas ganoloesol yn sicr yn ymwybodol iawn o'r clefyd (MedLep). Y gwahanglwyf yw un o brif themâu 'Cymdeithas Amlyn ac Amig', chwedl a geid mewn rhyw ffurf ledled Ewrop.

Coed y Pry

Mae *Coed y Pry*, Llanuwchllyn yn un o'r enwau a gynhwysir yn ddi-ffael mewn unrhyw restr o gartrefi enwogion Cymru, gan mai yno y ganwyd Syr O.M. Edwards adeg y Nadolig yn 1858. Tŷ digon distadl oedd *Coed y Pry* pan anwyd O.M. Edwards ond gwnaed gwelliannau mawr iddo yn ystod ei blentyndod (CE). Bellach mae'n dŷ solet sydd yno hyd heddiw.

Mae'r enw yn mynd yn ôl ymhell iawn. Ceir cyfeiriad at *Gauell*[23] *Coydpryff* yn 1400 a *Coyde pryff* yn 1419 (Rec.C). Cofnodwyd *gavell Coyd y pry* yn 1550 a *gavell coid y Pry* yn 1568/9 (Rec.C.Aug.). *Gauell coyd y prie* oedd y ffurf yn 1596/7 (ExPH-E). Yn y Cyfrifiad nodwyd *Coedypru* yn 1841. *Coedypryf* oedd yn y Cyfrifiad yn 1861 ac 1871, gyda chofnod o Owen Edwards yn ddwyflwydd yn y naill ac yn ddeuddeg oed yn y llall.

Mae ystyr yr elfen gyntaf *coed* yn hollol amlwg ond dylid esbonio rhywfaint ar yr elfen *pryf*. Byddai'r lluosog *pryfed* yn fwy naturiol os mai llecyn lle ceid llawer o drychfilod yw'r ystyr. Fodd bynnag, fe'i ceir yn yr unigol yn *Gallt y Pry* yn Llandwrog, Arfon, ac ym Meirionnydd yn *Nant y Pry* yn Llanelltud. Nododd Edward Lhuyd yr enw *Nant y pry* yn Llanycil hefyd tua 1700 (Paroch). Rhaid cofio fod yna ystyr arall i *pryf*, sef anifail gwyllt, bychan ei faint fel rheol, megis ysgyfarnog. Yn y Mabinogi cawn hanes Manawydan yn mynd i grogi llygoden a fu'n dwyn ei ŷd. Cyferchir ef gan

23 gafael = daliad etifeddol o dir.

Lwyd fab Cil Coed ar lun teithiwr o ysgolhaig. Meddai wrth Fanawydan: '*Pryf* a welaf i'th law di val llygoden', hynny yw, anifail bychan fel llygoden oedd y *pryf*. Yng Nghyfraith Hywel Dda enwir tri 'phryf' y dylid talu eu gwerth i'r brenin os lleddid hwynt. Anifeiliaid gweddol fychan oedd y rhain, sef y llostlydan neu afanc, y bele ('marten'), a'r carlwm. Rhaid cofio hefyd mai 'pryf llwyd' yw un o enwau'r mochyn daear mewn rhai mannau yng ngogledd Cymru. Mae'n bosib mai'r un elfen sydd yn *Ynys y pry*, darn o borfa mynydd a gofnodwyd yn RhPDegwm plwyf Llanaber, ac yn *Rhiwbryfdir* ym Mlaenau Ffestiniog, a drafodir ar wahân isod.

Corsygedol

Dyma un o brif blastai Meirionnydd. Saif y tŷ urddasol hwn yn ei holl ogoniant hyd heddiw yn Llanddwywe. Adeiladwyd y tŷ presennol yn niwedd yr unfed ganrif ar bymtheg ar safle tŷ cynharach o gryn bwysigrwydd. Ceir cyfeiriad at y tŷ mor gynnar ag 1483 mewn marwnad gan Guto'r Glyn, a rhagor o gyfeiriadau gan feirdd yn yr unfed ganrif ar bymtheg a drafodir isod. Cofnodwyd *Korsygedol* ar fap Saxton yn 1578 a cheir yr un ffurf yn 1627 ym mhapurau Llanfair a Brynodol. Nodwyd *Corsygedol issa* a *Corsygedol vcha* yn 1636 (Dfrïog). Yn 1795 ceir *Corsygedol* ar fap John Evans a *Cors-y-Gedol* yn *The Cambrian Register.* Ar fap OS 1838 nodwyd *Cors-y-gedol*; ar y map OS cyfredol ceir *Cors y Gedol Hall* a *Coed Cors-y-gedol.*

Corsygedol oedd cartref y teulu Fychan / Vaughan yn niwedd yr unfed ganrif ar bymtheg cyn mynd i ddwylo'r teulu Mostyn am gyfnod. Bu'r plasty hwn yn gyrchfan i'r beirdd am ganrifoedd (RhNBSF). Bu beirdd megis Tudur Penllyn, Guto'r Glyn, Tudur Aled, Wiliam Llŷn, Siôn Phylip a llawer un arall yn canu cywyddau mawl a marwnadau i'r teulu. Roedd Gruffudd Fychan ap Gruffudd ab Einion yn gefnogwr brwd i Siasbar Tudur. Credid fod Siasbar wedi aros yng Nghorsygedol rywbryd rhwng 1464 ac 1468, ac mae Tudur Penllyn yn cyfeirio at y cyfeillgarwch hwnnw (RhNBSF). Pan fu Gruffudd farw yn 1483 canodd Guto'r Glyn farwnad iddo. Gadawodd Gruffudd weddw, sef Mawd, merch Syr John Clement, Arglwydd Tregaron, ac mae Guto yn cyfeirio at hyn yn ei gywydd:

> Esgudwalch[24] Corsygedol
> Aeth i nef, a hithau'n ôl.   (Guto'r Glyn.net)

Dyna batrwm y canu mawl: moli urddas a bonedd y noddwr a'i wraig, canmol eu croeso a'u haelioni, a chyfeirio'n edmygus at grandrwydd eu tŷ a chyfoeth eu stad. Mae Wiliam Llŷn yn pentyrru'r disgrifiadau canmoliaethus wrth sôn am helaethrwydd Corsygedol yn ei awdl i Rys Fychan:

> Aml gwin i'th geyrydd rhydd lle rhoddwch,
> Aml bwyd a diod nis danodwch,
> Aml meirch a milgwn, gwn, sy gennwch,
> Aml geirw o goed, aml gwŷr a gedwch,
> Aml gerddau, gorau hawddgarwch – gwrda,
> Aml deg waraefa, aml ddigrifwch.   (RhNBSF)

Parhaodd y beirdd i ganu i deulu Corsygedol am dair canrif a hanner. Roeddent wrthi yn y ddeunawfed ganrif pan ganodd Rhys Jones o'r Blaenau awdl foliant i William Fychan a oedd yn llywydd y Cymmrodorion yn 1764:

> Gwilym hael, gafael gyfion, – sy geidwad
>   Cors-y-Gedol dirion:
>   Mawr godiad amryw gedion,
>   A gwres sydd yn y gors hon.   (B18g)

Nid yw'n hawdd esbonio ystyr enw Corsygedol. Mae'r elfen gyntaf cors yn gwbl amlwg, ond mae y gedol yn broblem. Wrth drafod yr enw mae Melville Richards yn cyfeirio at hen enw eglwys Pentir ger Bangor, sef Llangedol (ETG).

---

24 esgudwalch = gwalch cyflym. Roedd y beirdd yn arbennig o hoff o gyfarch eu noddwyr fel gwalch, eryr, llew, draig, carw, tarw neu flaidd, sef creaduriaid urddasol a chryf.

Mae'r eglwys wedi ei chysegru i Cedol Sant. Felly, mae'n bosib fod *Cedol* yn enw personol. Gellir cael y fannod o flaen enw personol,[25] ond wedyn byddid wedi disgwyl cael 'y Cedol'. Ond gall *cedol* hefyd fod yn ansoddair, yn golygu 'haelionus, bonheddig'. Mewn llythyr at William Morris yn 1756 mae Goronwy Owen yn defnyddio'r ansoddair 'cedol' yn yr ystyr hon pan ddywed, 'Fe fu'r Penllywydd[26] o'r Gors yn *gedol* iawn wrthyf yn ddiweddar' (LGO). Gellir hefyd ddefnyddio ansoddair fel enw: gallwn sôn am 'y tlawd hwn', neu gyfeirio at yr Eisteddfod fel 'y Genedlaethol'. Gan mai 'y **g**edol' sydd gennym yma, mae'n amlwg mai benywaidd yw'r ansoddair. Tybed ai 'cors y wraig haelionus' yw'r ystyr? Cynnig petrus ac anfoddhaol yw hwn, ond mae yr un mor debygol â 'the gift marsh' (LlE) neu 'the bog of the treasure' (Camb. Reg).

Cotel a chlwt: y caeau bychain

Yn ôl GPC, gair Meirionnydd a Sir Ddinbych yw *cotel*. Yn sicr, datgelodd astudiaeth ddyfal o Restrau Pennu'r Degwm sawl sir fod hyn yn wir: ni welwyd yr un enghraifft ym Môn na Cheredigion, rhyw ddau yn Sir Gaernarfon, a rhyw ddyrnaid bach yn Nhrefaldwyn. Ystyr *cotel* yw cae bychan sy'n gulach yn un pen. Fel rheol, mae ar y ffurf *Gotel,* neu'n amlach fyth *Gottel* neu *Gottal.* Yr hyn sydd gennym yma, wrth gwrs, yw *Y Gotel* a'r fannod wedi ei cholli. Nodwyd annedd o'r enw *Gottel Votty* yn RhPDegwm Llanycil, ond mae'n llawer mwy cyffredin fel enw cae. Yn RhPDegwm ceir llu o enghreifftiau o gaeau o'r enw *Gottel* ym mhlwyfi Betws Gwerful Goch, Corwen, Llanbedr, Llandderfel, Llandrillo, Llanddwywe, Gwyddelwern, Llanenddwyn, Llanfair, Llanfor, Llangar a Thrawsfynydd. Cofnodwyd

---

25 Gwelir hyn yn enw *Coed y Bedo* yn Llanfor. Ffurf anwes ar yr enw Maredudd yw *Bedo.*

26 Cyfeiriad at William Fychan, Corsygedol, pan oedd yn Benllywydd y Cymmrodorion.

caeau eraill lle cyfunir yr elfen gydag elfen arall: *Cae'r Gottel* a *Cottel Adda* (Trawsfynydd); *Gottel mawr* a *Gottel bach* (Betws Gwerful Goch). Sylwer fod y ddau enw olaf hyn yn trin *cotel* fel enw gwrywaidd, er bod GPC yn ei nodi fel enw benywaidd. Ceir *Gottel bach* yn Llanuwchllyn hefyd. Nodwyd y ffurf *gottal* yn *Gottal fach / ganol / bella* a *Cae cottal* (Llanenddwyn). Dywed GPC mai benthyciad o'r Saesneg *cottle*, ffurf fachigol *cot*, yw *cotel*. Mewn darlith am gaeau a draddododd ym Mhlas Tan y Bwlch dywedodd yr Athro Bedwyr Lewis Jones y gellid darganfod enghreifftiau o'r gair *cotel* o gwmpas Croesoswallt, i lawr i Lansilin a Llanwddyn, drosodd i Gorwen a'r Bala, ac i lawr i lan y môr ger Llanegryn (DDDB). Awgrymodd fod y mannau hyn i gyd ar lwybrau'r porthmyn gynt. Bu'n holi nifer o bobl am ddefnydd y gair a chanfod gwahanol ystyron: cae bach â chorlan neu feudy mewn un gongl iddo, neu gae bach yn ymyl tafarn. Gellid dychmygu'r porthmyn yn troi'r gwartheg i mewn i'r gotel tra heidient hwy i'r dafarn. Ambell dro mae *cotel* yn cyfeirio at gae bach y tu ôl i'r beudy lle gollyngid y lloeau yn y gwanwyn. Cofnodwyd *Gotel lloi* yn RhPDegwm Betws Gwerful Goch a *Gotel lloiau* yn Llangar a Chorwen.

Yn y drafodaeth ar ddiwedd darlith Bedwyr Lewis Jones cyfeiriwyd at yr enw *Arlas*. Yn ôl un o'r gynulleidfa yr oedd yr *arlas* yn ddarn bach caeedig o dir a wal o'i gwmpas ambell dro. Cynigiodd yr Athro efallai mai 'yr ardd las' oedd tarddiad yr enw. Nid oedd angen iddo betruso wrth awgrymu hyn gan fod gennym ym Meirionnydd sawl enghraifft o'r enw yn y ffurf 'yr ardd las'. Ceir cyfeiriad at *Yr Ardd las* yn Llanaber mor gynnar ag 1641 (Poole). Cofnodwyd *Yr Arddlas* ac *Arddlas bach* yn RhPDegwm plwyf Llandecwyn yn 1842, ynghyd ag *Arlas*, *Arlas y Gwndwn* ac *Arlas y Gors*. Nodwyd y ffurf *Arddlas* hefyd yn RhPDegwm plwyf Llanaber. Yn Llanddwywe nodwyd *Buarth tan arddlas* ac *Arles* [sic]; *Arlas glynn hen* a *Cae arlas* yn Llanfihangel-y-traethau ac *Arlas* yn Llanbedr. Tybed ai 'arddlas' oedd y tu ôl i'r annedd o'r enw *Blue Garden* yn Llanaber a gofnodwyd yng Nghyfrifiad 1911?

Mae enw arall i'w weld yr un mor aml ym Meirionnydd, sef *arloes*. Mae GPC yn esbonio *arloes* fel lle gwag neu ysbwriel. Mae'n anodd credu mai dyna yw ystyr yr *arloes* a nodir mor aml yn RhPDegwm. Ai rhyw fath o ymgais i 'gywiro' *arlas* yw'r ffurf *arloes*, ac ai ar glawr yn unig y ceir *arloes* tra glynir at *arlas* ar lafar? Nodwyd *Arloes* sawl gwaith yn RhPDegwm plwyf Trawsfynydd ynghyd ag *Arloes fawr*, *Arloes uchaf / isaf* ac *Arloes Rowlands*. Ceir *Arloes* ac *Arloes bach* yn Llandecwyn, *Arloes* ac *Arloes ucha / issa* yn Llanuwchllyn ac *Arloes* yn Llandanwg a Llanycil.

Mae *clwt* yn air hynod o gyffredin am ddarn bychan o ddefnydd neu ddarn bach o dir. Gwelir digonedd o enghreifftiau ohono yn RhPDegwm, llawer gormod i fedru crybwyll hyd yn oed eu hanner yma. Ceir *Clwt* ar ei ben ei hun fel enw cae ym mhlwyfi Llandecwyn, Llangywer, Llangar, Trawsfynydd, Llanycil, Llanbedr, Llanenddwyn, Llanfair, Llanddwywe, Llandderfel a Llandrillo. Fel elfen mewn enw cae ynghyd ag elfen arall nodwyd: *Clwt mawr / bach* (Llangywer a Llangar); *Clwt teg* a *Clwt tan talwrn* (Llanenddwyn); *Clwt y gamfa goch* (Corwen); *Clwt tu draw i'r afon*, *Clwt tew* a *Clwt Lloia* (Llandrillo); *Clwt sidan* a *Clwt y goeden fawr* (Llanfor). Ambell dro nodir enw perchennog y clwt: *Clwt Dic Ellis* (Trawsfynydd); *Clwt Margaret* (Llanfor); *Clwt adam* (Llanymawddwy); *Clwt Ellis Morris* a *Clwt Hugh Shone* (Llanuwchllyn). Ceir y ffurf luosog yn *Clyttie* (Corwen) a *Clyttia brwynog* (Gwyddelwern). Rhyfedd yw gweld y gwahaniaeth yn ynganiad y terfyniad mewn dau le mor agos at ei gilydd. Nodwyd *Clyttia ffos* yn Llandrillo. Yn RhPDegwm plwyf Llanfair nodwyd y cyfuniad od *Clwt gleision*.

Enw arall ar gae bychan yw *dryll*. Nid yw wedi ei gyfyngu i ddisgrifio cae, wrth gwrs: darn bach o arian oedd y *dryll* a gollwyd gan y wraig yn y Beibl (Luc XV, 8), a byddwn yn sôn am ddryllio rhywbeth yn gandryll. Ceir nifer fawr o enghreifftiau o'r elfen *dryll* mewn enwau caeau yn RhPDegwm. Nodwyd *Dryll* fel enw ar ei ben ei hun ar gaeau ym mhlwyfi Llangar, Llanycil, Llandrillo a Llanbedr. Ceir yr elfen wedi ei chyfuno ag elfennau eraill yn enwau'r caeau a ganlyn: *Y dryll du* (Betws Gwerful Goch), *Dryll Du* (Trawsfynydd), a'r ffurf *Drill du* (Llanycil); *Dryll y bustach* a *Drull diben* (Corwen); *Dryll y march* a *Dryll y fwyall* (Llanenddwyn); *Dryll y gribin* (Gwyddelwern); *Dryll isa / ucha* (Pennal). Cofnodwyd *Dryll Gwndwn*, *Y Dryll hir*, *Dryll y pistyll*, *Dryll penllydan*, *Dryll canol* a *Dryll y cae mawr / bach* i gyd yn Llanaber. Cofnodwyd hefyd *Llwyn dryll*, *Dryll Coch*, *Dryll Pwll* (Llandrillo); *Dryll y barcut* (Llanbedr a Llanfair) a *Dryll y ceiliog* (Gwyddelwern). Mae'n debyg mai disgrifio siâp y darn mae *Dryll pwrs* yn Llandrillo. Gwelir y ffurf luosog yn *Dryllie byrion* (Corwen), *Dryllie'r tarw* (Llanuwchllyn) a *Drylliau'r cwn* (Gwyddelwern).

Enw diddorol am ddarn bychan o dir yw *sinach*. Mae GPC yn nodi ystyr *sinach* fel rhimyn o dir heb ei aredig. Y rheswm am hyn yn aml oedd am ei fod ar gornel letchwith neu'n garegog dan y pridd. Fe'i defnyddid weithiau fel rhyw fath o linell derfyn. Mae Syr Ifor Williams yn manylu drwy ddweud fod *sinach* yn ddwy droedfedd o led ac yn ddiffaith (ELl). Daeth i gael ei ddefnyddio am ddyn annymunol neu gybyddlyd. Cofnodwyd cae o'r enw *Sinach* yn RhPDegwm plwyfi Llanddwywe a Llanenddwyn.

Un o'r enwau a geir amlaf ar ddarn bychan o dir yw *llain*. Daethpwyd i sylweddoli gair mor ddefnyddiol yw hwn ac fe'i mabwysiadwyd yn addas iawn i gyfieithu termau megis *llain galed* am 'hard shoulder'. Mae GPC yn nodi mai darn hirgul o dir oedd ystyr *llain* yn wreiddiol, ond daethpwyd i'w ddefnyddio fwyfwy ar gyfer unrhyw ddarn bach o dir. Yn RhPDegwm cofnodwyd annedd o'r enw *Llain* ym Mhennal. Yn Llandanwg ceir annedd *Llain gleidir,* sef darn bychan o dir cleiog. Ceir *Llain* yn elfen ar ei phen ei hun fel enw cae ym mhlwyfi Llandecwyn, Llanfihangel-y-traethau, Llandanwg, Tywyn, Llanegryn a Llangar. Rhestrwyd hefyd enwau'r caeau canlynol lle cyfunir *llain* ag elfennau eraill: *Llain fawr*, *Llain rywiog* a *Llain y clochydd* (Trawsfynydd); *Llain y pryfed mawr* a *Llain y pryfed bach* (Llandecwyn); *Llain fach*, *Llain felen*, *Llain boeth*, *Llain dan y glwyd*, *Cae llain*, *Llain fain*, *Llain gain*, *Llain fforchog* a *Llain llecci*,[27] i gyd yn Nhywyn. Yn Nhywyn hefyd gwelwyd y ffurf fachigol yn enw'r cae *Llainen fach*, a'r ffurf luosog yn *Lleinie Bryn y byddar.*

Dewisodd yr actor John Ogwen alw ei hunangofiant yn *Hogyn o Sling*. Teitl y bennod gyntaf yw 'Hogyn o Ble?' Hawdd y gellid gofyn 'Hogyn o Ble?' oherwydd mae'n rhaid cyfaddef fod *Sling* yn enw rhyfedd. Fodd bynnag, nid yw *Sling* John Ogwen, sef pentref ger Tregarth yn Arfon, yn enw unigryw o bell ffordd, er mai enw ar gae yw hwn fel arfer. Mae caeau bach o'r enw hwn, ynghyd â *Slang*, i'w cael ledled Cymru. Mewn tri phlwyf yn Arfon nodwyd deg enghraifft o'r enw *Sling*: saith ym mhlwyf Llanbeblig, dau yn Llanwnda, ac un yn Llandwrog. Ym Meirionnydd cofnodwyd *Sling* yn Llanddwywe, ond ceir mwy o enghreifftiau o *slang*. Ceir caeau o'r enw hwn yn Llangywer, Corwen, Trawsfynydd, Llanfihangel-y-traethau; *Slang Pencraig* yn Nhywyn a *Slang* a *Gwaelod y slang* yn Nhrawsfynydd.

Ystyr *sling* a *slang* yw rhimyn neu lain hirgul o dir. Benthyciad uniongyrchol o'r Saesneg sydd yma. Ceir sawl enghraifft yn Lloegr o gaeau hirgul a elwir yn *The Sling*, neu ambell dro yn *Slinge* neu *Slenge*. Mae'n amlwg fod yna ymwybyddiaeth nad gair Cymraeg sydd yma, oherwydd cofnodwyd yn Saesneg yr enwau *Slangs in the wood* yn Nhywyn, *Slang by river side* yng Nghorwen, a *Slang below road* yn Llangywer. Yn Saesneg gellir cael *spang* a *spong* hefyd am ddarn hirgul o dir.

Benthyciad arall yw *crofft*, o'r Saesneg *croft*. Gan ei fod yn enw benywaidd fe'i treiglir yn feddal ar ôl y fannod gan roi *grofft*. Daethpwyd i ystyried mai hon oedd y ffurf gysefin, ac esgorodd y gamdybiaeth ar ffurfiau megis 'y rofft', neu hyd yn oed 'yr offt'. Yr ystyr yw cae bychan yn agos at y tŷ. Mae'n digwydd yn y ffurf *Rofft* yn RhPDegwm plwyfi Llandanwg, Llangywer, Llandrillo, Llanycil a Thrawsfynydd. Cyfunir yr

---

27 *Llecci* = yr enw personol benywaidd *Lleucu.*

elfen ag elfen arall yn enwau'r caeau *Rofft fach* (Trawsfynydd) a *Rofft isa / ucha* (Llandrillo). Mae'r ffurf luosog *crofftydd* yn fwy anghyffredin, ond ceir *Groftydd* [sic] yn RhPDegwm plwyf Betws Gwerful Goch. Benthyciadau eraill o'r Saesneg yw *patch* a *parsel*. Nodwyd *Patch issa* yn Llandrillo a gwelir *Melin y parcel* a *Pandy'r Parcel* yn RhPDegwm plwyf Tywyn.

Enw arall a welir ambell dro ar ddarn bach o dir gweddol wyllt yw *egel*. Mae *egel* yn enw ar lysieuyn o rywogaeth y *Cyclamen*: sef bara'r hwch, 'sowbread'.[28] Sylwodd Bedwyr Lewis Jones ar y defnydd o *rhegal* yn nhafodiaith Arfon am stribed bach o dir diffaith,[29] a chyfeiriodd hefyd at ychwanegiadau'r Athro O.H. Fynes-Clinton i'w waith *The Welsh Vocabulary of the Bangor District* lle mae'n diffinio *regal* fel 'a place where there is a great deal of brushwood, hazel, bushes etc.'.[30] Defnyddir *regal* mewn rhannau o Fôn am lain gul o dir yn arwain at afon (ISF). O weld yr enw yn y ffurf *hegal* ceisiodd Bedwyr Lewis Jones ei gysylltu â'r gair *hegl*, sef coes neu esgair, a thybio ei fod yn cyfeirio at siâp y darn tir dan sylw (ADG2). Mae hwn yn gynnig digon teg, ac fel mae'n digwydd, dyma'r unig ffurf ar yr enw a welwyd yn RhPDegwm ym Meirionnydd. Cofnodwyd *Yr Hegel* yn enw ar gae yn Llanfihangel-y-traethau. Ond tybed ai ymgais i egluro'r enw anghyfarwydd *egel* a esgorodd ar y ffurf fwy adnabyddus *hegal*?

Wrth feddwl am yr elfen *achub* mewn enw lle, yr enw sy'n dod i'r meddwl ar unwaith yw'r pentref *Rachub* ger Bethesda yn Arfon. Tarddiad yr enw hwn, wrth gwrs, yw 'yr achub'. Mae'n ymddangos yn od i ni am ein bod wedi arfer ystyried 'achub' fel berf. Mae'n wir fod 'achub' yn ferf, ond mae hefyd yn enw, er na welir mohono yn aml. Fe'i defnyddir

28 Gweler trafodaeth yr Athro Melville Richards o *egel* yn TCHSG, 34, (1973), ac ymdriniaeth yr Athro Gwynedd O. Pierce yn ADG2.
29 BBGC XXVII
30 Bangor 15681

am ddarn o dir, er nad darn bach o anghenraid. Fodd bynnag, mae'n digwydd deirgwaith yn RhPDegwm plwyf Llanycil yn y ffurfiau *Achub*, *Achub isa* ac *Achub ucha*. Mae'r gair 'achub' wedi datblygu o'r Lladin *occupo*. Felly hefyd y ferf Saesneg *occupy*, a'r ystyr yw 'cymryd meddiant'. Yr un syniad a geir yn *achub* fel enw. Ers talwm, pe bai rhywun yn cyfeirio at 'yr achub', yr ystyr fyddai rhywbeth a oedd ym meddiant rhywun, ac fe'i defnyddid fel rheol am ddyddyn neu ddarn o dir. Mae gan Syr Ifor Williams gyfeiriad at hen gyfreithiau Cymru lle dywedir fod gan fab hynaf sydd yn codi adeilad ar dir ei dad 'lle ni bo tyddyn i neb nac *achub* cyn hynny' yr hawl i aros yno ac na allai neb ei yrru oddi yno (ELl). Y mab hynaf oedd biau 'yr achub' hwnnw wedyn.

Mae yna hefyd enwau ychydig mwy diddychymyg ar ddarnau bach o dir, megis y gair *darn* ei hun. Cofnodwyd yr enwau *Y Darn issa* ac *Y darn pella* ar gaeau yn RhPDegwm plwyf Corwen. Yn RhPDegwm plwyf Llanfair cofnodwyd dau gae: *Y gornal* ac *Y gornal issa*.

Creaduriaid dof a gwyllt

Mae cyfeiriadau at anifeiliaid dof a gwyllt yn frith yn enwau lleoedd Cymru, yn enwedig yn enwau'r caeau. Mewn fferm mae'n naturiol cysylltu caeau arbennig â'r anifeiliaid a gedwir ynddynt. Yn RhPDegwm cofnodwyd caeau o'r enw *Buarth y moch* yn Llanelltud, Llanbedr a Thrawsfynydd; *Buarth y mochyn* hefyd yn Nhrawsfynydd ynghyd â *Cae'r mochyn*, *Cwrt y mochyn*, *Cwrt y moch* a *Gors tan gut y moch*; *Park mochyn* (Llanycil); *Cae gwyn y moch* (Llanenddwyn); *Pant y moch* a *Park y moch* (Llanaber) a *Cae['r] moch* (Llanbedr, Llanaber a Llandanwg). Trafodir *Plas Dôl y Moch* ger Maentwrog ar wahân isod.

Cofnodwyd anheddau *Tyddyn y Moch* yn Nolgellau a *Llanerch y Moch* yn Ffestiniog. Mae'n anarferol cael elfen Saesneg yn enwau Meirionnydd ond cofnodwyd cae o'r enw *Pigs yard* yn RhPDegwm plwyf Trawsfynydd a *Cae pigstall uchaf* yn RhPDegwm Llanfair. Ceir rhai cyfeiriadau at yr hychod: *Cae cil yr hwch* yn Llanbedr; *Cae'r hwch, Buarth y* [sic] *hwch* a *Pant yr hwch* (Trawsfynydd); *Llwyn yr hwch* (Llanddwywe); *Esg[a]ir hwch fach* ac *Esg[a]ir hwch fawr* (Tywyn). Yn Nhywyn hefyd ceir cyfeiriad at annedd *Tythyn dryll yr hwch* yn 1592/3 (Pen). Mae hyd yn oed y perchyll y cael sylw ym *Maes y perchill* (Llanaber). Nodwyd annedd *Llanerch y Baudd* yn Llandderfel yn 1777. Roedd yn RhPDegwm yn 1838 fel *Llannerch y baedd*; *Llanerch-y-baedd* oedd ar fap OS 6" 1901. Cofnodwyd *Nant y gwythwch* yn RhPDegwm Tywyn a *Pant / Parth y gwythwch* yn Llangelynnin. *Parth-y-gwyddwch* sydd ar y map OS cyfredol: mae'r annedd ger Llwyngwril. Ceir atgof o oes gynharach yn yr enwau hyn pan oedd gwythychod, sef hychod a baeddod gwyllt, yn crwydro'r wlad.

Mae'n debyg fod gan fwy neu lai bob fferm gaeau sy'n cynnwys cyfeiriad at wartheg yn eu henwau. Daw'r enwau'r caeau canlynol o RhPDegwm y plwyfi a nodir: *Cae'r gwartheg / Cae'r gwartheg ucha* (Llanegryn); *Craig y gwartheg* (Trawsfynydd); *Dolgwartheg* (Dolgellau) a *Ffrydd gwartheg* (Pennal). Ambell dro cyfeirir at y *buchod*; ceir *Ffridd buchod* ym Mhennal a Thywyn, er mai *Ffrydd Buwchod* yw'r ffurf yn RhPDegwm Pennal. *Ychen* yw'r elfen mewn enwau eraill, megis *Bryn yr ychen* (Corwen); *Cae'r ychen* (Trawsfynydd); *Cerrig yr ychen* (Llanbedr); *Ffrydd yr ychain* a *Gwern yr ychain* (Tywyn); *Pencraig yr ychen* (Llandrillo) ac *Ynys yr y chain* (Llanaber). Gwelir yr unigol yn *Cae ffynnon yr ych* (Llanegryn). Cyfeirir at y lloeau mewn sawl enw: *Buarth y lloiau* yn Llanaber a Llandecwyn; *Buarthau lloiau bach* (Llanddwywe); *Cae lloiau* (Llangar); *Cae r lloi* (Llandderfel); *Bank lloi* (Tywyn) a *Clwt lloia* (Llandrillo). Enwau diddorol yw *Gottel Lloi* (Betws Gwerful Goch) a *Gottel Lloiau* (Llangar). Trafodir *cotel* ar wahân uchod.

Ambell dro cyfeirir at anifeiliaid unigol. Ceir *Cae['r] fuwch* yn Llanenddwyn, Llangywer a Thrawsfynydd, a'r enw deniadol *Llannerch fuwch frech* yn Llandanwg.

Cofnodwyd *Dryll y bustach* ac *Erw r bustach* (Corwen), a *Dryllie'r Tarw* (Llanuwchllyn). Nid yw'n hawdd dehongli'r term *buches* bob tro. Pan gyfeirir at *fuches odro* mae'n amlwg mai gyr o wartheg a olygir, ond gall *buches* hefyd olygu buarth neu ffald ar gyfer godro. Mae'n bosib mai'r anifeiliaid eu hunain a olygir yn *Banc y fuches*, *Bron y fuches* a *Pant y fuches* (caeau yn Nhywyn, Gwyddelwern a Phennal), ond efallai mai buarth godro sydd yn enw'r annedd *Fyches Wen* yn Llanfihangel-y-traethau a chae o'r enw *Hen fuches* yn Llanbedr. Yn sicr, ffald a olygir yn *Fuches garregog* yn Nhrawsfynydd. Ffurfiau od yw *Y Fuwches*, *Fuwches lâs* ac *Yr hen fuwches*, enwau tri chae hefyd yn Nhrawsfynydd (RhPDegwm). Go brin y byddai camgymeriad sillafu syml yn digwydd deirgwaith. Tybed a oes yma ôl rhyw burydd a dybiai fod *buwch* yn siŵr o droi'n *fuwches*? Enw dymunol yw *Cae godro ha* yn Llanycil. Ai cyfeiriad at odro hefyd sydd yn enw'r annedd *Maesyllefrith* yn Nhywyn (RhPDegwm), neu a yw'n golygu fod yno borfa fras a fyddai'n borthiant da i'r fuches odro? Mae enw'r annedd *Bryn y Re* yn Nhrawsfynydd yn haeddu sylw arbennig ac fe'i trafodir ar wahân uchod.

Mae defaid yn rhan annatod o ffermio yng Nghymru a gwelir sawl cyfeiriad atynt mewn enwau lleoedd. Ceir caeau o'r enw *Cae['r] defaid* yn Llanddwywe, Llandecwyn, Tywyn, Llanaber, Llanenddwyn a Llanfair, ac annedd o'r un enw yn Llanfachreth. Ceir cofnodion cynnar ar gyfer yr annedd hwn: *Kaer deved* yn 1554 a *Kay Devett* yn 1582 (Nannau). Mae yno hyd heddiw. Lleolir fferm *Rhydydefaid* yn Fron-goch ger yY Bala. Mae'n ddiddorol fod yr enw *Maysrreyd Devayd* wedi ei gofnodi yn yr un ardal mor gynnar ag 1481 (AMR). Cofnodwyd *Ty Yr Deved* yn Nhrawsfynydd yn 1589 (Pen). Yn RhPDegwm rhestrir y caeau canlynol yn Nhrawsfynydd: *Cae ty'r defaid*, *Buarth ty defaid*, *Rhos ty'r defaid*, *Craig y defaid* a *Rhyd y defaid*. Nodwyd *Buarth y defaid* yn Llanaber; *Erw tŷ defaid* ym Metws Gwerful Goch; *Bank cut defaid* yn Llandderfel; *Ffrydd defaid* yn Llanfor a Thywyn; *Dalar Defaid* yn

Llanbedr, a *Cae beudy'r defaid* yn Llanfor. Enw braidd yn od ar gae yw'r *Ardd dafad* a nodwyd yn RhPDegwm plwyf Llanfihangel-y-traethau. Ambell dro cyfeirir at yr hyrddod. Yn RhPDegwm nodwyd cae o'r enw *Buarth yr hyrddod* a *Ffridd yr hwrdd* yn Nhrawsfynydd a *Cae meheryn* yng Nghorwen. Gwall am 'hyrddod' yn ddiau sydd yn *Cae'r Hyddrod* yn RhPDegwm plwyf Pennal. Mae'r ŵyn yma hefyd: *Cae'r ŵyn* yn Llanfachreth a Llanuwchllyn, *Lloc r wyn* yn Llandanwg a *Coed cae'r ŵyn* yn Llandrillo. Ceir cyfeiriadau yn ogystal at ofalu am y defaid yn enwau rhai caeau: *Buarth y tŷ cneifio* a *Rhos yr olchfa* (Trawsfynydd), *Cae'r olchfa* (Pennal) a *Ffridd yr olchfa* (Gwyddelwern).

Os yw'r Beibl yn sôn am ddidoli'r defaid oddi wrth y geifr, gan osod y geifr ar yr aswy, mae'r geifr yn yr un modd yn cael llawer llai o sylw na'r defaid yn enwau lleoedd Meirionnydd. Cofnodwyd yr anheddau a ganlyn yn RhPDegwm: *Hafod Geifr* (Llanfachreth); *Hafod yr afr* (Llangar); *Moel y Geifr* (Llandecwyn). Cofnodwyd yr enw olaf hwn fel *Moyle y gyver* yn 1592 (AMR) ac mae yno hyd heddiw. Ceir rhai cyfeiriadau at y geifr yn enwau'r caeau: *Bryn ty'r geifr* (Trawsfynydd); *Cyfer Geifr* (Llanuwchllyn); *Cae'r geifr* a *Gwern geifr* (Llanenddwyn). Mae'n debyg mai *geifr* sydd hefyd yn enw'r cae *Gardd y Giefr* [sic] yn RhPDegwm plwyf Llanycil.

Mae mwy o sôn o lawer am y ceffylau, ond mae'n rhyfedd pa mor anaml y cyfeirir atynt fel 'ceffyl'; mae 'march' yn llawer mwy cyffredin. Mae'n bosib y defnyddir 'march' fel term mwy penodol am stalwyn. Fodd bynnag, mae'r RhPDegwm yn cofnodi'r caeau a ganlyn: *Cae ceffyl* (Corwen a Llanfor); *Cae'r ceffylau* (Trawsfynydd a Llanfor); *Buarth ceffylau* (Llandderfel); *Dolycyffylau* (Pennal); *Ffridd [y] ceffylau* (Llanfor, Llandderfel, Trawsfynydd a Betws Gwerful Goch, ond *Fridd ceffyle* yn Llanycil, a *Gors ceffyle* (Llanfihangel-y-traethau). Cyfeirir at y cesig yn annedd *Bryn y Gaseg* ym Metws Gwerful Goch a'r caeau *Cae'r gaseg* yn Llanfair a Llandecwyn. Defnyddir y term 'stalwyn' yn enwau'r caeau canlynol yn RhPDegwm: *Buarth Stalwyn*

(Llanycil); *Cae stalwyn* (Llanegryn); *Cae park y Stalwyn* (Tywyn) a *Park Stalwyn* (Trawsfynydd). Ond gwelir yr elfen 'march' yn llawer amlach. Mae'r annedd *Cae'r March* yn Llanfachreth yn dŷ hynafol o gryn ddiddordeb pensaernïol. Ceir nifer o gyfeiriadau ato ym mhapurau Nannau yn yr ail ganrif ar bymtheg. Cofnodwyd *Keimarch issa / ucha* yn 1605. Ceir y ffurf ddisynnwyr *Keymwrch issa / ucha* yn 1639 a'r ffurf gamarweiniol *Keymerch issa / ucha* yn 1666. Yn ffodus, adferwyd yr enw yn ddiweddarach. Cofnodwyd yr anheddau *Llwyn March* (Llanenddwyn), *Nant y March* (Maentwrog), *Pwll y March* (Llanegryn, Llanymawddwy a Thywyn), a *Pant y March* (Llangywer). Nodwyd y caeau canlynol yn RhPDegwm: *Cae'r march* (Llandrillo, Llanenddwyn, Gwyddelwern); *Cae'r Meirch* (Llangywer); *Dolymarch* (Pennal); *Dryll y march* (Llanenddwyn); *Weirglodd y Meirch* (Trawsfynydd) ac *Erw march* (Llanddwywe). Ceir dau enw arall sy'n ymwneud â cheffylau, sef *Brandy* a *Didfarch*, ac mae'r rhain yn cael sylw arbennig ar wahân.

Efallai y dylid crybwyll y ci, fel modd o bontio rhwng yr anifeiliaid dof a gwyllt. Nodwyd annedd *Gallt yr ast* yn Ffestiniog yn RhPDegwm 1842. Ceir cofnod yn RhPDegwm 1840 a Chyfrifiad 1841 o annedd *Llech y Cŵn* ym Maentwrog. Yno hefyd y cofnodwyd yr annedd *Pwll y Ci* yng Nghyfrifiad 1841, ac yn y ffurf ryfedd *Pwllygi* yn 1851. Roedd yna gae o'r enw *Cae pwll y ci* hefyd yn Nhywyn. Mae'n anodd gwybod beth oedd y ci druan yn ei wneud mewn pwll. Ceir y caeau a ganlyn yn RhPDegwm: *Bryn y ci* (Corwen); *Clawdd hen gi* a *Drylliau'r cwn* (Gwyddelwern); *Pant y cwn* (Llangar) a *Cae Cwn* (Tywyn).

Mae'r cathod yma hefyd, er, mae'n debyg mai cathod gwyllt yw'r rhain, yn enwedig yn yr enwau cynharaf. Cofnododd Melville Richards enw annedd *Bryn y Gath* yn Nhrawsfynydd yn y ffurfiau *Bryn y Garthe* a *Bryn y Gayeth* o'r flwyddyn 1592 (AMR). *Bryn y gath* sydd yn RhPDegwm 1840. Ceir cofnod o *Kraig y gath* yn Llangywer gan Edward Lhuyd tua 1700 (Paroch), a nodwyd *Llain y Gath* yn

Llanegryn yn 1819 (MyN a Pen). Ceir y caeau canlynol yn RhPDegwm: *Cae myr y gath* (Llanaber); *Clogwyn y gath* (Llanfihangel-y-traethau); *Erw cathod* a *Pwll y gath* (Llandrillo); *Coed y gath* (Gwyddelwern) a *Twll y gath* (Pennal).

Lle mae cathod ceir llygod. Cofnodwyd *Bryn pant y llygod* yn Nhal-y-llyn yn 1661 a *Pant y llygod ucha* a *Pant y llygod issa alias Tir Pant y llygod* yno yn 1694 (MyN). Ceir cyfeiriad at *Keven Llygodig* yn ardal Tywyn yn 1571 (Pen). Nodwyd hwn fel *Cefn-llecoedig* ar fap OS 1837, yn ddiau mewn ymgais aflwyddiannus i'w esbonio. Cofnodwyd *Gwern Llygodigg* yn Llanymawddwy yn 1705. Nodwyd y caeau canlynol yn RhPDegwm: *Cae llygod* (Llanddwywe); *Pwll llygod* (Betws Gwerful Goch); *Maes Llygoden* (Gwyddelwern); *Parc llygoden* (Llandrillo) a *Rhos Llygod duon* (Llandecwyn).

Efallai mai'r anifail y ceir y cyfeiriadau mwyaf diddorol ato yn enwau lleoedd Meirionnydd yw'r blaidd. Yn wir, mae cynifer o anheddau yn cynnwys y blaidd yn eu henwau fel y penderfynwyd trafod yr elfen hon ar wahân yn fwy manwl. Gweler yr adran 'Blaidd'.

Trown ein sylw yn awr at y llwynog. Ychydig o enghreifftiau o'r elfen *llwynog* a geir yn enwau'r anheddau, ond mae gan Melville Richards gryn nifer o gyfeiriadau at *Garth y Llwynog* yn Llanfrothen (AMR). Ceir cofnod hefyd o'r enw swynol *Llwybr y Llwynog* yn Llandecwyn yn 1672–3; *Llwybrau Llwynog* sydd yn RhPDegwm 1842. Fodd bynnag, ceir sawl enghraifft o'r elfen *carleg*. Gair Sir Feirionnydd yw hwn am domen neu garnedd o gerrig sy'n lloches i lwynogod, er y gall hefyd olygu darn o dir diffaith. Cofnodwyd annedd o'r enw *Carleg* ym Maentwrog, a cheir nifer o gyfeiriadau at *Y Carleg* yn Llanfachreth: *y Carlag* yn 1642 ac 1651 (Nannau). Ceir cofnod hefyd o *Koyd y Carlag* yn 1626 (Cynwch). *Plas yn y Karlêg* sydd gan Edward Lhuyd tua 1700 (Paroch). Yn RhPDegwm plwyf Llanenddwyn 1840 nodwyd yr anheddau *Carleg Isa* a *Carleg Ucha*, a'r caeau *Cae'r carleg* a *Carleg*. Mae *Carlegllwyd* yn Nhal-y-llyn yng

Nghyfrifiad 1841. Nodwyd y caeau *Carleg* yn Llanfair a *Tyn y garleg* yn Llanbedr. Sylwer fod yr elfen yn cael ei hystyried yn fenywaidd yng nghofnod Llanbedr. Enw gwrywaidd yw *carleg* yn ôl GPC.

Mae'r llwynogod i'w gweld yn llawer amlach yn enwau'r caeau. Daw'r enghreifftiau canlynol o RhPDegwm: *Cae llwynog* (Llanenddwyn a Llanfair); *Brynllwynog issa / ucha* (Llandderfel); *Bryn y llwynogod*, *Cors bryn y llwynogod* a *Cerrig llwynog* (Trawsfynydd); *Craig y llwynog* (Llandderfel); *Llechwedd llwynog* (Corwen); *Nant llwynog* (Gwyddelwern); *Tir coch llwynog* a *Rhos goch llwynog* (Llandrillo).

Ambell dro defnyddir *madyn* am lwynog. Mae GPC yn cymharu defnydd yr enw Madyn â'r enw Reynard a roddir i'r llwynog yn Lloegr. Rhyw fath o ymgais sydd yma i bersonoli'r anifail. Ond rhaid cofio fod *Madyn* hefyd yn ffurf anwes ar *Madog*, ac mai dyn yn hytrach nag anifail yw'r elfen hon mewn llawer o enwau lleoedd. Nid yw'r broblem yn codi ym Meirionnydd, gan mai'r unig enghraifft o bwys yw *Nant Madyn* yn Llanegryn, tŷ o ddiwedd yr ail ganrif ar bymtheg. *Tuthyn Nant madyn* oedd y ffurf a nodwyd yn 1596 a *Nant Madin* yn 1684 (Pen). O gyfuno'r elfen *Madyn* â *nant*, mae'n hollol bosib mai cyfeiriad at lwynog sydd yma. Fodd bynnag, gellir gweld ffurf anwes Madog yn yr enw *Tir Eygion [Einion] ap Howell ap Madyn* a nodwyd yn 1592 ym Mheniarth. Mae'n amlwg mai dyn oedd hwn, nid llwynog. Cyn gadael y llwynog dylid nodi dau enw annisgwyl, sy'n cyfeirio at y *cadno*. Eithriad yw gweld enghraifft o ddefnyddio'r gair *cadno* i'r gogledd o Aberystwyth (LGW), ond mae Melville Richards yn nodi *Tythyn mayes y cadno* tua 1592 a *Gwerne y Cad now* yn 1688 yn Llanfair (AMR).

Mae annedd *Hendre Ddyfrgi* yn Llandanwg ger Harlech hyd heddiw. Ceir sawl cofnod ohono dros y canrifoedd: *hendre ddyddgy* yn 1574 (Thor); *hendre ddyddgy* yn 1604 (Dfrïog); *hendre y ddyddgv* yn 1622 (Dfrïog); *Hendre Ddyddgi* yn 1684 (LlB). A oes rhyw gymysgu yma ar lafar â'r enw personol benywaidd *Dyddgu*? Nid yw Melville Richards yn rhestru'r un o'r enghreifftiau uchod yn yr adran ar *Dyddgu* yn AMR, felly fe gymerwn ei fod ef yn derbyn mai dyfrgi sydd yma. Eto, rhaid ystyried y posibilrwydd, gan mai *Dyddgu* sydd yn y cofnodion cynharaf, mai'r enw personol *Dyddgu* oedd yn yr enw i gychwyn ac i hwnnw gael ei lurgunio ar lafar yn *dyfrgi*. Yn wir, mae *Hendre Dyddgu* yn gwneud mwy o synnwyr na *Hendre Dyfrgi*. Ond y dyfrgi sy'n ennill y dydd. Nodwyd *Hendre ddwrgi* yn 1797 (Poole) a *Hendre Dwfrgi* yn RhPDegwm 1840.

Fodd bynnag, mae yna ddyfrgwn dilys o gwmpas. Cofnodwyd y caeau a ganlyn yn RhPDegwm: *Cae dyfrgi* yn Llanddwywe a Llangar, a *Tir dyfrgi* yng Nghorwen. Nodwyd *Dôl Dwfrgi* yn Llanfihangel-y-traethau yn 1688 (Tgl). Mae'r cyfeiriadau at y dyfrgi yn mynd yn ôl i adeg pan oedd yr anifail yn llawer mwy cyffredin yng Nghymru. Collwyd niferoedd mawr o ddyfrgwn yn yr ugeinfed ganrif oherwydd llygredd yn yr afonydd a difa eu cynefin yn gyffredinol. Erbyn hyn maent yn dechrau dod yn ôl ryw gymaint.

Ceir dyrnaid o gyfeiriadau at y carw. Cofnodwyd annedd *Cefn yr Hydd* yn Llangywer. *Keven yr rhydd* oedd gan Edward Lhuyd tua 1700 (Paroch). Mae *Moel-yr-hydd* i'r dwyrain o Danygrisiau. Nodwyd *Gallt y Carw* yn Llanfachreth yn 1701 (Nannau) ac mae yno hyd heddiw. Annedd yn Llanbedr oedd *Bryn yr Iwrch*. Yr ail elfen yn yr enw hwn yw *iwrch*, math o garw bychan. Mae'r iwrch gwyllt wedi diflannu o Gymru ers rhai canrifoedd, ond mae'n elfen a welir yn eithaf aml mewn enwau lleoedd: ceir *Bryn / Bron Iwrch* arall yn y Groeslon, Arfon, a *Glyn Iwrch* hefyd ym mhlwyf Llandwrog. Nodwyd *Nant yr Iwrch* ym Mhenmachno, a *Pant yr Iwrch* ger Llanbedrycennin. Mwy diddorol efallai yw ffurf luosog anghyfarwydd yr enw. Fe'i gwelir yn annedd *Gwern yr Ieirch* ym Maentwrog. *Wern-ieirch* sydd ar y map OS cyfredol. Enw ar gopa mynydd yn Arenig i'r dwyrain o Lan Ffestiniog yw *Cerrig yr Ieirch*. Mae'n amlwg ei fod yn air dieithr, oherwydd ceisiwyd ei esbonio fel *Cerig-yr-eirch* ar fap OS 1838.[31] Enw arall ar fath o iwrch bychan yw *cariwrch* neu *caeriwrch*, a chofnodwyd yr enw anghyffredin *Tythyn y Cariwrch* yn Llanbedr yn 1636 (Dfrïog). Nodwyd y caeau a ganlyn yn RhPDegwm: *Cae carw* (Llanuwchllyn), *Ddol ceirw* (Llanymawddwy) ac *Ewig* (Llanbedr).

Rhaid chwilio'n ofalus am y mochyn daear. Mae'n bosib mai mochyn daear sydd yn enw cartref Syr O.M. Edwards, sef *Coed y Pry* yn Llanuwchllyn. 'Pry llwyd' yw'r enw ar y mochyn daear mewn rhai rhannau o ogledd Cymru. Trafodir enw *Coed y Pry* ar wahân uchod. Yn sicr, mae'r mochyn daear yn gysylltiedig â *Frochas*, enw cae yn Llanenddwyn (RhPDegwm). Ceir cofnod o *Bryn Yvroches* yn Llanegryn o'r flwyddyn 1467/8 (Pen). Trafodir *Bryn y Froches* ar wahân uchod.

Cyfeirir at rai creaduriaid eraill yn enwau lleoedd Meirionnydd. Mae'r ysgyfarnog yn enw'r annedd *Cae Kynaghe* a nodwyd yn Nhywyn yn 1592 (AMR). Y ffurf ar fap OS 1837 oedd *Cae-caenach* a *Cae ceinach* sydd yn RhPDegwm plwyf Tywyn 1838. Mae'n bosib mai'r un lle yw hwn â'r *Cae Caenach* sydd ym Mhennal hyd heddiw. Cofnodwyd cae o'r enw *Bryn ysgyfarnog* yn RhPDegwm Gwyddelwern yn 1836. Mae *Moel Ysgyfarnogod* i'r gorllewin o Lyn Trawsfynydd. Ceir enwau'r caeau a ganlyn yn RhPDegwm: *Cae'r gwningod* (Trawsfynydd); *Pwll gwnin* (Corwen); *Warren* (Llanbedr). Enw Saesneg yw *warren*, wrth gwrs, ond fe'i gwelir yma ac acw yng Nghymru. Ac eto mae gennym air Cymraeg am y *warren*, sef *cwningar*, ac mae hwn hefyd yn digwydd mewn sawl lle. Ond benthyciad o'r Saesneg yw *cwningar* hefyd, o *conynger* neu *conyger*. Ystyr *cony* neu *coney* yw *cwningen*, a'r *cwningar* neu'r *warren* yw tir wedi ei neilltuo ar gyfer magu cwningod, neu

31 Mwy anarferol fyth yw'r enw *Craig yr iyrchen* i'r de o Lyn Alwen yn Sir Ddinbych. Mae'n debyg mai iwrch ifanc benyw sydd yma. Er bod GPC yn nodi *iyrches* a *iyrchell*, nid yw'n crybwyll *iyrchen*.

dir lle mae llawer o gwningod gwyllt yn byw. O'r oesoedd canol ymlaen arferid ffermio cwningod am eu crwyn a'u cig, gyda chwningwr i gadw golwg arnynt.

Cofnodwyd enwau'r caeau canlynol yn RhPDegwm: *Buarth draenog* (Llanenddwyn); *Cae draenog* (Llanfihangel-y-traethau). Ond efallai y dylid bod yn ofalus ynglŷn ag ystyr yr enw olaf hwn gan mai *Bryn Drainiog* yw enw'r cae nesaf ato, ac mae'n bosib mai drain yn hytrach nag anifail sydd yma. Ceir sawl cyfeiriad at *Morfa draenog* hefyd yn Llanfihangel-y-traethau yn yr unfed ganrif ar bymtheg (AMR). Enw bach hoffus yw *Twll Wenci* sydd yn Llanfrothen hyd heddiw. Yma y magwyd Bob Owen, Croesor. Dywed mai *Penyparc* oedd enw swyddogol y tŷ ond fod pawb yn cyfeirio ato fel *Twll Wenci,* ac adwaenid yntau fel Robin Bach Twll Wenci (BBO). Cofnodwyd annedd *Llety'r Wenci* yn Llanaber yng Nghyfrifiad 1841. Gwelir cae o'r enw *Bryn Llyffant* yn RhPDegwm plwyf Tywyn. Yn Nhal-y-llyn nodwyd *Tithyn y Llyffant* yn 1578 (Nannau) a *Tythyn y Llyffant* yn 1694 (MyN). Enghraifft anghyffredin yw enw'r annedd *Brynmorlo* a gofnodwyd yn RhPDegwm plwyf Tywyn yn 1838. Cofnodwyd *Brynmorlo* yn 1633 (RCLCE). Mae'r enw yn bodoli o hyd yn Aberdyfi. Ceir sôn am y neidr yn enwau'r caeau canlynol yn RhPDegwm: *Cae Neidir* (Llanenddwyn); *Buarth Nadroedd* a *Buarth y Neidr* (Llanuwchllyn); *Erw pwll wiber* (Llansanffraid Glyndyfrdwy).

Byddai'r sawl a oedd yn ymarfer dulliau traddodiadol o feddyginiaethu yn debygol o fod wedi mynd i *Bwll y gelod* a nodwyd yn RhPDegwm plwyf Llanenddwyn. Ceir cofnod hefyd o ffermdy *Pwll y Gele* a *Llyn y Gele* ym mhlwyf Llanfachreth (MGC). Yr hyn sydd gennym yn yr enwau hyn yw cyfeiriad at y *gelau*, *gele* neu *gêl*. Y ffurf luosog yw *gelod* neu *geleod.* Creadur bach sy'n byw mewn pyllau dŵr croyw yw *gele*. Mae'n medru glynu wrth gorff dyn neu anifail a sugno ei waed. Defnyddid gelod drwy'r canrifoedd i ollwng gwaed mewn ymgais i buro'r corff o heintiau. Mae cryn dystiolaeth i'r arfer hwn yng Nghymru (MGC). Gwneir rhywfaint o ddefnydd o'r gelod heddiw i drin rhai mathau o glwyfau. Gair bach o rybudd yma: nid yr un *gele* sydd yn *Abergele* yng Nghonwy. Yr hen air *gelau* yn yr ystyr o lafn cleddyf sydd yno, enw addas ar yr afon sy'n llifo'n unionsyth am ran o'i thaith (ELl).

Efallai y dylem hefyd gael golwg ar y trychfilod a'r pryfed. Anaml y ceir cyfeiriad at y rhain yn enwau'r anheddau, ond fe nodwyd yr annedd *Abergwybedin* yn RhPDegwm plwyf Mallwyd. *Aber Gwibedyn* sydd ar fap OS 1836. Ai nant oedd *Gwybedyn*? Nodwyd *Tafarn Gwibedyn* yn RhPDegwm plwyf Trawsfynydd yn 1840 ac yng Nghyfrifiad 1841 ac 1881. Yn 1881 yn y disgrifiad o'r ardal a gofnodir sillafwyd yr enw fel *Tafarnwibeden.* Roedd cae o'r enw *Gwybedig* yn RhPDegwm Tywyn. Ceir cyfeiriad at le o'r enw *Llydiart y Pryved* yn 1545/6, o bosib yn Nhrawsfynydd. Gwelir enwau'r caeau a ganlyn yn RhPDegwm: *Tyllai pryfed* (Tywyn); *Buarth y chwilod* (Llanuwchllyn). Yn *Llain y pryfed bach / mawr* (Llandecwyn) gobeithio mai cyfeiriad at faint y lleiniau sydd yma ac nid at faint y pryfed. Nodwyd annedd *Nant y Pry* yn Llanelltud yn 1633 (Nannau), ond efallai mai anifail megis mochyn daear oedd hwn. Felly hefyd yn *Coed y Pry* a drafodir ar wahân uchod. Ceir nifer o gyfeiriadau at wenyn. Trafodir y rhain mewn adran ar wahân isod, sef 'Gwenyn a Mêl'.

Ceir ambell gyfeiriad at bysgod. Cofnodwyd *Tyddyn ffrwd y Bryddyll* ym Mrithdir ger Dolgellau yn 1592/3 a *Coyde Abrithyll* yn Nannau yn yr un flwyddyn (AMR). *Ffrwd-y-brithyll* sydd ar fap OS 1837 a'r map cyfredol; *Frwyd y brithill* yn RhPDegwm plwyf Dolgellau yn 1839 a *frwd y brith* yn y Cyfrifiad yn 1841. Yn RhPDegwm Llanaber nodwyd cae o'r enw *Dalar Gwyniad*. Pysgodyn bychan dŵr croyw yw'r gwyniad. Ei gynefin yng Nghymru yw Llyn Tegid. Mae cyfuno enw'r pysgodyn â'r elfen *talar* braidd yn annisgwyl. Rhyfeddach fyth yw'r *Cae morfil* yn RhPDegwm plwyf Tywyn. Tybed ai'r enw personol *Morfydd* a lurguniwyd yma? Digwyddodd hynny yn Nhalwrn, Môn, pan drodd y *cae pant morfydd verch Iollo* a gofnodwyd yn 1617 yn *Pant y Morfil* (ADG, HEYM).

Cregennan

Ar y map OS cyfredol gellir gweld annedd *Cregennan* i'r de o Arthog. Nodir *Llynnau Cregennen* [sic] i'r dwyrain o Arthog. Roedd dwy ran i gwmwd Tal-y-bont gynt, sef *Is Cregennan* ac *Uwch Cregennan*. Cofnodwyd y ffurfiau *Cregennan* ac *Vghgregemañ* [sic] yn 1420 (Rec.C). *Kregennan* oedd gan Edward Lhuyd tua 1700 (Paroch). *Craigennen* oedd yn RhPDegwm 1839; *Crogenan* yn y Cyfrifiad yn 1841, a *Craigenan* yn y Cyfrifiad yn 1911. Achosodd y sillafiad *Crogenan* broblem fawr i rai a geisiodd esbonio'r enw. Yn *Ystyron Enwau* cyfeirir at ymgais ffansïol i'w egluro fel *Crog-gangen*, gan mai yno y crogid drwgweithredwyr gynt. Ond mae esboniad yr awdur ei hun, er mor hyderus yw, yr un mor gyfeiliornus. Meddai: 'Tybiwn fod gormod o arliw "llen gwerin" ar yr esboniad uchod, ac mai gwir ystyr yr enw yw *Crug Ennan*, sef claddle un o'r enw *Ennan*' (YstE).

Credai R.J. Thomas mai *cragen* oedd wrth wraidd yr enw, ac mae'n ei esbonio fel 'nant â'i gwely yn llawn cregyn' (EANC). Mae hwn yn gynnig digon teg. Yr unig bosibilrwydd arall yw mai *cragen* + y terfyniad bachigol –*an*, sef 'cragen fechan', sydd yma ond mae'n anodd deall at beth y byddai hynny'n cyfeirio.

Creua

Dyma enw sy'n syml mewn gwirionedd ond sydd wedi peri llawer o ddryswch. Lleolir *Creua* i'r gogledd o Lanfrothen. Ychydig o gofnodion a welwyd o'r enw. Y cynharaf yw *Crya* o 1732 (Dfrïog). *Creuau* oedd ar fap OS 1838; *Creua* sydd ar y map OS cyfredol. Nodwyd *Creua* yn RhPDegwm plwyf Llanfrothen yn 1840 ac yn y Cyfrifiad yn 1841, 1851, 1871, 1891 ac 1911.

Map OS 1838 sydd yn gywir. Ffurf luosog yr enw *crau* yw *creuau*. Felly, nid oes unrhyw broblem ynglŷn â ffurf yr enw, ond mae'r ystyr yn fwy amhendant. Ystyr arferol *crau* yw 'cwt' neu 'dwlc mochyn', ond gall hefyd olygu rhyw fath o amddiffynfa. Ceir ffurf arall i *crau*, sef *craw*. Gall *craw* olygu 'twlc' neu 'gwt', ond mae iddo hefyd yr ystyr o ddarn o lechen wastraff. Fodd bynnag, *crau* yw'r elfen yn yr enw yn Llanfrothen. Fe'i gwelir hefyd yn *Creuddyn*, enw sy'n digwydd mewn sawl lle yng Nghymru, ac yn *Creuwyrion* a drodd yn *Cororion* yn Nhregarth ger Bangor (HEALlE). Er y gall *crau* olygu amddiffynfa, gan mai'r ffurf luosog yw *Creuau* mae'n fwy na thebyg mai rhyw fath o gytiau yw ystyr yr enw yn Llanfrothen. Enw tebyg o ran ystyr yw *Cutiau*. Fe'i cofnodwyd fel enw annedd yn y Cyfrifiad ym mhlwyf Llanfachreth, ac mae ardal o'r un enw i'r gogledd-ddwyrain o Abermo.

Croesor

Mae'r enw *Croesor* fel rheol yn dwyn i gof y pentref bach diarffordd i'r gogledd o Lanfrothen. Pentref chwarelyddol oedd hwn, ond caewyd y chwarel yn 1930. Mae'n enwog bellach am mai yma roedd cartref y llyfrbryf a'r hynafiaethydd Bob Owen, Croesor. Ond os edrychir ar y map OS fe welir fod yna anheddau hefyd o'r enw hwn. Ar y map cyfredol nodir *Croesor-fawr* a *Croesor bâch*, yn ogystal ag *Afon Croesor* a *Cwm Croesor.*

Daw'r cyfeiriad cynharaf a welwyd hyd yn hyn o 1578 yng nghasgliad Wynnstay yn y ffurf *Croisor.* Cofnodwyd *Croysor* yn 1655 (Elwes) ac *y Croysor* yn 1661 (Wynn). *Y Kroesor* oedd gan Edward Lhuyd tua 1700 (Paroch). Yn RhPDegwm yn 1840 ceir y ffurfiau *Croesawr ucha*, *Croesawr bach* a *Croesawr fawr.* Yn y Cyfrifiad yn 1851 cofnodwyd *Croesawr bach*, *Croesaw[r]aelwydlydan* a *Croesawraelwydbant*; yn 1861 nodwyd *Croesawr* a *Croesawr-bach*. Mae'r ffurf *Croesawr* yn arwyddocaol, a down yn ôl ati eto. Ceir y sillafiad arferol yn y Cyfrifiad yn 1871 lle nodir *Croesorfawr, Croesorbach* a *Croesor uchaf.*

Trafodwyd yr enw *Croesor* gan Tomos Roberts yng nghyfrol gyntaf *Ar Draws Gwlad*. Mae'n cyfeirio yno at yr hen draddodiad fod Elen Luyddog yn teithio drwy Gwm Croesor pan ddaeth neges i ddweud fod ei mab wedi ei ladd. Yn ôl yr hanes, ochneidiodd Elen a dweud, 'Croes awr i mi oedd hon'. Wrth gwrs, ni ellir derbyn yr esboniad annhebygol hwn, ond rhaid gofyn a yw'r cofnodion yn RhPDegwm ac yn y Cyfrifiad yn 1851 ac 1861 yn awgrymu fod y gred yn y stori yn parhau yn fyw bryd hynny.

Mewn gwirionedd, yr hyn sydd gennym yn yr enw *Croesor* yw'r hen derfyniad lluosog *–awr.* Ceir ambell enghraifft o'r ffurf *bleiddiawr* am gnud o fleiddiaid. Trodd *–awr* yn *–or* gydag amser. Mae'r un terfyniad yn digwydd mewn enwau eraill yng Nghymru. Er enghraifft, yn enw afon *Prysor*, yr hyn sydd gennym yw llawer o lwyni (*prys*). Ystyr yr enw *Castellior* ym Môn yw 'llawer caer'. Mewn *ysgubor* cedwir llawer ysgub o ŷd. Felly, nifer o groesau oedd yng Nghroesor. Arferid nodi ffiniau ambell dro drwy osod croesau yn y tir, ac mae'n bosib mai cyfeiriad at yr arfer hwn sydd yn enw *Croesor.*

Crogen

Ar ddechrau'r unfed ganrif ar hugain disgrifiwyd lleoliad *Crogen* fel 'A lovely site … backing on to the Dee' (Gwy). Bum can mlynedd yn ôl disgrifiodd Tudur Aled y fan yn union yr un modd:

> Ar le teg mae'r aelwyd hon,
> Ar lun nef, ar lan afon.

Ac mae'n wir fod y plasty hwn rhwng Llandderfel a Llandrillo yn Edeirnion, yn llecyn hyfryd mewn dolen o afon Dyfrdwy. Mae'n hen safle. Ceir yno olion mwnt y cyfeiriwyd ato yn 1202. Mae'r plasty ei hun yn dyddio o ddiwedd yr oesoedd canol hyd yr ail ganrif ar bymtheg (Gwy).

Ceir cyfeiriad at y safle mor gynnar ag 1292 yn y ffurf *Cregan* (MLSR). Cofnodwyd *Grogeyn* yn 1388 ac 1390 (AMR). *Crogen* hefyd oedd enw'r hen drefgordd, a chyfeiriad at honno sydd yn y *v[illa] Krogen* a gofnodwyd yn 1557

(Bach) a'r t[ownship] *Crogen* yn 1617 (Rug). *Krogen* sydd gan Edward Lhuyd tua 1700 (Paroch). *Crogen* sydd ar fap OS 1838 ac ar y map OS cyfredol.

Daw'r disgrifiad o harddwch *Crogen* gan Tudur Aled o'i gywydd moliant i Hywel ap Gruffudd ap Rhys o *Grogen*, un o farwniaid Edeirnion. Canmolir Hywel am ei groeso a'i nawdd parod i'r beirdd:

> Hywel, nid dyn hael ond ti,
> Hywel, enaid haelioni. (NBM)

Canwyd clodydd Morgan, ŵyr Hywel, gan Wiliam Cynwal am iddo barhau i groesawu'r beirdd i *Grogen*:

> Dy wledd lle mae medd a mêl
> Ni dderfydd, carw Llandderfel. (NBM)

Roedd Catrin, ail wraig Morgan, hithau'n hael ei chroeso. Pan fu hi farw, cŵyn Wiliam Cynwal oedd o ble y câi'r beirdd gefnogaeth yn awr: 'Pwy a wrendy gŵyn prinder?' (NBM).

Mae *Crogen* yn enw annisgwyl ar drefgordd ac annedd. Rhydd GPC *crogen* fel ffurf amgen ar *cragen* ('shell'). Ond efallai mai ystyr ffigurol sydd i'r gragen yma. Pwrpas cragen yw amgylchynu a diogelu'r creadur sydd yn byw y tu mewn iddi. Felly, byddai'n enw addas iawn i gyfleu'r syniad o amddiffynfa a diogelwch. Yn *Noddwyr Beirdd ym Meirion* dyfynnir englyn sy'n awgrymu mai ystyr yr enw yw fod yr afon yn amgau ac amddiffyn *Crogen* fel cragen o gwmpas y safle:

> Crogen gynt, meddynt i mi, yr henwyd,
> 'Nôl'r hanes sydd inni,
> O ran 'r afon ffrwythlon ffri
> Donnog sy gaer amdani.

Cryniarth

Roedd *Cryniarth*, Llandrillo, yn un o'r tai lle noddid y beirdd. Mae Guto'r Glyn yn moli ei noddwr Ieuan ab Einion, a ddisgrifia fel 'y gwrda o gywirdeb' am ei dras a'i ddaioni.

Roedd Ieuan yn un o farwniaid Edeirnion. Ei fab Dafydd oedd cwnstabl castell Harlech yn ystod Rhyfel y Rhosynnau ac amddiffynnwyd y castell ganddo. Mae Guto yn moli Dafydd a meibion eraill Ieuan:

> Llu'r Cryniarth ym muarth[32] medd
> Llanwant bob lle o Wynedd.   (Guto'r Glyn.net)

Dywed Tudur Aled rywbeth tebyg am deulu Rhys ap Maredudd, gan fod ei ddisgynyddion yntau mewn sawl man yng ngogledd Cymru:

> Cryniarth, dwy Lwydiarth lydan,
> Ag at y Rug eto 'r ân.   (GTA)

Ceir cyfeiriad at *Krynnarth bychen* yn Llandrillo yn 1577 (Nannau). Cofnodwyd yr enw fel *Krynnarthe* yn 1577 (Bach, Rug). *Kryniarth* oedd gan Edward Lhuyd tua 1700 (Paroch). *Cryniarth* oedd y ffurf yn RhPDegwm 1840, ac yn y Cyfrifiad yn 1851, 1871 ac 1911. Cofnodwyd yr enw hefyd yn Llanfor a Llandderfel ym Meirionnydd ac yn Llanybydder yn Sir Gaerfyrddin.

Elfennau'r enw yw'r ansoddair *crwn* + *garth*. Mae *garth* yn elfen gyffredin iawn mewn enwau lleoedd ledled Cymru. Gall *garth* olygu iard neu fuarth, ac mae'n debyg mai dyna'r ystyr yn y nifer fawr o ffermydd o'r enw hwn. Dyna'r ystyr hefyd mewn geiriau megis *buarth*, sef iard i'r buchod, a *lluarth*, sef lle i dyfu llysiau (ELl). Ond mae yna ystyr arall i *garth*, sef 'cefnen o dir'. Dyma'r ystyr ym Mangor: Y *Garth* yw enw'r gefnen y saif prif adeilad y Brifysgol arni. Mae Syr Ifor Williams yn cyfeirio at ystyr bosibl arall eto, sef 'coedwig' neu 'dir gwyllt'. Mae'n seilio'r ddamcaniaeth hon ar y cyfeiriad yn chwedl Culhwch ac Olwen lle gofynnir i farchogion Arthur ddiwreiddio 'garth mawr' a'i losgi ar wyneb y tir. Fodd bynnag, o gyfuno'r elfen *garth* â'r ansoddair 'crwn', byddai'r ystyr o iard neu gwrt yn gwneud mwy o synnwyr yn *Cryniarth*. Gwelir yr elfen yn aml mewn

---

32 Mae'n debyg mai 'cyrchfan' yw ystyr *buarth* yma.

enwau cyfansawdd megis *Sycharth*, *Talgarth* a *Tregarth*. Yn *Cryniarth*, *Llwydiarth*, a hefyd yn *Peniarth*, ceir –*i*– yng nghanol yr enw. Atgof sydd yma o dreiglad yr –*g*– yn *garth* pan fo'n ail elfen gair cyfansawdd (ELl).

Yn ôl GPC ffurf luosog *garth* yn yr ystyr o gefnen, coedwig neu dir gwyllt yw *garthau* neu *geirth*, ond yn yr ystyr o gwrt neu iard dim ond *garthau* a nodir. Cofnodwyd *Frith y Geirth* yn Llandecwyn yn 1623 (ACR), a nodwyd *Bryn y geirth* yn Llanfihangel Bachellaeth yn Llŷn a *Geirth* ym Meddgelert.

Cyffdy

Lleolir *Cyffdy* yn ardal y Parc i'r gogledd o Lyn Tegid. *Cyffty* oedd enw'r hen drefgordd yn Llanycil. Ceir cyfeiriadau cynnar at y drefgordd: *Kiftu* a *Kefdu* o 1292–3 (MLSR). Cofnodwyd *Kusty* yn 1419–20, ond mae'n debyg mai gwall copïo oedd hwn (Rec.C). Yn 1550 nodwyd enw *gavell y kyfty*, a *Gavel Kifty* yn 1568/9 (Rec.C.Aug.). Mae'n amlwg fod yna dŷ o'r enw *Cyffdy* erbyn 1592, oherwydd fe'i cofnodwyd fel *Tyddyn y Kyftye* (AMR). Yn 1795 ceir y ffurf *Cyfty* yn *The Cambrian Register* ac ar fap John Evans o ogledd Cymru. *Cyffdy* sydd ar fap OS 1838 a'r map OS cyfredol.

Yn ôl GPC, cyfuniad o *cyff* + *tŷ* sydd yn yr enw, a'r ystyr a nodir yw caban a luniwyd o foncyffion heb eu saernïo, rhyw fath o 'log cabin'. Cyfieithiad *The Cambrian Register* o'r enw yw 'the block-house'. Beth bynnag oedd y rheswm dros alw'r drefgordd yn gyffdy, yn sicr nid yw'r enw yn gweddu i'r tŷ hardd o ddiwedd yr ail ganrif ar bymtheg sy'n dwyn yr enw heddiw.

Yn *Enwau Eryri* mae Iwan Arfon Jones yn cynnig ystyr hollol wahanol i'r enw wrth drafod *Ceunant Cyffdy* yn yr un ardal. Dywed ef mai'r gair *cyffeithdy* sydd yma, sef barcty. Mae'n anodd derbyn hyn. Mae *cyffeithdy* yn air hollol ddilys, ond nis gwelir yn aml. Yn y nodyn Saesneg dywed Iwan Arfon Jones 'the full word is *cyffeithdy*', gan awgrymu fod sillaf wedi ei cholli yng nghanol y gair. Os felly, byddid wedi disgwyl gweld rhyw dystiolaeth o'r sillaf goll ymhlith yr holl gofnodion o'r enw o'r drydedd ganrif ar ddeg hyd heddiw, ond nid oes arlliw ohoni yn yr un ohonynt.

Cymer, Cymerau a Chefn Cymerau

Ym Meirionnydd y man a ddaw i'r meddwl ar unwaith wrth glywed yr enw *Cymer* yw *Abaty Cymer* ychydig i'r gogledd o dref Dolgellau. Mae yno gryn olion sy'n dangos prydferthwch yr abaty a sefydlwyd yn 1198 gan Faredudd ap Cynan i'r Mynaich Gwynion, sef Urdd y Sistersiaid. *Kymmer* oedd ffurf yr enw yn 1200 (Rec.C). Cofnodwyd *Abbey of Kymmer* yn 1568 ac 1577 (Rec.C.Aug.). Nid nepell gellir gweld ychydig o olion *Castell Cymer*, sef mwnt a adeiladwyd gan Uchdryd ab Edwin yn 1116 (Gwy). Fe'i disgrifiwyd fel 'a small ruin' yn *The Cambrian Register* yn 1795.

Roedd *Cymer* hefyd yn enw ar drefgordd yn Llangar i'r de-orllewin o Gorwen. Cofnodwyd yr enw fel *Kymmer* yn 1292–3 (MLSR). Ceir llu o gyfeiriadau ati ym mhapurau Rug yn yr ail ganrif ar bymtheg heb fawr o amrywiaeth yn y sillafiad: *Kymmer* (1600) a *Kymer* (1630/1). *Cymmer* oedd y ffurf a nodwyd gan Edward Lhuyd tua 1700 (Paroch).

Ystyr arferol *cymer* yw man cyfarfod dwy afon. Mae *cymer* yn elfen gyffredin iawn mewn enwau lleoedd ledled Cymru. Fe'i gwelir mewn Llydaweg Diweddar fel *kember*, a dyma darddiad yr enw *Kemper / Quimper*. Fe'i ceid hefyd mewn Gwyddeleg Canol yn y ffurf *commar*, sef man cyfarfod dyffrynnoedd, afonydd neu ffyrdd. Daw o wraidd Celteg gyda'r ystyr o fyrlymu neu ferwi. Gwelir yr un elfen yn *aber*, *diferu* a *gofer* (GPC). Mae'n debyg mai cyfeiriad at gymer afonydd Wnion a Mawddach a geir yn yr enw ger Dolgellau a chymer afonydd Alwen a Dyfrdwy yn Llangar.

Ffurf luosog *cymer* yw *cymerau*, ac mae'r ffurf hon yn digwydd fel elfen mewn enwau lleoedd mewn sawl man yng Nghymru. Ym Meirionnydd fe'i ceir yn *Cymerau* yn Ffestiniog ac yn *Cefn Cymerau* yn Llanbedr. *Kymere Kenol* a gofnodwyd yn Ffestiniog yn 1522 (TyB), ond ni welwyd cyfeiriad arall at y ffurf hon. Mae'n ddiddorol sylwi ar y modd yr yngenid sillaf olaf *Cymerau* a barnu oddi wrth y cofnodion. Sylwer mai *–e* yw'r terfyniad yn 1522. Felly hefyd yn *y Kymere* yn 1611/12 a *Cymere* yn 1616 (Elwes). Yna yng Nghyfrifiad 1841 ceir y terfyniad *–a* yn y ffurfiau *Cymera isaf* a *Cymera uchaf.* Nodwyd *Cymmera* yn 1858 (Penrhyn). *Cymmerau* oedd yn *The Cambrian Register* yn 1795, lle dehonglir yr enw yn gywir fel 'confluences', ac ar fap OS 1838. Ar y map OS cyfredol, ychydig i'r de o Danygrisiau, nodir *Cymerau-isaf*, *Parc Cymerau-isaf* a *Coed Cymerau*. Mae'n anodd dweud pa afonydd a olygir yn yr enw *Cymerau* yn Ffestiniog. Ai cymer afon *Goedol* ac afon *Teigl* sydd yma, ynteu a ddylid cynnwys afon *Dwyryd* yn ogystal gan fod yr enw yn awgrymu fod yna fwy nag un cymer?

Gwelwn yr un newid rhwng *–e* ac *–a* yn sillaf olaf yr enw *Cymerau* yn yr annedd *Cefn Cymerau* i'r dwyrain o Lanbedr. Nodwyd *Cefncwmere* yn 1743 (CalMerQSR), ond fel y cawn weld ceir *Cefncymera* fwy nag unwaith yng nghofnodion y Cyfrifiad. Yn *The Cambrian Register* yn 1795 ceir *Cevyn Cymmerau*, gyda'r esboniad 'the summit of the confluences'. *Cefn Cymmere Isa* / *ucha* sydd yn RhPDegwm yn 1840. Yng Nghyfrifiad 1851 nodwyd *Cefncymera* a *Cefn Cymera ucha*, a *Cefn Cymera* yn 1871. Yn RhPDegwm cofnodwyd hefyd annedd *Gwern Cymmere*. Erbyn Cyfrifiad 1901 *Werncymerau* yw ffurf yr enw hwn, ond ni welwyd cyfeiriad at *Cefn Cymerau*. Fodd bynnag, yn 1901 ac 1911 nodwyd *Cefnucha* a *Cefnisaf.* Ai talfyriad o'r enw *Cefn Cymerau* sydd yma ynteu a yw'r rhain yn anheddau hollol wahanol? Nodwyd *Werncymerau* eto yn 1911 a hefyd *Dolcymerau*. Ar fap OS 1838 nodwyd *Cefn-cymmerau,* ac ar y map OS cyfredol ceir *Cefncymerau Uchaf* a *Cefn-cymerau Isaf.* Mae'n debyg mai cyfeiriad at gymer afon *Artro* ac afon *Cwmnantcol* sydd yn yr enw.

Cynfal

Roedd *Cynfal Fach* a *Cynfal Fawr* yn enwau ar hen drefgorddau yn ardal Tywyn, ond yma canolbwyntir ar annedd o'r enw *Cynfal Fawr* i'r de o Lan Ffestiniog. Mae'r tŷ hwn yn enwog oherwydd ei gysylltiad â'r ddau ŵr hynod y cyfeiriwyd atynt fel 'Dau Lwyd o Gynfal' gan yr Athro Gwyn Thomas.[33] Y cyntaf oedd Huw Llwyd (1568?–1630?), a oedd yn ŵr amryddawn o dras fonheddig. Roedd wedi gweld rhywfaint o'r byd, gan iddo fod yn filwr ar y Cyfandir. Medrai farddoni yn y mesurau caeth a rhydd, a chredid yn lleol ei fod yn ŵr hysbys. Yng nghanol afon Cynfal mae craig naturiol tua deuddeg troedfedd o uchder. Enw'r graig yw *Pulpud Huw Llwyd*. Yn ôl yr hanes, arferai Huw Llwyd ddringo i'w phen gefn drymedd nos i 'bregethu', ond mae'n anodd gweld at bwy yr oedd yn anelu ei neges.

Dyfynnwyd disgrifiad y bardd Huw Machno o ystafell Huw Llwyd yng Nghynfal lawer gwaith o'r blaen, ond mae'n werth ei ailadrodd gan ei fod yn rhoi darlun mor wych inni o ddiddordebau'r gŵr rhyfeddol hwn:

> Ei lyfrau ar silffiau sydd,
> Deg olwg, gyda'i gilydd;
> Ei flychau elïau'n lân,
> A'i gêr feddyg o arian;
> A'i fwcled glân ar wanas,[34]
> A'i gledd pur o loywddur glas;
> A'i fwa yw (ni fu ei well),
> A'i gu saethau a'i gawell;
> A'i wn hwylus yn hylaw,
> A'i fflasg (hawdd y'i caiffd i'w law);
> A'i ffon enwair ffein, iawnwych,
> A'i ffein gorn, a'i helffyn gwych;
> A'i rwydau – pan fai'r adeg –

---

33 Gwyn Thomas, 'Dau Lwyd o Gynfal', *Ysgrifau Beirniadol V*, (Dinbych, 1970)
34 *bwcled* = tarian gron; *gwanas* = bachyn neu hoelen

Sy gae tyn i bysgod teg;
A'i ddrych[35] (oedd wych o ddichell)
A wêl beth o'i law o bell;
A'r sies a'i gwŷr,[36] ddifyr ddysg,
A rhwydd loyw dabler[37] hyddysg.   (GyeL; NBM)

Efallai fod cwmpas diddordebau Huw Llwyd yn eithriadol, ond rhaid sylweddoli mor waraidd a soffistigedig oedd rhai o'r gwŷr a noddai'r beirdd yn hen blastai Meirionnydd.

Mae'r Llwyd arall o Gynfal yn fwy adnabyddus. Ganwyd Morgan Llwyd y llenor a'r cyfrinydd yng Nghynfal Fawr yn 1619. Roedd yn perthyn i Huw Llwyd, ond ni wŷr neb sut yn hollol. Ar ôl marwolaeth ei dad aeth i fyw i Wrecsam ac fe'i haddysgwyd yno. Daeth dan ddylanwad Walter Craddock, ac yn ddiweddarach sefydlodd y ddau ohonynt yr eglwys gynulleidfaol Gymreig gyntaf yn Llanfaches yn Sir Fynwy. Yn ystod y Rhyfel Cartref bu Morgan Llwyd yn gaplan ym myddin y Senedd. Treuliodd ei flynyddoedd olaf yn Wrecsam ac yno y bu farw yn 1659 (CLC). Cyhoeddodd nifer o weithiau. Yr enwocaf oedd *Llyfr y Tri Aderyn* (1653) lle mae'n annog y Cymry i ymbaratoi am ail ddyfodiad Crist. Bellach fe'i darllenir, os o gwbl, oherwydd ei arddull gyfoethog yn hytrach na'i neges ysbrydol.

Mae'r cofnodion cynharaf o'r enw *Cynfal* yn cyfeirio at yr afon neu'r cwm o'r un enw. Ceir sôn am yr afon ym mhedwaredd gainc y Mabinogi pan fo Gronw Pebr yn hela hydd a'i ladd 'ar Auon Gynnwael'. Ceir cyfeiriad at yr afon fel *aqua de Kynvell* yn 1592 (AMR). Yng nghasgliad Elwes yn y Llyfrgell Genedlaethol nodwyd *Blaen Com Kynvell* yn 1590 a *Tythin Cwm Kynval* yn 1618.[38] *Cynfael* sydd ar fap John Evans o ogledd Cymru yn 1795, a *Cynvel* yn *The*

35 sbienddrych
36 Y ford a'r werin gwyddbwyll
37 Gêm i ddau a chwaraeid ar ford
38 Ceir rhywfaint o hanes y Cwm yn 'Y Cwm tu draw i'r cymoedd' gan John Meirion Davies, Darlith Cymdeithas y Fainc 'Sglodion, Blaenau Ffestiniog, 1998.

Cambrian Register yn yr un flwyddyn. *Cynfael* sydd ar y map OS yn 1838 a *Cynfal fawr* a *Cynfal fach* yn RhPDegwm plwyf Maentwrog yn 1840. Ceir *Cynfal fawr* a *Cynfal bach* yn y Cyfrifiad yn 1841, 1861, 1891 ac 1911. Ar y map OS cyfredol nodwyd *Cynfal-fawr*, *Cynfal-bâch*, *Ceunant Cynfal*, *Afon Cynfal* a *Rhaeadr Cynfal*.

Mae'n debyg mai enw personol oedd *Cynfal*. Fel y gwelir o'r cyfeiriad yn y Mabinogi, *Cynfael* oedd y ffurf i gychwyn. Daw o'r enw Brythoneg *Cunomaglos*, sef *ci* + *tywysog*, a'r syniad oedd arweinydd sydd yn ymladd yn ffyrnig fel ci. Yr un elfennau sydd yn yr enw *Maelgwn*, ond o chwith, sef *Maglocunos*. Unwaith eto mae *The Cambrian Register* yn gwbl gyfeiliornus, ac yn wir yn annealladwy, wrth gynnig yr ystyr 'the head of the irruption'.

Cyplau

Lleolir ffermdy *Cyplau* i'r de o Abergeirw ac i'r gogledd o Lanfachreth. Daw'r cyfeiriad cynharaf a welwyd ato o'r flwyddyn 1633 yn y ffurf *Y Cypple* (TyB). Gwelir yr ynganiad llafar yn y terfyniad *–e*, ac eto yn yr un ffynhonnell yn y cofnod *Tythyn y Cypple* o 1696. *Cyplau* sydd yn RhPDegwm plwyf Llanfachreth yn 1846, ac yn y Cyfrifiad yn 1841, 1871, 1891 ac 1911. *Cyplau* hefyd sydd ar y map OS cyfredol.

Ffurf luosog *cwpl* yw *cyplau*. Gall *cwpl* gyfeirio at un o'r ddau brif drawst sydd yn cynnal to adeilad, neu'r rhan o'r adeilad sydd rhwng dau gwpl mewn ysgubor neu dŷ gwair, neu hyd yn oed y gwair neu'r ŷd a gedwid yn y rhan honno rhwng y ddau gwpl. Ambell dro, yn drosiadol, gall olygu siambr fechan. Cofnodwyd *Cyplau* yn enw ar anheddau ym Mhenmynydd, Môn, ac yn Llanystumdwy. Ceir hefyd dŷ o'r enw *Murcwpwl* yng Nghilan ac un o'r enw *Murcyplau* ym Mhencaenewydd yn Llŷn.

Didfarch

Enw anarferol yw *Didfarch* a nodwyd fel enw fferm yn Llwyngwril. Ychydig o gofnodion a welwyd ohono, ond mae *Didfarchfach* a *Didfarchfawr* yn RhPDegwm plwyf Llangelynnin yn1839. Nodwyd *Didfarch* yn y Cyfrifiad yn 1841, 1891 ac 1901. Gwelwyd cyfeiriad hefyd at fferm o'r enw *Rhyd y Didfarch* yn yr un ardal.

Sut mae esbonio'r enw? Ni welwyd enghraifft arall o'r ffurf *Didfarch*, ond mae *Didfa* yn enw ar dŷ yn Llanrug yn Arfon. Fe'i gwelir hefyd yn Llangoed, Môn, ac yn Abergele. Ceir cyfeiriad at yr annedd yn Llanrug fel *Didfa Hwch*, a dyma ddechrau egluro ystyr yr enw anghyfarwydd hwn. Nodir *tidfa* yn GPC fel enw benywaidd unigol gyda'r ystyr o 'gadwyn' neu 'rwymyn'. Collwyd y fannod a fu o'i flaen, ond erys y treiglad meddal a achoswyd ganddi a throdd *tidfa* yn '*[y] Didfa*'. Efallai fod hwch ynghlwm wrth gadwyn wedi bod yn nodwedd amlwg yn yr annedd yn Llanrug ar un adeg. Os mai tidfa hwch oedd yn Llanrug, mae'n bosib mai tidfa march oedd yn Llwyngwril ac mai lle i rwymo ceffyl oedd yno. Byddai'n bosib i *didfa march* gael ei gywasgu'n *didfarch* ar lafar. Yng Nghyfrifiad 1881 cofnodwyd yr enw fel *Tydfarch*, ac yn 1911 ceir *Tidfarch Mawr*. Erbyn heddiw tueddir i'w sillafu fel *Tydfarch*. A oes yma ymgais wrth ddileu'r treiglad i adfer gwir ystyr yr enw?

Dolbrodmaeth

Mae hwn yn enw diddorol ac anarferol ar annedd sydd bellach yn westy ar gyrion Dinas Mawddwy. Elfennau'r enw yw *dôl* + *brawdmaeth*. Rhydd GPC yr amrywiad *brawdfaeth* hefyd, ond *m* a geir yn ddieithriad yn y cyfeiriadau at yr annedd dan sylw. Nid oes llawer o gofnodion cynnar o'r enw ar gael, ond mae'n amlwg ei fod yn hen enw. Ystyr *brawdmaeth*, wrth gwrs, yw bachgen wedi ei gydfagu â phlentyn arall neu blant eraill heb rannu'r un rhieni. Ni wyddom brawdmaeth i bwy oedd y gŵr a gysylltid â'r ddôl yn Ninas Mawddwy, ond teimlwyd rhyw wefr fach ddiniwed wrth ddarganfod ei enw mewn cofnod o 1577 ym mhapurau Nannau. Yno ceir cyfeiriad at *Tyddyn Jol Brawdmaeth* yn nhrefgordd Dugoed ym Mallwyd. Dyma union leoliad y *Dolbrodmaeth* presennol. Felly, *Iorwerth*, neu o bosib *Iolyn* neu *Iolo*, oedd enw'r brawdmaeth.

Ceir y ffurfiau *Dolbrodmerth* o 1786; *Dol y Bradmaeth* o 1787 a *Dolbrawd Maeth* o 1838 yn AMR. Cofnodwyd *Dolybrawdmaeth* yn ATT yn 1798. *Dolbrodmaeth* oedd yn RhPDegwm yn 1838 ac yn y Cyfrifiad yn 1841 ac 1911. *Dolbrawdmoth* a gofnodwyd yn y Cyfrifiad yn1881. Nodwyd *Dolybrawdmaeth* a *Dolybrawdmaethbach* yn y Cyfrifiad yn 1851, a *Dolbrawdmaeth* yn 1861 ac 1901. *Dol-y-brawdmaeth* oedd ar fap OS 1836 a *Dol-y-brod-maeth* ar fap OS 6" 1901, ond yn ôl pob golwg nis nodir ar y map OS cyfredol, onid cyfeiriad ato yw'r 'Hotel' ar yr un safle.

Efallai y gellir, yn sgil y brawdmaeth, fwrw golwg ar rai perthnasau eraill a welir yn enwau lleoedd Meirionnydd. Ceir cyfeiriadau at annedd o'r enw *Dôl y Meibion* ym Mrithdir ym mhapurau Nannau yn yr unfed a'r ail ganrif ar bymtheg: *Dol y meibion* (1593); *Dol y Meibion* (1604) a *Doley meibion* (1667). Yn yr un cyfnod ceir cyfeiriadau at annedd o'r enw *Llwyn y Meibion* yn Llanenddwyn ym mhapurau Mostyn yn 1596 ac 1664/5. Yn anffodus, nid oes modd olrhain pwy oedd y *meibion* yn yr enwau hyn. Gallai'r elfen *meibion* gyfeirio yn syml at ddynion yn gyffredinol fel mewn 'côr meibion', neu fe allai olygu epil gwryw eu rhieni. Mae'r un peth yn wir am yr elfen *merched* mewn enw lle; gall olygu gwragedd yn gyffredinol neu epil benywaidd. Cofnodwyd anheddau o'r enw *Tyddyn y Merched* yn Nhrawsfynydd, Llanenddwyn, Llandrillo, Gwyddelwern a Maentwrog, *Gwair y Merched* yn Llanelltud a *Cae'r Merched* yn Llanfrothen. Nodwyd yr enw olaf hwn yn y ffurf gartrefol *Cae'r merchad* yn y Cyfrifiad yn 1851.

Yn RhPDegwm cofnodwyd annedd o'r enw *Cae'r*

gwragedd a chae o'r enw *Ffridd cae'r Gwragedd* yn Nhrawsfynydd. Ceir y caeau a ganlyn hefyd yn RhPDegwm: *Cae llidiart y gwragedd* (Pennal); *Hwylfa gwragedd* (Llanaber); *Llwyn y gwragedd* (Gwyddelwern) a *Bryn lletty'r wraig* (Llanfair). A oedd y 'ladies' a goffeir yng nghaeau *garreg y Ladis* yn Llanbedr a *Coed rhyd Ladis* a *Lletty ladi* yng Nghorwen ac yn yr enw od *Tan y Ladies* yn Llanfihangel-y-traethau yn grandiach na'r 'gwragedd' tybed? Enw diddorol ar gae yw *Cae r hen wraig* yng Nghorwen. Mae John Field yn cyfeirio at gaeau yn Lloegr o'r enw *Grandmother's Meadow*, *Grammers Plot* a *Grammum's Croft* fel tiroedd a neilltuwyd i gynnal gweddw y cyn-berchennog (EFND). Tybed a oedd hyn yn wir am y cae yng Nghorwen? Yn sicr, gellir amau mai dyna oedd ystyr yr enw *Cae'r wraig weddw* yn Llanaber. Ond mae'n anodd gwybod beth oedd arwyddocâd *Cae'r henddyn* yn Llanenddwyn. Cyn gadael y perthnasau dylid sylwi ar *Wern fodo* yn RhPDegwm Llandrillo. Ffurf anwes ar 'modryb' yw *bodo*, ac yn aml cyfeirid at hen wragedd wrth yr enw hwn.

Dolfrïog

Saif *Dolfrïog* i'r dwyrain o Nanmor. Yn y gorffennol roedd yn Nanmor Deudraeth, ac felly ym Meirionnydd, ond bellach mae yn Sir Gaernarfon. Bu'n gartref y teulu Anwyl tan tua 1769. Prynwyd y stad gan George Holmes Jackson, gŵr o Wlad yr Haf, yn 1830, ac ef a adeiladodd y tŷ presennol (NanDeu).

Cysylltir y *Ddolfrïog* ganoloesol, a oedd i'r de o'r tŷ presennol, â'r bardd Dafydd Nanmor (*fl.* 1450–90), gan y credid mai *Dolfrïog* oedd cartref Gwen o'r Ddôl. Gyrrwyd Dafydd ar ffo o'i gartref am iddo ganu cywyddau serch i Gwen, a hithau yn wraig briod. 'Marwnad Bun' yw'r teitl a roddwyd i'r cywydd y dyfynnir ohono isod. Ynddo mae'r bardd yn galaru am ei gariad sydd wedi marw. Cyfeiria ati fel *Gwenn*.[39] Roedd llinellau fel y rhai a ganlyn yn eithaf beiddgar, os gwyddai cynulleidfa Dafydd pwy oedd Gwen a'i gŵr:

> Och Dduw Tad, o chuddiwyd hi
> Nad oeddwn amdo iddi,
> . . . .
> Och un awr na chawn orwedd
> Gyda bun dan gaead bedd!
> Adyn ar ei hol ydwyf,
> Uwch ben Gwenn ych bannog[40] wyf.   (PWDN)

Ni cheisiodd Dafydd gelu'r ffaith mai gwraig gŵr arall oedd Gwen. Yn ei gywydd 'I'r Paun',[41] mae'n cyfaddef ei genfigen tuag at ei gŵr. Er mai negesydd cariad yw llatai, mae Dafydd yn annog y paun i niweidio'r gŵr: 'A gwna gas rhwng Gwenn a'i gŵr', ac 'A dwg Wenn o dŷ ei gŵr' (PWDN).

Ceir sawl damcaniaeth am ystyr ail elfen yr enw *Dolfrïog*. Cynigia GPC mai enw benywaidd gyda'r ystyr 'tir uchel' yw *briog*, ond mae'n rhoi marc cwestiwn o'i flaen, sy'n awgrymu peth amheuaeth. Cyfeiria at *Y Friog, Foel Friog* a *Dôl Friog* fel enghreifftiau o'r elfen mewn enwau lleoedd. Mae awduron DPNW yn cytuno â'r ystyr 'high ground' ar gyfer pentref *Y Friog*, gan nodi ei fod ar lechwedd serth uwchben aber afon Mawddach. Maent hefyd yn derbyn mai'r un ystyr sydd yn *Dolfrïog*.

Fodd bynnag, cynigir ystyr arall hefyd yn DPNW, un a awgrymwyd gan Melville Richards, sef mai *merïog* [sic] yn yr ystyr o fod yn llawn o ddrain a mieri sydd yma. Mae

---

39 Rhaid cofio fod 'gwen' hefyd yn gallu golygu 'merch, rhiain', ond nododd golygyddion PWDN y gallai'r llinell 'Os marw yw hon Is Conwy' olygu fod y gariadferch yn dod o ardal Nanmor. Fodd bynnag, yng Ngwynedd Uwch Conwy yr oedd Nanmor.

40 Cyfeiriad at chwedl ychen bannog Hu Gadarn: bu farw un ohonynt o dor calon ar ôl colli ei gymar.

41 Ychwanegodd y copïwr nodyn digon diflewyn-ar-dafod: 'Cowydd i erchi i'r paŷn fod yn llattai at wraig gŵr arall a elwyd Gwen o'r Ddôl'.

Melville Richards yn cyffelybu'r ffurf *mieriog* i enwau lleoedd eraill megis *Celynnog > Clynnog*, ac *Eithinog* (AtM).

Noda GPC fod *Briog* hefyd yn enw personol, sef ffurf anwes ar yr enw *Briafael*. Roedd *Briog* yn enw sant o'r bumed ganrif a dreuliodd beth amser yn Llydaw. Yn ôl Melville Richards ffurf hynaf yr enw oedd *Briomagl* (ETG). Nodir y ffurf *Briafael* hefyd gan DPNW wrth drafod enw *Llandyfrïog* yng Ngheredigion. Yn *Llandyfrïog* ceir yr enw personol *Briog* gyda'r rhagddodiad *ty–* a ddefnyddid i ddynodi parch, yn arbennig gydag enwau seintiau.[42] Ffurfiau ar yr enw *Briog* a welir yn *Saint-Brieuc* yn Llydaw a *St Breoc* yng Nghernyw. Gellir, felly, gynnig sawl ystyr i'r enw *Dolfrïog*, sef 'dôl ar lechwedd serth'; 'dôl yn perthyn i ŵr o'r enw Briog', neu 'dôl yn llawn mieri'.

Os mai ffurf anwes ar yr enw *Briafael* yw *Briog*, dylem hefyd ystyried yr enw *Mriafael* a welir ym Meirionnydd. Meddai Robert Prys Morris yn *Cantref Meirionydd*:

> ... gellir nodi fod islaw Tal y Llyn, ac yn ardal Abergynolwyn, dri o leoedd yn dwyn y dynodiant gwerinol o Myriafal ... sef Myriafal Uchaf, a'r ddau arall yn dyddyndai neu dyddynod, ac yn dwyn y dynodiadau gwahaniaethol o *Fach* a *Ganol* ...

Mae'n dod i'r casgliad mai cyfeiriad at 'rhyw berson neu gilydd ... pwy bynag ydoedd hwnw' sydd yn yr enw *Mriafael*. Cyhoeddwyd *Cantref Meirionydd* yn 1890, ac roedd yn gloddfa werthfawr i awduron *Ystyron Enwau* yn 1907. Mae un ohonynt yn ailadrodd sylwadau Robert Prys Morris bron air am air. Mae un arall yn ategu rhywfaint o'r un deunydd, ond mae hwnnw'n mentro awgrymu efallai mai llygriad o 'ymrafael' sydd yma, neu, o bosib 'gafael[43] uchaf', neu hyd

---

42 Cyfeiria awduron DPNW at y rhagddodiad hwn fel 'unstressed honorific prefix'. Cymharer enwau megis *Llandysilio*, *Llandyfrydog* a *Llandygái*, a drafodir yn fanwl gan Melville Richards yn ETG.

43 gafael = daliad etifeddol o dir.

yn oed 'byr afael, sef tir a ddelid drwy brydles, nid drwy feddiant'. Yn y diwedd, ar ôl pendroni gryn dipyn, mae'n penderfynu mai'r ystyr debygol yw 'bre + gafael', sef gafael ar y bryn. Dilyn Robert Prys Morris yn eithaf caeth a wnaeth y trydydd awdur yn *Ystyron Enwau.*

Yn *Cantref Meirionydd* cyfeirir at linell o Englynion y Beddau yn Llyfr Du Caerfyrddin. Dyma ddiweddariad Gwyn Thomas o'r englyn hwnnw:

Bedd pennaeth o Brydyn yn nhir agored Gwynasedd,
Lle yr â Lliw i Lychwr;
Yng Nghelli Friafael mae bedd Gyrthmwl. (HenEng)

Os oedd *Celli Friafael* yn agos at gymer afonydd Lliw a Llwchwr, sydd yn Nyfed, yna ni all fod yn gyfeiriad at y lle ym Meirionnydd. Mae un o awduron *Ystyron Enwau* yn cyfeirio at yr ystyr o 'gafael uchel' i *Mriafael.* Mae'n amlwg lle cafodd y syniad hwn. Yn *The Cambrian Register* yn 1795 nodwyd '*Mryavael, the high hold*', gan ddeall y sillaf gyntaf fel *bri.* Mae'n lleoli *Mriafael* ym mhlwyf Llanfihangel-y-Pennant. Felly hefyd y Cyfrifiad yn 1841, ond fe'i lleolir ym mhlwyf Tal-y-llyn ym mhob cyfeiriad arall. Yn RhPDegwm Tal-y-llyn yn 1838 cofnodwyd *Mriavael isav* a *Mriavael ganol.* Yn y Cyfrifiad yn 1841 nodwyd *Meiriafal* a *Meiriafal fach*; yn 1871 ceir *Meiriafal ganol* a *Meiriafal fach*, ac yn 1911 ceir *Meriafel Bellaf, Meriafel Ganol* a *Meriafel Fach.*

Sut y trodd *Briafael* yn *Mriafael*? Yn ôl yr Athro T.J. Morgan, 'ceir esiamplau o *m* yn deillio o *b* wreiddiol' yn y Gymraeg (TC). Cyfeiria at yr enghraifft fwyaf nodedig, sef *benyw / menyw.* Fe'i gwelir hefyd mewn ambell enw lle. Er enghraifft, ceir cyfnewid cyson rhwng *b* ac *m* yn yr enw *Bodryn / Modryn* ym mhlwyf Llandwrog, Arfon (HEALlE). Mae'n bosib gydag enw lle fod y ffurfiau 'ym Modryn' ac 'ym Mriafael' i'w clywed mor aml nes i hynny effeithio ar y llythyren gyntaf.

Dolffanog

Lleolir *Dolffanog Fawr* a *Dolffanog Fach* yn bur agos at ei gilydd ar ben gogleddol Llyn Myngul, sef y llyn yn Nhal-y-llyn. Ffermdai o'r ail ganrif ar bymtheg a'r ddeunawfed ganrif yw'r rhain, sydd bellach yn westai bychain. Ond roedd anheddau o'r enw hwn yn bod cyn hynny. Ceir cyfeiriad at *Dol ffannog Vcha* a *Dol ffannog yssa* yn 1592/3 (AMR). Gwelir rhywfaint o bendilio rhwng *f* ac *ff* yn yr enw. *Dol y ffannog* sydd gan Edward Lhuyd tua 1700 (Paroch). Nodwyd *Dolfanog* yn 1743 a *Dolyfannog* yn 1754 (CalMerQSR). Aeth John Evans braidd ar gyfeiliorn yn ei fap o ogledd Cymru yn 1795 pan gofnododd y ffurf *Dolyddanog*. Yn yr un flwyddyn nododd *The Cambrian Register* yr enw fel *Dol Fanog*, ond mae'n debyg mai *ff* yw'r *f* yma, gan fod gweddill yr adran *Topography* yn defnyddio *v* am *f*. Yno awgrymwyd yr ystyr 'the sheltered dale'. *Dolfanog vach* a *Dolfanog vawr* sydd y RhPDegwm 1838, ac mae'n debyg mai cynrychioli *ff* mae'r *f* yma hefyd, a barnu oddi wrth orgraff gweddill cofnodion RhPDegwm plwyf Tal-y-llyn. *Dolffanog* yw ffurf yr elfen gyntaf yn y ddau enw yn y Cyfrifiad yn 1841, 1871 ac 1891. *Dol-ffanog* sydd ar y map OS cyfredol.

Ni allwn dderbyn mai 'the sheltered dale' yw ystyr yr enw. Efallai fod 'dale' yn dderbyniol: mae GPC yn ei roi fel un ystyr i 'dôl', ond mae'n debyg mai ystyr *dôl* yn yr enwau hyn yw tir gwastad ar lan afon neu lyn. Yr ail elfen yw'r broblem. Ond mae cymorth ar gael. Ceir enw ym Môn sydd yn dangos datblygiad pur debyg. Yr enw yw *Pwllfanogl* yn Llanfair Pwllgwyngyll, cartref yr arlunydd Syr Kyffin Williams gynt. Ffurf ysgrifenedig yr enw hwn fel rheol yw *Pwllfanogl*, ond ar lafar gwlad tueddir i golli'r *l* derfynol a'i ynganu fel *Pwllfanog*. Mae hyn yn arfer eithaf cyffredin; gwelir yr un duedd mewn geiriau megis *perygl* > *peryg*, a *huddygl* > *huddyg*. Yn wir, gwelwn hyn yn un o'r enghreifftiau cynharaf a nodwyd o'r enw, sef *Pullfannok* o 1444. Yn ddiau, yr un gair sydd yn ail elfen *Pwllfanogl* a

Dolffanog. Yr *f* a orfu yng nghanol yr enw ym Môn, ond cadwyd yr *ff* yn yr enw ym Meirionnydd, ac mae hynny'n adlewyrchiad cywirach o darddiad yr enw. Collwyd yr *l* ar y diwedd yn llwyr yn *Dolffanog.*

Yr hyn sydd gennym yn yr ail elfen yw *ffanogl*, er nad hon yw'r unig ffurf ar yr enw o bell ffordd. Mae GPC yn nodi *ffenigl, ffanigl* a *ffan(u)gl*. Planhigyn yw hwn sy'n tyfu ar dir diffaith. Mae'r enw Cymraeg wedi ei fenthyca o enw Lladin y planhigyn, sef *Faeniculum vulgare*. Yr enw Saesneg arno yw 'fennel'. Prif ddefnydd *ffanigl* heddiw yw i wneud saws a fwyteir fel rheol gyda physgod, ond yr oedd William Salesbury yn ei argymell ar gyfer 'diphic anhetl', hynny yw, os oeddech yn fyr eich gwynt (LlS).

Mae *ffanigl* yn elfen anarferol mewn enw lle, ond nid yw'n unigryw. Ceir anheddau o'r enw *Bryn-ffanigl-uchaf*, *Bryn-ffanigl-isaf* a *Bryn-ffanigl-canol* i'r de-orllewin o Abergele. *Brynffanigl* oedd enw'r drefgordd ganoloesol yn yr ardal honno. Cofnodwyd ffurfiau rhyfedd ar yr enw yno dros y blynyddoedd: *ffanygell*; *fannuk*; *fannucke*, a *fannyk* ymhlith eraill. Ceir yr un elfen mewn man arall ym Meirionnydd hefyd, yn enw *Moel Ffenigl* i'r de o Lanuwchllyn; nodwyd hwn fel *Moel-phenic* ar fap OS 1838.

Dôl Llychwyn

Lleolir *Dôl Llychwyn* yn ardal y Parc i'r gogledd o Lyn Tegid i'r gorllewin o'r Bala. Ceir cofnod o'r enw yn y ffurf *Ddol Llwchwin* yn 1592–3 (AMR). *Dollychwyn* sydd yn RhPDegwm plwyf Llanycil yn 1838. Yng nghofnodion y Cyfrifiad ceir *Dol Llwychwyn* yn 1841; *Dolllychwyn* [sic] yn 1861; *Dol llychwyn* yn 1871 a *Dol-llychwyn* yn 1881, 1901 ac 1911. *Dol Llychwyn* sydd ar y map OS cyfredol.

Bu Syr Ifor Williams yn ystyried yr enw *Tyllychwin* [sic] yng Nghaergeiliog ym Môn (ELl). Tybiai ef mai *llychwin* yn yr ystyr o 'llychlyd, budr, halogedig' oedd yn yr enw a'i fod o bosib yn cyfeirio at dŷ a wnaethpwyd o fwd neu laid. Roedd Bedwyr Lewis Jones yn anghytuno â'r dehongliad hwn.

Gwelsai ef gyfeiriadau mewn dogfennau at wŷr o Fôn o'r enw Hywel ap Dafydd Llychwyn ac Einion ap y Llychwyn, er nad yw'n awgrymu mai un ohonynt hwy a goffeir yn enw *Tŷ Llychwyn* (YEE). Llysenw oedd *Llychwyn*, a dyma'r ystyr yn enw *Tŷ Llychwyn* ym Môn a *Dôl Llychwyn* ym Meirionnydd. Roedd y lleoedd hyn yn eiddo ar un adeg i rywun â'r llysenw *Llychwyn*. Mae'n debyg fod ei wallt a'i aeliau, ac o bosib ei farf wedi gwynnu. Os oedd hefyd yn llwyd ei wedd byddai'r argraff o wynder yn drawiadol.

Llysenw arall tebyg yw *Llwydyn*. Ym Meirionnydd cofnodwyd darn o dir o'r enw *Gauell dd ap Lloydyn*[44] yn Nhrawsfynydd yn 1419/20 (Rec C). Nodwyd *Llettu Llwyden* yn Llanfor yn 1753, a cheir yr enw *Llwyn Llwydyn* yn Llanuwchllyn hyd heddiw. Mae'r enw *Tyddyn Llwydyn* i'w weld o hyd yng Nghaernarfon hefyd (HEALlE). Mae'n bosib mai rhywun gwelw ei wedd oedd y *Llwydyn* yn hytrach na rhywun penwyn.

Dolorgan

Ar y map OS cyfredol nodir *Dolorgan* a *Pont Dolorgan* i'r dwyrain o Dalsarnau ac i'r de o Landecwyn. Mae elfen gyntaf yr enw, sef *dôl*, yn ddigon cyffredin, ond mae'r ail elfen *organ* yn gryn ddirgelwch. Mae'n amlwg nad yw *organ* yn yr ystyr o offeryn cerdd nac yn yr ystyr o organeb yn gwneud unrhyw synnwyr yma. Yn aml iawn dilynir yr elfen *dôl* gan enw personol, a byddai'n hawdd iawn neidio i'r casgliad mai *Morgan* oedd yn yr ail elfen i gychwyn. Ond rhaid cofio cyngor Syr Ifor Williams – dim dyfalu, rhaid olrhain yr enw yn ôl cyn belled ag y bo modd.

Nid yw'r cyfeiriad cynharaf a welwyd hyd yn hyn o'r enw hwn o lawer o gymorth gan ei fod yn wallus. Yn 1602 cofnodwyd *Dolelloekan* ym mhapurau Maesyneuadd. Yna yn 1626 ceir cyfeiriad at *pant llorkan* yn Llandecwyn (TyB). Tua 1700 nododd Edward Lhuyd y ffurfiau *Dolorkanmawr*

44 Gafael Dafydd ap Llwydyn

117

a *bach*, *Pont Dolorcan* ac *Avon Dôlorkan* yn ei *Parochialia*. Yn 1732 ceir y ffurf *Dolorgen* yn Llawysgrifau Bangor,[45] ac yn yr un flwyddyn ceir *Dolergan* yng nghasgliad Dolfrïog. Mae'n amlwg erbyn hyn nad *Morgan* sydd yn yr ail elfen, ond mae'r elfen honno'n dal i beri penbleth.

Yr enghraifft gyntaf a welwyd hyd yn hyn o'r ffurf *Dolorgan* yw cofnod o 1744 (Dfrïog). Yna daw'r sain *c* a nododd Edward Lhuyd yn ôl yn hytrach na'r *g*. Yn 1765 cofnodwyd *Pont Dol Orcen* a *Pont Dolorken* (CalMerQSR). Ceir un ffurf ryfedd yn RhPDegwm plwyf Llandecwyn yn 1842, sef *Dol or canfawr*, ynghyd â *Dolorcanbach*. Nodwyd *Dolorcan bach* a *Dolorcan fawr* yn y Cyfrifiad yn 1841, ond mae'r *g* yn ôl unwaith eto yn y Cyfrifiad yn 1851 ac 1861, lle ceir *Dolorgan bach* a *Dolorgan fawr*, ac roedd *Dolorgan* hefyd ar fap OS 1838. Gellid tybio fod yr enw bellach yn dechrau ymsefydlogi yn y ffurf *Dolorgan*, ond yng Nghyfrifiad 1881 nodwyd *Dolorcain Bach* a *Dolorcain Fawr*, ac yn 1911 ceir *Dolorcan Fach* a *Dolorcan Fawr*. Mae hyn yn awgrymu mai *c* oedd y sain a glywai'r glust, ond bod yna ryw ysfa i'w 'chywiro' heb ystyried yr ystyr.

Os mai enw personol sydd yn yr ail elfen, beth oedd hwnnw? A ddylid rhannu'r enw yn *dôl* + *Lorcan*, a thybio mai enw personol yw *Lorcan*? Yn sicr, mae'n bodoli fel enw personol Gwyddeleg. A oedd gŵr o'r enw hwn yn byw yn Llandecwyn ganrifoedd yn ôl? Dirgelwch arall.

Dolserau a Serior

Mae *Dolserau*, neu *Dolserau Hall* fel y cyfeirir ato yn aml bellach, yn dŷ solet i'r dwyrain o Ddolgellau oddi ar y ffordd sy'n mynd i'r Bala. Adeiladwyd y tŷ presennol, sydd yn westy yn awr, tua 1860 ar safle tŷ cynharach o ddiwedd yr oesoedd canol. O'r hen dŷ yr ymfudodd Robert Owen y Crynwr i America. Daw'r cyfeiriad cynharaf a welwyd hyd yn hyn o'r flwyddyn 1528 yn y ffurf *Dolserre* (Nannau).

45 Bangor 2053

Nodwyd *Tyddyn dol Serre ysaph* a *Dol Serre Vchaph* yn 1592/3 (AMR); *Dol y sere* yn 1528 a *Doyserrey* yn 1628 (Nannau); *Dolyserre* yn 1656 (Nannau); *Dolliserry* yn 1658 (Pen); *Dôlyserau* yn 1795 (JE/MNW) a *Dol-serau* yn 1838 (Map OS). Cofnodwyd *Dolserey* a *Dolserey ucha* yng Nghyfrifiad 1861, a *Dolserau*, *Dolserau Lodge* a *Dolserau Farm* yng Nghyfrifiad 1901. Erbyn Cyfrifiad 1911 mae *Dolserau* ei hun wedi ymddyrchafu i fod yn *Dolserau Hall*.

Fel y gwelir, mae'r elfen gyntaf, *dôl*, yn ddigyfnewid a'i hystyr yn amlwg, ond ceir cryn amrywiaeth yn sillafiad yr ail elfen. Mae'n hollol bosib mai rhyw enw personol a gollwyd o'r iaith yw'r elfen hon, ond mae'n fwy tebygol mai *seri* sydd yma, ac mai ffurf luosog a welir yn *serau*. Lle wedi ei balmantu â cherrig neu sarn o gerrig i groesi afon yw ystyr *seri* (ELl). Mae Syr Ifor Williams yn nodi *serior* fel ffurf luosog *seri*, ond yn ôl GPC gall *seri* ei hun fod yn ffurf luosog.

Mae *Seriör* yn digwydd fel enw annedd yn Llandrillo ym Meirionnydd a hefyd i'r de o Abergele. Daw'r cyfeiriad cynharaf a welwyd hyd yn hyn at yr annedd yn Llandrillo yn y ffurf *Serior* o'r flwyddyn 1581 (Bach). Yn 1628 ac 1709 cofnodwyd *Tythyn Serior,* ond yn 1708 ceir *Seiriol* (EFD). Fe'i cofnodwyd fel *Plas yn serior* yn 1706 (Col). Y ffurf yn *The Cambrian Register* yn 1795 oedd *Syrior*, a dyma'r ffurf a welir amlaf ar ôl hynny: nodwyd *Sirior otherwise Syrion back* yn 1780 (EFD); *Syrior fawr* a *Syrior bach* sydd yn RhPDegwm yn 1840, *Syrior* yn y Cyfrifiad yn 1851, 1881 ac 1891. *Syrior* yw'r sillafiad arferol heddiw.

Mae'n ddiddorol sylwi ar ddehongliad *The Cambrian Register* o'r enwau *Dolserau* a *Serior.* Cynigir 'the holme of vibrations' yn ystyr i *Dolserau*, ac mae'n anodd deall y rheswm dros hynny. Ar gyfer *Serior*, neu *Syrior*, fel y nodir yr enw yno, cynigir yr ystyr 'the sparkles'. Ar yr olwg gyntaf ymddengys hyn yr un mor rhyfedd, nes inni gofio mai William Owen Pughe oedd golygydd *The Cambrian Register*, ac mai ef yn fwy na thebyg oedd awdur yr adran ar dopograffeg Meirionnydd. Rhaid cyfaddef fod rhyw dinc

Puwaidd i 'holme of vibrations'. Yn ei Eiriadur mae Pughe yn nodi 'spangled' fel ystyr 'serig', ac yn ddiau yr oedd yn tybied mai *sêr*, neu o bosib *sŷr*, sef ffurfiau lluosog *seren*, oedd tarddiad yr enw. Rhaid dweud fod y syniad o 'sarn' yn gwneud gwell synnwyr.

Dôl y Clochydd

Lleolir *Dôl y Clochydd* yn Llanfachreth. Nodir *Dôl-y-clochydd* a *Coed Dôl-y-clochydd* ar y map OS cyfredol. Cofnodwyd *dol y clochydd* yn 1578 a *Dol y Klochydd* yn 1590 (Nannau). Ceir y ffurf *Tyddyn Dole y Clochithe* o'r flwyddyn 1592/3 (AMR). Yn llawysgrifau Nannau nodwyd *Dol y Clochydd* yn 1667 a *Dolyclochydd* yn 1701. *Dol-y-clochydd* sydd ar fap OS 1838. *Dolchochydd* oedd y ffurf yn RhPDegwm Llanfachreth yn 1846.

Sefydlwyd gwaith haearn yma ger afon Mawddach yn 1588, a gellir gweld rhywfaint o olion ffwrnais ar y safle. (Gwy).

Cysylltir annedd *Dôl y Clochydd* ag un o chwedlau'r Tylwyth Teg. Roedd un o weision Nannau yn mynd fin nos i gwrdd â'i gariad a oedd yn forwyn yn Nôl y Clochydd. Crwydrodd oddi ar y llwybr a syrthio i mewn i Lyn Cynwch. Darganfu wlad hud hyfryd o dan y dŵr ac arhosodd yno am awr neu ddwy, fel y tybiai. Yna fe'i hebryngwyd ar hyd llwybr a arweiniodd i garreg aelwyd Dôl y Clochydd lle hysbyswyd ef gan ei gariad ei fod wedi bod ar goll am dros fis (WFB).

Dôl y Glesyn

Enw hyfryd yw hwn ar annedd ger Corwen. Fe'i nodir fel *Dolyglesyn* mewn ewyllys o 1683. *Dol y glessin* oedd y ffurf yn 1720–23 (Rug); *Dole y Glessin* yn 1761 (Rug); *Dol y glessin* yn 1796 (Nannau); *Dolyglesyn* yn RhPDegwm 1839 a *Dol y Glesyn* yng Nghyfrifiad 1851.

Mae'n amlwg fod yma ar un adeg ddôl lle tyfai *glesin*

('borage'). Mae'r *glessin* yn blanhigyn tra defnyddiol ac iddo rinweddau diwretig, neu fe ellir gwneud powltris ohono i drin chwyddiadau llidiog. Gwelir yr un elfen yn enw pentref *Glasinfryn* nid nepell o Fangor. Ceir cyfeiriad at y planhigyn hwn yng Nghanu Llywarch Hen lle disgrifir natur wyllt yn ailfeddiannu aelwyd Rheged. 'Yr aelwyt honn neus cud *glessin*' yw disgrifiad y bardd o'r tyfiant gwyllt sydd bellach yn cuddio neuadd y gyfeddach gynt. 'The holme of the green sward' oedd cyfieithiad crand *The Cambrian Register* o'r enw yn 1795. Nodwyd yr enw *Dolglesyn* hefyd yn RhPDegwm Llanrwst yn 1841.

Dôl y Moch

Mae darnau o adeilad presennol *Plas Dôl y Moch* ger Maentwrog yn dyddio o 1643. Ceir cyfeiriad ato yn 1652 fel *Dole y môch* (Elwes). Cofnodwyd *Dôl y moch* yn 1660 (Nannau). *Dol-y-moch* sydd ar fap OS 1838; *Dolymoch* yn RhPDegwm yn 1842 ac yn y Cyfrifiad yn 1841, 1861 ac 1911. *Plas Dol y Moch* sydd ar y map OS cyfredol. Mae'n anodd gwybod pryd yr ychwanegwyd yr elfen *Plas* at yr enw, ond mae'n rhaid ei fod yn eithaf diweddar. Bellach mae'r plasty yn ganolfan gweithgareddau awyr agored.

Roedd *Dôl y Moch* yn dŷ lle roedd croeso i feirdd a cherddorion. Un o'r noddwyr oedd Siôn Siôns, a oedd yn byw yno pan ganodd Gruffudd Phylip gywydd moliant iddo yn 1643. Mae'r bardd yn cyfeirio at y croeso a geid yno:

> Cerdd dafawd, myfyrdawd maith,
> Cerdd fiwsig cwyraidd fwyswaith.
> Llys raslawn, llawn llawenydd,
> Lle i fawredd o fonedd fydd;
> Llyna blas llawen ei blaid,
> Lle i gynnal llu gweinia[i]d.   (NBM)

Disgrifia sut roedd Siôn wedi gwario ar y tŷ nes ei wneud yn hoff gyrchfan i'r bardd:

Dôl ragorol y'i gwirian,
Dôl y Moch – duwiola' man;
Dôl gostus, adail gwastad,
Dôl glaer i holl adail gwlad,
Gorau caer glaer, lle'i cgair gwledd.
Caer Siôn – cerais ei annedd.   (MyyB)

Dilynwyd Siôn gan ei fab Risiart, a cheir un cywydd
diddorol i Risiart gan Wiliam Phylip. Canu ar ran Edward
Prys, ŵyr Edmwnd Prys, a wna'r bardd i ofyn am rodd bur
anarferol, sef derwen. Ond mae'n esbonio beth fydd yn ei
wneud â'r goeden. Defnyddir rhywfaint ohoni i wneud olwyn
felin ddŵr. Gwyddai'r bardd fod rhinweddau meddygin-
iaethol i'w rhisgl, ei dail a'i mes. O'r gweddill fe wneid hefyd
'goffrau a byrddau fil' (MyyB). Mae'n ffyddiog fod Risiart
mor hael â'i hynafiaid, ac y bydd yn cael ei goeden:

Da fu'ch rhyw, gwiwryw gariad,
Haelion yn rhoi rhoddion rhad:
Dithau, mal dy deidiau da
A gaiff yn hir ei goffa.   (NBM)

Efeidiog

Yn 1326 cofnodwyd ffridd o'r enw *fried de Veidiok* yn
Nhrawsfynydd (AMR). Fe'i gwelir eto yn 1419/20 fel *ffrith y
Veidiog* (Rec.C), ac yn 1563 fel *ffryth Evdyock* (Rec.C.Aug.).
Cofnodwyd *feidiog issa / ucha / ganol* yn 1662 (MHTax). Yn
Adysgrifau'r Esgob ceir cofnod o anheddau *Efeidiog isa* yn
1810 ac 1825 ac *Efeidiog Ucha* yn 1817. Nodwyd *Efeidiog
uchaf, Efeidiog ganol* ac *Efeidiog isaf* yn RhPDegwm 1840.
Fodd bynnag, yng nghofnodion y Cyfrifiad mae problem yn
codi. Ond cyn mynd i'r afael â honno, trown at yr hyn sydd
gan Syr O.M. Edwards i'w ddweud yn *Cartrefi Cymru.* Mae
ar fin ymweld â *Gerddi Bluog*, ac yn sylwi ar y blodau
gwylltion ar y ffordd yno. Meddai, 'Ar hyd y nant gwelem y
feidiog las'. Ffurf gysefin yr enw yw *beidiog.* Fe'i gwelir yn ei
ffurf gysefin yn yr enwau *Pentre-beidiog, Beidiog Isa* a

Beidiog Ucha i'r de o Lansannan yn Sir Ddinbych ac yn *Cefn Beidiog* yn Llangurig yn Nhrefaldwyn. Enw arall ar y planhigyn hwn yw 'Palf y llew', ac yn Saesneg 'Lady's Mantle'. Ond yn ôl William Salesbury, 'ground ivy' yw'r feidiog las (LlS). Ei gyngor ef yw ichi yfed pwysau ceiniog a dimai o'r dail mewn tair ffiol o ddŵr am ddeugain neu hanner cant o ddiwrnodiau i gael gwared o'r 'Sitic', sef gwayw yn y glun. Y glunwst, neu 'sciatica', oedd yr anhwylder hwn, mae'n debyg. Felly, byddai'n blanhigyn a allai fod o gymorth i'r hen drigolion yn Nhrawsfynydd gynt yn oerfel y gaeaf. Ond roedd ganddo rinweddau amrywiol iawn yn nhyb Salesbury, gan yr honnai ei fod yn dda at y clyw ac at haint y nodau, sef y pla.

Mae'n debyg mai'r planhigyn hwn sydd yn enw *Efeidiog*. A barnu oddi wrth y ffurfiau cynnar, y fannod yw'r *E* a dyfodd ar ddechrau *Efeidiog*, a'r hyn sydd gennym mewn gwirionedd yw *Y Feidiog*. Ond am fod O.M. Edwards wedi gweld y feidiog las ym Meirionnydd, ni ddylem gymryd yn ganiataol mai'r planhigyn hwn sydd yn yr enw yn Nhrawsfynydd. Mae yna feidiog lwyd hefyd, sef *Artemisia vulgaris* yn Lladin a 'mugwort' yn Saesneg. Mae William Salesbury yn argymell hwn ar gyfer pob math o anhwylderau merched.

Yn awr, down at y broblem yng nghofnodion y Cyfrifiad. Ni welir unrhyw gyfeiriad yno at *Efeidiog*, ond cofnodwyd *Defeidiog uchaf / ganol / isaf* yn 1841, a *Defaidiog ucha / Ganol / Isaf* yn 1851. Yn 1881 nodwyd *Defeidiog ucha / Ganol*, er y cyfeirir at *Feidiog* wrth ddisgrifio'r ardal dan sylw. Mae'n debyg mai'r ystyr fyddai man lle ceir llawer o ddefaid. Rhaid gofyn a fu ymyrryd bwriadol yma i geisio egluro'r enw am nad oedd *y feidiog* bellach yn enw cyfarwydd. Ond os edrychir ar y cofnodion cynharaf, a dyna oedd cyngor taer Syr Ifor Williams bob tro, fe welir nad oes sôn am ddefaid yn unrhyw gofnod. Mae'n bur amlwg mai planhigyn sydd yn enw *Efeidiog*, a bod llawer ohono yn tyfu yn Nhrawsfynydd ar un adeg. Ategir hyn gan enw arall yn yr un ardal, sef *Waun y Feidiog*. Gwelir yr un elfen yn enw

Bwlch Pen-y-feidiog, fel y'i nodir ar y map OS cyfredol. *Pen Efeidiog* oedd ar fap OS 1838. Dyma'r man uchaf ar hen ffordd y porthmyn rhwng Trawsfynydd a Llanuwchllyn.

Egryn

Mae'r elfen *Egryn* i'w gweld mewn dau leoliad gwahanol ym Meirionnydd. Lleolir pentref *Llanegryn* yn nyffryn afon Dysynni i'r de o Lwyngwril ac i'r gogledd o Dywyn. *Llanegryn* hefyd yw enw'r plwyf. Gwelir yr elfen eto yn enw'r plasty bychan *Egryn* neu *Egryn Abbey* ym mhlwyf Llanaber i'r de o Dal-y-bont yn Ardudwy.

Mae Hywel Wyn Owen a Richard Morgan yn deall yr elfen *Egryn* yn enw *Llanegryn* fel enw personol (DPNW). Roedd yr eglwys wedi ei chysegru i *Egryn* ar un adeg, ac ystyrid mai enw sant ydoedd. Bellach ychwanegwyd enw'r Forwyn Fair ato yn y cysegriad. Roedd Melville Richards hefyd yn credu mai enw personol oedd *Egryn*, ond cyfaddefodd fod yna broblem gyda'r ystyr. Bu'n pendroni dros y rhagddodiad *e–* neu *eg–*, a chyfeiriodd at yr ansoddair *egwan*, lle ceir grym atgyfnerthol i'r rhagddodiad. Cynigiodd y gallai terfyniad yr enw *Egryn* fod yn *gryn* 'gwthio', neu'n *rhyn* 'syth', neu'n *rhyn* 'garw', neu'n *rhyn* 'bryn' (ETG). Yn sicr, fe roddodd ddigon o ddewis inni. Mae'r awgrymiadau hyn i gyd yn ymddangos yn fwy addas ar gyfer enw lle nag enw personol. Yn *The Cambrian Register* yn 1795 cyfieithwyd yr enw *Egryn* fel 'an inclement place'. Mae'n debyg mai'r ansoddair *egr* oedd sail yr awgrym hwnnw. Ond mae'n anodd gweld lleoliad *Egryn* fel man garw neu egr. Yn wir, mae'n llecyn pur ddymunol. Rhaid cyfaddef fod ystyr yr enw yn gryn ddirgelwch.

Ceir cyfeiriad at *Egryn* yn Llanaber yn gynnar yn y bymthegfed ganrif yn y ffurf *Egrin* (Rec.C). Ychydig o amrywiaeth sydd yn y modd y sillafwyd yr enw dros y canrifoedd, heblaw'r pendilio rhwng *i* ac *y*. Cofnodwyd *Eggrin* yn 1697 (Mostyn); *Egryn* yn 1791 (PA); *Egrin* yn

1795 (JE/MNW) ac *Egryn* yn yr un flwyddyn yn *The Cambrian Register*. Yna dechreuir cyfeirio at yr annedd fel *Egryn Abbey*. Dyna oedd ar fap OS 1838 a dyna sydd ar y map OS cyfredol. *Egrin* oedd yn RhPDegwm plwyf Llanaber yn 1839. Yn y Cyfrifiad nodwyd *Egryn* ac *Egryn Abbey* yn 1841; *Egryn Farm* yn 1861; *Egryn Farm* ac *Egryn Abbey* yn 1881, ac *Egryn* yn syml yn 1911.

Rhaid pwysleisio nad oes yma abaty. Mae *Egryn* yn dŷ solet urddasol sy'n dyddio o ail hanner yr unfed ganrif ar bymtheg ar seiliau llawer hŷn. Fe'i disgrifiwyd gan Richard Fenton yn 1808 fel 'a mansion rather above the pitch of a farmhouse' (TW). Rhyw grandrwydd ffug a barodd i rywun ychwanegu'r 'abbey' at yr enw. Fodd bynnag, mae'n wir fod yma gysylltiad eglwysig, oherwydd roedd unwaith yn ysbyty neu loches i deithwyr dan nawdd y Sistersiaid yng Nghymer. Ceir cyfeiriad at yr ysbyty mor gynnar ag 1391 yn y llythyrau Pabaidd, pan ganiateir i Ruffudd ap Llywelyn a'i etifeddion gynnal offeren a gwasanaethau 'in the oratory of the poor hospital of St. Mary the Virgin' (IAMMer).

Mae'r bardd Wiliam Cynwal, a fu farw yn 1587/8, yn cyfarch ei noddwr, Wiliam ap Tudur, ac yn ei glodfori am haelioni ei groeso ar aelwyd *Egryn*:

> Pob cerddor, pawb câi urddas,
> Pe bai wyth blwyf, pawb âi i'th blas.
> Llyna[46] dŵr, lle llawen dyn,
> Lluosowgradd llys Egryn.   (NBM)

Aer Wiliam ap Tudur oedd Huw, a briododd Gwen ferch Rhisiart Fychan o Gorsygedol. Parhaodd y croeso yn *Egryn* yn eu dyddiau hwy.

Roedd *Egryn* yn dal i fod yn aelwyd gyfoethog ei diwylliant yn ail hanner y ddeunawfed ganrif, oherwydd rywbryd cyn 1766 symudodd William Owen Pughe a'i deulu o Dy'n-y-bryn yn Llanfihangel-y-Pennant i *Egryn*. Bryd hynny, byddai William Owen, oherwydd dyna oedd ei enw

---

46 *llyna* = dyna, wele, dacw

gwreiddiol,[47] yn fachgen tua saith oed. Roedd ei dad, John Owen, yn delynor dawnus, ac mae William yn cyfeirio at y nosweithiau llawen a'r anterliwtiau a oedd yn rhan o fywyd *Egryn* yn ystod ei blentyndod (WOP).

Enwau anwes

Enw anwes yw talfyriad o enw personol a ddefnyddir i fynegi anwyldeb neu agosatrwydd. Roedd gan y Cymry lawer mwy o amrywiaeth yn eu henwau anwes ers talwm. Yn yr adran gyffredinol hon bwriwn olwg ar rai o'r enwau anwes a welwyd mewn enwau lleoedd ym Meirionnydd dros y canrifoedd. Mae rhai o'r enwau hyn yn bodoli hyd heddiw, ond mae eraill wedi hen ddiflannu.

Dechreuwn â'r enw *Dafydd*. Heddiw gallem gyfeirio'n annwyl at ŵr o'r enw *Dafydd* fel *Dai*, *Deian* neu *Deio* (neu fel *Dafs*, a bod yn fwy cyfoes), ond yn y gorffennol, gellid cyfeirio ato mewn sawl ffordd arall. Mae Melville Richards yn nodi *Dai*, *Deio*, *Deia*, *Dacyn*, *Deicyn* a *Deicws* fel ffurfiau anwes ar *Dafydd*, tra bo T.J. Morgan a Prys Morgan yn ychwanegu *Dei*, *Deian*, *Deito* a *Deiwyn* at y rhestr (WS). Gellid hefyd grybwyll *Dican*, a welir yn enw *Rhosdican* yng Nghaernarfon. Fodd bynnag, gall yr enw *Richard* esgor ar y ffurfiau anwes *Dickon* a *Dickin*, o leiaf yn y Saesneg. Credai J. Lloyd-Jones mai ffurf anwes ar *Richard* oedd *Dican*, a honnai W.J. Gruffydd yntau mai ffurf fachigol ar *Dic* oedd yma. Fodd bynnag, tueddai Melville Richards i gredu mai ffurf anwes ar *Dafydd* oedd *Dican* fel *Dacyn* a *Deicyn*. Mae ef yn cyfeirio at *Ric*, *Dic*, *Hic* a *Hicyn* fel ffurfiau anwes ar *Richard*, ond dim ond *Rhisierdyn* sydd gan T.J Morgan a Prys Morgan. Er ei bod yn demtasiwn tybio mai bachigyn o *Richard* yw *Deicyn* / *Dican* oherwydd fod yr *c* yn yr enw yn adlewyrchu'r ffurfiau Saesneg *Dick* a *Dickon*, rhaid cofio fod cynnwys *c* mewn ffurfiau anwes lle nad oes *c* yn yr enw

---

47 Mabwysiadodd y cyfenw Pughe yn 1806 o barch i berthynas pell a adawodd stad iddo yn ei ewyllys.

gwreiddiol yn amlwg yn cael ei ddefnyddio yn Gymraeg i greu rhyw ymdeimlad o anwyldeb. Nid *Dafydd* yw'r unig enw i fagu'r *c* anwesol annisgwyl hon. Fel y cawn weld, mae'r enw *Iorwerth* yn esgor ar y ffurfiau *Iocyn*, *Iocws*, *Ioca* ac *Iwca* a'r enw *Hywel* yn rhoi *Hwlcyn* a *Hwlca*.

Pa ffurfiau anwes ar yr enw *Dafydd* a welir yn enwau lleoedd Meirionnydd? Ceir *Bryn Deicws* yng Ngwyddelwern. Nodwyd hwn ambell dro fel *Deicws* a thro arall fel *Dicws* neu *Dicas*. Wrth sôn am *Deicws*, mae'n ddiddorol sylwi ar yr hyn a ddigwyddodd yn Llanfachreth ym Môn lle trodd yr enw *Bwth Dicws* yn *Bytheicws* ar lafar. Yn ôl ym Meirionnydd cofnodwyd annedd o'r enw *Cae Deicyn* yn Llanddwywe, a chaeau o'r enw *Cae Dickin* yn Llanuwchllyn, *Pwll dicin* yng Nghorwen a *Tyddyn Diccin* yn Llanycil. Er nad yw'n hollol amlwg ar yr olwg gyntaf, ffurfiau anwes yr enw *Dafydd* a esgorodd ar y cyfenwau *Dakin* a *Dyas*. Gan ein bod wedi crybwyll yr enw *Richard* efallai y dylid nodi dau gae yn RhPDegwm Llanfihangel-y-traethau, sef *Ffrydd Dick* ac *Allt Dick*, a chae o'r enw *Cae Dick* yn Nhywyn. Nodwyd hefyd *Cae dici* yn RhPDegwm Gwyddelwern.

Cyfeirir at ffurfiau anwes yr enw *Iorwerth* yn fwy manwl wrth drafod *Llwynwcws* isod. *Iwcws* neu *Iocws* yw ffurf anwes *Iorwerth* yn enwau'r anheddau *Llwynwcws* (Llanaber), *Cae Iocws* a *Bryn Iocws* (Tywyn) ac yn enw'r cae a sillefir fel *Drullycws* yn Llanenddwyn. Ffurf arall ar *Iorwerth* a welir yn *Bwlch Iocyn* (Ffestiniog) a *Llwyn Iocyn* (Llanfachreth) ac yn y cae o'r enw *Cae Iocyn* yng Nghorwen. Ceir sawl enghraifft hefyd o'r ffurf *Iolyn*: *Cae Iolyn* (Gwyddelwern); *Coed Iolyn* (Llangywer); *Llwyn Iolyn* (Llanfor); *Pwll Iolyn* (Botalog); a nodir ychydig mwy o fanylion am enwau'r perchenogion yn *Tyddyn Gruffudd ab Iolyn* (Cynwyd), *Tyddyn Ieuan ab Iolyn* (Llanuwchllyn) a *Tyddyn Morfudd ferch Iolyn* yn Llanenddwyn.

Trown yn awr at ffurf anwes fwyaf cyffredin yr enw *Hywel*, sef *Hwlcyn*. Ceir cyfeiriad cynnar at *Gafael Hwlcyn* yn Llanddwywe, at anheddau *Llwynhwlcyn* a *Tyddyn Hwlcyn* yn Llanfair, ac at gae o'r enw *Dalar Hwlcyn* yn

Llandanwg. Esgorodd yr enw *Maredudd* ar y ffurf anwes *Bedo*. Mae annedd *Coed y Bedo* yn Llanfor yn dyddio o'r bymthegfed ganrif (Gwy). Yn yr enw hwn gwelir defnyddio'r fannod o flaen enw personol. Mae'n fwy cyffredin o flaen cyfenwau, yn enwedig rhai anghyfiaith. Ceir cae o'r enw *Cae bedo* yn RhPDegwm Corwen. O'r ffurf anwes *Bedo* y datblygodd y cyfenw *Beddow / Beddoes*.

Un o'r ffurfiau anwes ar yr enw *Madog* yw *Madyn*. Gall y ffurf hon beri problem gyda'r ystyr gan y defnyddid *madyn* gynt i olygu 'llwynog'. Mae Dafydd ap Gwilym yn sôn amdano'i hun yn gwylltio wrth y llwynog wedi iddo dorri ei fwa drud wrth geisio saethu'r anifail: 'Llidiais, nid arswydais hyn, / Arth ofidus, wrth *fadyn*'(CDapG). Mae'n debyg mai enw personol yw'r *Madyn* yn *Bryn Madyn* ym Mrithdir, ond mae ystyr *madyn* yn *Nant Madyn* yn Llanegryn yn fwy ansicr. Ffurf anwes arall ar *Madog* oedd *Mato* neu *Matw*, ac mae'n bosib mai hyn sydd yn enw *Tyddyn Fatw* yng Ngwyddelwern.

Mae'n debyg mai ffurf anwes gymharol ddiweddar ar yr enw *Llywelyn* yw *Llew*. Yn yr oesoedd canol, ffurfiau anwes arferol yr enw oedd *Llel* neu *Llelo*, a gwelir enghreifftiau o'r rhain mewn nifer o enwau lleoedd. Cofnodwyd *Hafoty Llelo* yn Nhywyn. Yn *The Cambrian Register* yn 1795, nodir yr ystyr 'Blockhead's Hall' i *Plas Llelo* ym Metws Gwerfyl Goch. Roedd hyn yn annisgwyl, ond mae GPC yn cydnabod fod *Llelo* yn ffurf anwes ar yr enw Llywelyn, a'i fod hefyd wedi magu'r ystyr ddifrïol o 'hurtyn' (GPC; DWL; WVBD). Fel y dengys yr Athro T.J. a'r Athro Prys Morgan, o'r ffurf *Llelo* y datblygodd y cyfenwau *Lello*, *Flello* a *Flellow* (WS). Ffurfiau anwes yr enw *Gruffudd* yw *Guto* a *Gutyn*. Ar un adeg y ffurf anwes arferol ar lafar oedd *Gruff*, ond yn ddiweddar mae *Guto* wedi dod yn boblogaidd unwaith eto. Nodwyd *Tyddyn John ap Guto* a *Tyddyn Rhys Guto* yn Llanegryn a chae o'r enw *Buarth Guto* yn Llanddwywe. O'r ffurfiau anwes *Gutyn* a *Guto* y datblygodd y cyfenwau *Gittin[g]s* a *Gittoes*.

O'r enw *Goronwy* daw'r ffurfiau anwes *Gronw* a *Grono*.

Ym Meirionnydd cofnodwyd yr anheddau *Bron Ronw* (Ffestiniog); *Cae Gronw* (Llanaber); *Dôl Ronw* (Tal-y-llyn); *Tyddyn Gronw* (Llanddwywe) a'r caeau *Llety Ronw* (Llanddwywe) a *Cae Gronw* (Gwyddelwern). Esgorodd y ffurf anwes hon ar nifer o gyfenwau pur annisgwyl ar y gororau, megis *Gronow*, *Grunnah,* a hyd yn oed *Greenway* a *Greenhouse* (SoW).

Ychydig o olion y merched a geir yn yr enwau anwes, ond mae *Catrin* wedi esgor ar *Cadi*, a nodwyd yn enwau'r caeau *Cae Cadi* (Tywyn), *Cae Coed Cadi* (Llanenddwyn) ac *Erw Gadi* (Gwyddelwern). Gweler yr adran ar *Brondanw* am ddamcaniaeth betrus ynglŷn ag ystyr yr enw hwnnw.

Y Farchynys a Marchlyn

Lleolir *Y Farchynys* yn Y Bontddu rhwng Abermo a Llanelltud. Mae enw sawl annedd yno yn cynnwys yr elfen *Farchynys*. Yn y Cyfrifiad yn 1901, fe'u rhestrwyd fel *Farchynys*, *Farchynys Fach, Farchynys Mansion* a *Farchynys Lodge*. Ar y map OS cyfredol nodir *Farchynys* a *Farchynys Cottage Garden*, ond mae'r 'mansion' yno o hyd, sef tŷ Fictoraidd sydd bellach wedi ymddyrchafu i fod yn *Farchynys Hall*. Daw'r cofnod cynharaf a welwyd o'r enw o 1592 yn y ffurf *Marchinis* (AMR). Nodwyd *Y Farch ynys* yn 1679 (MyN). Yn *The Cambrian Register* yn 1795 ceir *Y Varchynys* ac *Y Varch Ynys Vach*. Ar fap OS 1837 nodwyd *Farch-ynys-fawr,* a cheir *Marchynys fawr* a *March ynysbach* yn RhPDegwm plwyf Llanaber yn 1839. Nid yw'r enw yn unigryw: mae fferm o'r enw *Marchynys* ym Mhenmynydd ym Môn (HEYM).

Beth yw ystyr yr enw? Mae'r elfennau yn amlwg, sef *march* + *ynys*. Gallem ruthro'n dalog i ddweud mai ynys lle trigai rhyw gefftyl sydd yma. Ond mae rhybudd Syr Ifor Williams yn sibrwd yn ein clust unwaith yn rhagor, sef i beidio â chymryd dim byd yn ganiataol wrth ddelio ag enwau lleoedd. Felly, ystyriwn yr *ynys* yn gyntaf. Os edrychwch ar y map ni welwch unrhyw ynys yn yr ystyr o ddarn o dir wei ei amgylchynu gan ddŵr. Nododd Syr Ifor ei hun yr ystyron eraill i *ynys* (ELl). Gall fod yn ddarn ynysig o dir gwyrdd yng nghanol cors, fel ag a geir yn *Y Lasynys.* Gall hefyd gyfeirio at ddôl neu dir gwastad ar fin afon neu ar lan y môr. Mae'n bur debyg mai dyna'r ystyr yma gan fod tiroedd *Y Farchynys* yn ymestyn ar hyd glannau aber afon Mawddach.

Trown yn awr at y *march.* Rhaid ystyried nad oes yma gyfeiriad at unrhyw geffyl, ond fod gennym ystyr lai cyffredin *march* fel rhagddodiad yn golygu 'mawr', fel ag a geir yn enw *Marchwiail* ger Wrecsam, sef gwiail mawr, bras. Fodd bynnag, wedi mynd drwy'r enghreifftiau yn GPC, ymddengys na ddefnyddir y rhagddodiad *march* yn yr ystyr hon ond o bosib mewn enwau planhigion neu greaduriaid. Ceir *marchfieri, marchredyn, marchwellt, marchforgrug* a *marchgacwn.* Mae'r defnydd hwn yn cyfateb yn union i *horse* fel rhagddodiad yn Saesneg yn yr un cyd-destun, mewn geiriau megis *horse-chestnut, horseradish* a *horse-mackerel.* Mae *The Cambrian Register* yn cyfieithu enw *Y Farchynys* fel 'the high island'. Er ei fod yn glynu at ystyr *ynys* fel 'island', mae yma ymgais i roi ystyr heblaw 'ceffyl' i *march.* Gallwn gynnig mai ystyr *Y Farchynys* yw dolydd breision ar lan afon.

Ceir yr un amwyster gyda'r enw *Marchlyn.* Lleolir *Marchlyn* i'r dwyrain o Bennal. Yn archif Melville Richards ceir llu o gyfeiriadau ato o 1510 ymlaen. Nid oes diben eu rhestru i gyd yma, gan nad oes nemor ddim amrywiaeth yn y sillafiad ac eithrio'r pendilio rhwng *Marchlyn* a *Marchllyn.* Mae *The Cambrian Register* yn 1795 yn ei gyfieithu'n ddibetrus fel 'horse pool', a gellid derbyn yr esboniad hwn. Fodd bynnag, yn ardal Llanberis yn Arfon ceir dau lyn, *Marchlyn Mawr* a *Marchlyn Bach.* Mae D. Geraint Lewis yn esbonio'r *march* yn *Marchlyn* yno fel 'mawr' ac yn ei gyfieithu fel 'large lake' (LlE). Efallai fod gennym yn *Marchlyn*, fel yn *Y Farchynys*, enghraifft brin o'r rhagddodiad *march* yn golygu 'mawr' heb ei ddilyn gan enw planhigyn neu greadur. Ar y llaw arall, efallai mai'r ystyr syml yma yw llyn lle roedd ceffylau'n dod i yfed, er y byddai *Llyn y march* yn fwy naturiol.

Gardd Llygad y Dydd

Tŷ yn dyddio'n bennaf o'r ddeunawfed ganrif, o bosib ar sail annedd cynharach o'r unfed ganrif ar bymtheg, yw *Gardd Llygad y Dydd* yn Nanmor. Os edrychir ar y cofnod cynharaf a welwyd ohono, sy'n dyddio o 1561/2, fe welir pam y gellir ei gynnwys yn y gyfrol hon. Yn y cofnod nodir *Gardd lygad ty, t[ownship] Nanmor, comm. Ardydwy* (Dfrïog). Hynny yw, roedd yr annedd hwn ym Meirionnydd ar un adeg. Ceir nifer o gyfeiriadau ato yn yr unfed a'r ail ganrif ar bymtheg, i gyd yng nghasgliad Dolfrïog yn y Llyfrgell Genedlaethol. Nodwyd *Gardd lygad dhuy* yn 1612 a *gardd llygad dhuy* yn 1636. Ceir dau gofnod o 1644, sef *Gardd Llygad Dhuy* a *Gardd llygad dy otherwise gardd llygad Dhvy*. Gan aros gyda llawysgrifau Dolfrïog, gwelir *Garth Lygad dy otherwise Gardd Lygad dy* yn 1655; *Garth Llyged ddu* yn 1732; *Garthllyged ddu* yn 1744 a *Gardd Lugad ddu* yn 1756. Hyd yn hyn nid oes unrhyw gyfeiriad at flodyn *llygad y dydd*.

Symudwn yn awr at gofnodion y Cyfrifiad. Yn 1841 nodwyd *Garddllygaidydd*; yn 1861 y ffurf oedd *Gardd llygaid y dydd* a *Garddllygadydd* yn 1901. Yn y cofnodion cynnar cyfeiriad at 'lygad du' a geir, ond mae'n amlwg fod ymyrryd bwriadol wedi bod rywbryd rhwng 1756 ac 1841. Mae'n amlwg fod y cyfeiriad at y 'llygad du' wedi peri problem, ac yn wir y mae'n anodd ei esbonio.

Mae GPC yn nodi sawl ystyr i *llygad*, gan gynnwys tarddle afon neu ffynnon. Gall hefyd gyfeirio at ryw fath o farc neu smotyn. Ymhle roedd y *llygad*? Yn y pum cofnod cynharaf o gasgliad Dolfrïog elfen gyntaf yr enw yw *gardd*, ac yna ceir enghreifftiau o *garth* ar ddechrau'r enw. Os mai *garth* oedd yma, efallai fod yna ryw fath o farc du ar gefnen o dir. Mae'r hanesydd Nia Powell yn credu mai craig oedd y *llygad.*[48] Roedd chwarel ym *Mhwll Llechog* (sef *Bwlch Llechog* heddiw). Gellir yn hawdd ddychmygu fod rhywun wedi penderfynu cael gwared ar y 'llygad du' amwys a mabwysiadu'r enw bach deniadol *Gardd Llygad y Dydd.*

Ond ceir cymhlethdod pellach. Yn yr adran uchod ar y creaduriaid dof a gwyllt trafodwyd yr elfen *carleg.* Gair Sir Feirionnydd yw hwn am domen neu garnedd o gerrig sy'n lloches i lwynogod, er y gall hefyd olygu darn o dir diffaith. Ceir sawl enghraifft ohono ledled y sir. Yn y cofnod am *carleg* mae GPC yn honni mai llygriad yw *Gardd Llygad y Dydd* o *Y Carleg Du,* 'a yngenir yn *Garlac-tu'.* Gellir derbyn fod sain yr enw ar lafar gwlad o bosib wedi ei lurgunio, oherwydd ar gyfer 4 Mehefin, 1889, ceir cofnod o'r enw ar y ffurf *Carlacdu* yn llyfr cyfrifon Griffith Williams, gof ym Meddgelert.[49] Fodd bynnag, ni ellir derbyn mai llygriad o *Y Carleg Du* yw *Gardd Llygad y Dydd.* Mae'r cofnodion cynnar yn dangos yn eglur nad fu *carleg* erioed yn rhan o'r enw.[50]

Garthiaen

Lleolir *Garthiaen* yn Llandrillo. Mae'n enw ar annedd yn awr, ond enw'r hen drefgordd ydoedd yn wreiddiol. Ceir cyfeiriad at y drefgordd yn 1292–3 yn y ffurf *Carthaen* (MLSR). Cofnodwyd *Carthian* yn 1591 (Rec.C.Aug.). Ond ar ôl hynny, ystyrir mai *garth* yw elfen gyntaf yr enw. Nodwyd *Garthiaen* yn 1610 (PA); *Garthiaine* yn 1650 (Rug) a *Garth Iaen* tua 1700 (Paroch). Cofnodwyd *Garth Iaen* yn 1795, gyda'r cyfieithiad 'the ice Garth' (Camb.Reg). *Garthiain*

48 Magwyd mam Nia Powell yng *Ngardd Llygad y Dydd.*
49 *Fferm a Thyddyn*, Rhif 60, Calan Gaeaf 2017.
50 Dyma farn Nia Powell hefyd. Trafodwyd yr enw gyda hi ar fwy nag un achlysur, ac rwyf yn ddiolchgar iddi am ei sylwadau. Ceir ymdriniaeth hynod fanwl â hanes *Gardd Llygad y Dydd* a'r teuluoedd a fu'n byw yno, wedi ei seilio i raddau helaeth ar wybodaeth a gafwyd gan Nia Powell, ar wefan *Snowdonia Dendrochronology Project.*

sydd ar y map OS yn 1838 a *Garthiân* yn 1982. Yn y Cyfrifiad nodwyd *Garthiaen* yn 1841, 1881 ac 1901.

Elfennau'r enw yw *garth* + *iaen*. Mae'n debyg mai *garth* yn yr ystyr o gefnen sydd yma, yn enwedig gan fod annedd cyfagos o'r enw *Llechwedd*. Ceir dau esboniad o'r ail elfen *iaen* gan R.J. Thomas (EANC). Wrth drafod yr enw *Iaen* ar nant fechan sy'n llifo drwy *Gwm Iaen* i Ronđda Fawr ym Morgannwg, ac *afon Iaen* sy'n codi i'r gogledd-ddwyrain o Dalerddig ac yn llifo trwy *Lyn Iaen* i afon Twymyn i'r gogledd o Lanbrynmair, mae ef yn dehongli *iaen* fel 'darn o ia'. Tybiai mai'r gwahaniaeth yn nhymheredd y ddwy afon *Iaen* a *Twymyn* a roes iddynt eu henwau. Dywed fod cwrs *Twymyn* yn llygad yr haul a chwrs *Iaen* yng nghil haul. Gallai'r enw *Garthiaen* hefyd awgrymu cefnen o dir na châi lawer o haul.

Fodd bynnag, yn achos yr enw *Garthiaen*, mae R.J. Thomas yn deall yr elfen *Iaen* fel enw personol, gan seilio ei ddamcaniaeth ar yr enwau a restrir ymhlith gwŷr llys Arthur yn chwedl Culhwch ac Olwen. Ceir nifer ohonynt: Teregud mab Iaen a Sulien mab Iaen, ynghyd â Bradwen, Moren, Siawn a Caradog. Dywedir eu bod i gyd yn feibion i Iaen, eu bod yn dod o Gaer Dathyl ac yn perthyn i Arthur ar ochr ei dad, cyfeiriad cartrefol a nodweddiadol Gymreig. Mae'n anodd deall pam y dewisodd R.J. Thomas ddehongli'r enw *Garthiaen* fel cefnen yn perthyn i ŵr o'r enw *Iaen*, yn hytrach na chefnen oerllyd fel y gwnaeth gyda'r afonydd. Ond efallai fod arno eisiau ein hatgoffa fod *Iaen* wedi ei gofnodi hefyd fel enw personol.

Garthmaelan

Tŷ o'r ddeunawfed ganrif ar seiliau o'r unfed ganrif ar bymtheg ychydig i'r dwyrain o Ddolgellau yw *Garthmaelan*. Mae'r enw yn mynd yn ôl ymhellach o lawer gan mai *Garthmaelan* oedd enw'r hen drefgordd. Ni fu llawer o amrywiaeth yn y sillafiad dros y canrifoedd. Ambell dro fe'i ceir fel dau air, *Garth Maelan*: dyna oedd yn RhPDegwm yn

1838. Fel arall, mae ffurf yr enw yn pendilio rhwng *Garthmaelan* a *Garthmaylan*. Daw'r cofnod cynharaf a welyd o 1292–3 (MLSR). Yno ceir *Garthmaelan* a *Garthmaylan*. Yn 1419–20 nodwyd *Garthmaelan* (Rec.C). Cofnodwyd *Garthmaelan* yn 1593 ac 1600 (Nannau); yn 1743 (CalMerQSR); yn 1795 ar fap John Evans ac ar y map OS cyfredol. *Garthmaylan* oedd y ffurf ym mhapurau Nannau yn 1513, 1549, 1600, 1622 ac 1647.

Nid nepell o *Garthmaelan* saif annedd *Cefnmaelan*. Cofnodwyd *Kevengarthmaylan* rhwng 1564 ac 1616 (Drhyd). Nodwyd *Cefen Mailen* yn 1737 (Mostyn); *Cefnmailan* yn 1761 (Penrhyn) a *Cefnmaelan* yn 1837 (RhPDegwm). *Cefn-maelan* oedd ar fap OS 1837 a dyna sydd ar y map OS cyfredol.

Elfennau'r enw *Garthmaelan* yw *garth* + yr enw personol *Maelan*. Mae dwy ystyr i *garth*: naill ai 'cefnen, pentir o fryn neu fynydd; gallt' neu 'gae amgaeedig, iard neu gwrt'. Efallai y byddai'r ystyr o ddarn o dir yn fwy naturiol na iard neu gwrt gydag enw personol. Mae'n bosib mai'r un ystyr, sef 'cefnen', sydd i'r elfen gyntaf yn *Cefnmaelan*, ond rhaid ystyried y gallai gyfeirio yno at safle *Cefnmaelan* mewn perthynas â *Garthmaelan*, o gofio'r enw *Kevengarthmaylan*.

Ceir *mael* fel elfen mewn enw personol yn Gymraeg, mewn enw gwrywaidd fel rheol, e.e. *Maelgwn*, *Maelog*, *Maelwas*, yn yr ystyr o bennaeth neu dywysog, ac mae'n bosib mai enw benywaidd ar yr un patrwm sydd yn *Maelan*. Mae'n elfen a welir mewn mannau eraill yng Nghymru: yn wir, ceir yr enw *Garthmaelan* hefyd yn Nhrefeglwys i'r gogledd o Lanidloes ym Mhowys, ac mae *Rhosmaelan* yn Llandwrog yn Arfon. Yn sicr, mae *Mael* a *Maelan* yn enwau personol gwrywaidd yn Llydaw a cheir *Maelan* a *Maelen* yno hefyd fel enwau personol benywaidd, eto gyda'r ystyr o dywysog neu dywysoges.

Gelli Iorwerth / Plas Captain

Dau enw ar yr un lle yw *Gelli Iorwerth* a *Plas Captain*. Mae'r annedd hwn i'r de o Drawsfynydd. *Celli Iorwerth* oedd yr enw gwreiddiol, a dyna sut y cofnodwyd ef sawl gwaith yn yr ail ganrif ar bymtheg, ond fel *Gelli Iorwerth* y clywid yr enw ar lafar. Ym mhapurau Peniarth cofnodwyd *Kellie Yerwerth* yn 1636; *Kelly Yerworth* yn 1653, 1654, 1656 ac 1678/9; *Kelly Ierwarth* yn 1684 a *Gelly Gerweth* yn 1710. Ystyr yr enw yw *celli*, sef coedlan neu glwstwr o goed, + yr enw personol *Iorwerth*.

Daw mwyafrif y cofnodion hyn o ganol yr ail ganrif ar bymtheg. Dyma gyfnod y Rhyfel Cartref, ac mae'r amser cythryblus hwnnw yn effeithio'n uniongyrchol ar newid enw'r annedd yn Nhrawsfynydd. Tenant *Gelli Iorwerth* cyn y Rhyfel oedd John neu Siôn Morgan. Roedd ganddo fab o'r un enw. Daeth y mab yn gapten yn y fyddin ar ochr y Brenhinwyr yn ystod y Rhyfel. Yn ôl y traddodiad lleol, cafodd y Capten ei erlid gan filwyr Cromwell a bu'n rhaid iddo ymguddio rhagddynt mewn ogof.[51] Fe'i hymgeleddwyd gan wraig fferm Wern Gron. Dywed rhai fersiynau o'r hanes fod gwŷr Cromwell wedi ei ddal a'i saethu.[52] Mae'n wir fod Siôn Morgan wedi dioddef yn arw oherwydd ei ymlyniad wrth y brenin. Bu'n rhaid iddo dalu dirywon trwm a gwerthodd bron y cwbl o'i diroedd i'w talu (NBM). Ceir peth o'i hanes mewn cywydd a ganwyd gan Siôn, mab Rowland Vaughan, yn 1668, gryn dipyn o amser ar ôl diwedd y Rhyfel. Yn wir, erbyn hyn roedd Siarl II wedi ei adfer i'r orsedd.

Mae'r cywydd yn ailadrodd yr hanes am y Capten yn ffoi rhag ei elynion:

---

51 Gweler yr adran ar 'Brynmaenllwyd' ar wefan y *North West Wales Dendrochronology Project.*
52 Les Darbyshire, 'Ffermydd Bro Ffestiniog', *Llafar Bro*, Mehefin 2018.

A chrwydro, gwibio trwy'r gwŷdd,
Dros fannau i Drawsfynydd
A llechu o fewn lloches
Tan y tŷ hyd tywyn tes.   (NBM)

Fodd bynnag, mae'r bardd yn diweddu'r hanes mewn ffordd lawer hapusach. Daeth yr Adferiad, ac yn ôl pob golwg, mae Siôn yn fyw ac yn iach ac yn byw yn Nhrawsfynydd:

Pan aeth ei hybaeth[53] heibio
A'i iawnlin Frenin i'w fro,
Y gŵr mwyn âi yn gawr mawr
Ac yn hwsmon cynhwysmawr.   (NBM)

Beth bynnag fu tynged y Capten yn y diwedd, roedd yr hanesion amdano wedi ei wneud yn ddigon adnabyddus yn yr ardal i beri newid enw *Gelli Iorwerth* i *Plas Captain* i'w goffáu. Serch hynny, nid yw'r newid yn digwydd ar unwaith. Nodwyd *Plas y Captain* yn 1771 (Pen), ond mae'n amlwg mai dal i ymgynefino â'r enw newydd yr oedd y cofnodwyr, oherwydd yn 1799 ceir *Gell[y] Yerwerth o[therwise] Plas y Captain* (Ygn). Mae'r enw newydd wedi ymsefydlu erbyn 1850 pan gofnodwyd *Cell yerwith now called Plas Captain* (Ygn). Ategir hyn gan gofnodion eraill: *Plâs Captain* ar fap OS 1838; *Plas Captain* yn RhPDegwm plwyf Trawsfynydd yn 1840; *Plascaptain* yn y Cyfrifiad yn 1851, 1871, 1891 ac 1911. *Plâs Capten* sydd ar y map OS cyfredol. Ni wyddom pwy oedd yr Iorwerth oedd biau'r gelli, ond o leiaf darganfuwyd rhywfaint o hanes y capten oedd biau'r plas.

Gerddi Bluog

Lleolir *Gerddi Bluog* mewn llecyn diarffordd i'r dwyrain o Harlech. Ar un adeg credid mai hwn oedd cartref Edmwnd Prys, y bardd ac Archddiacon Meirionnydd (1544–1623). Dros y blynyddoedd ymlwybrodd llawer o edmygwyr awdur

53 *hybaeth* = ataliad, rhwystr, llesteiriad

y *Salmau Cân* yno i dalu gwrogaeth iddo. Fodd bynnag, dywedodd Bob Owen, Croesor, yn ei ffordd ddihafal ei hun, 'nad yw teithio yn llafurus i Gerddi Bluog o dan rith gogoneddu Edmwnd Prys ond gwastraff amser'.[54] Credir bellach na fu Edmwnd Prys erioed yn byw yno, er bod Morgan, ei fab o'i ail wraig, wedi ymgartrefu yno ar ôl priodi. Ganwyd mab o'r enw Edward i Morgan a'i wraig. Mewn cywydd gofyn mae'r bardd Wiliam Phylip yn olrhain ach Edward hyd at ei daid, Edmwnd Prys:

> Edward Prys yw'r hysbys hydd,
> Gywir glod, a gâr gwledydd,
> Fab Forgan Prys, felys fawl,
> Fu'n y byd fyw'n wybodawl;
> ŵyr Edmwnt, diamwnt dysg,
> Prys, Fyrddin parhaus fawrddysg.   (MyyB)

O.M Edwards oedd yn gyfrifol i raddau helaeth am wreiddio'r syniad o gysylltiad Edmwnd Prys â *Gerddi Bluog* yn ymwybyddiaeth y Cymry, gan iddo sôn am ei ymweliad â'r tŷ yn ei lyfr poblogaidd *Cartrefi Cymru*. Mae'n disgrifio ei daith yno a'r wefr a gafodd wrth weld, fel y tybiai, gloc a phren gwely Edmwnd Prys.

Y gwir amdani yw na wyddom i sicrwydd ymhle y ganwyd yr Archddiacon. Awgrymwyd mai yn Nhyddyn Du ger Gellilydan y'i ganwyd: enwyd ysgol gynradd y pentref hwnnw ar ei ôl. Awgrym arall yw mai'r Gydros ym mhlwyf Llanfor oedd man ei eni. Cred yr Athro Gruffydd Aled Williams nad oedd Edmwnd Prys yn frodor o Feirionnydd o gwbl, ond mai un o Lanrwst ydoedd.[55]

Fodd bynnag, mae yna ddirgelwch arall yn y *Gerddi Bluog*, sef ffurf yr enw ei hun. Enw lluosog yw *Gerddi*, felly pam y ceir treiglad meddal ar ddechrau'r ail elfen? *Gerddi Pluog* fyddai'r ffurf gywir os mai'r ansoddair yn golygu 'llawn plu' sydd yma. Aeth *The Cambrian Register* yn 1795

54 *Y Cymro*, 2 Gorffennaf 1954.
55 CCHChSF, Cyf. VIII, 1977–80.

mor bell â'i 'gywiro' a nodi 'Gerddi Pluog, the feathery gardens'. Ond, fel arall, ni waeth pa ffynhonnell yr edrychwn arni, yr un yw'r ffurf, sef gyda'r treiglad meddal ar ddechrau'r ail elfen. Nodwyd *Y Gerddi Bluog* yn 1569/70 a *Gerddi Blyawg* yn 1588 (MyN). Byddai hyn yn amser Edmwnd Prys ei hun. Ym mhapurau Crafnant a Gerddi Bluog ceir *Gerddi Bluog* yn 1602, 1633, 1686/7 ac 1710. Nodwyd y sillafiad gwallus *Gerthy bliog* yn 1743, ond mae'r treiglad yno o hyd. Mae ym mhob cofnod: *Gerddibluog* yn RhPDegwm plwyf Llanfair yn 1839; *Gerddi-bluog* ar fap OS 1838, a *Gerddi Bluog* ar y map OS cyfredol.

Gyda'r fath nifer o enghreifftiau o'r un ffurf, a hynny'n mynd yn ôl ryw bedwar cant a hanner o flynyddoedd, byddai'n hawdd anobeithio ynghylch medru dod at esboniad o'r treiglad. Ond mae rhywfaint o ymwared wrth law, a hynny unwaith eto drwy ysgolheictod rhyfeddol Syr Ifor Williams.[56] Wrth ddarllen drwy Stent Meirionnydd o 1419–20 yn *The Record of Caernarvon* gwelodd yr Athro y cofnod rhyfedd 'Caer y thvbluog'. Yn sicr, ni fyddai neb llai craff na Syr Ifor wedi amau beth oedd yr enw hwn. Deallodd ef yr enw fel 'Caer y ddu bluog'. Gallai'r ffurf hon ar lafar droi'n 'y gaer ddu bluog' > 'y gerddi bluog'. Ond ymwared rhannol sydd yma, gan na wyddai Syr Ifor beth oedd 'y ddu bluog'. Ai planhigyn sydd yma, neu aderyn efallai? Mae'r dirgelwch yn parhau, ond o leiaf mae'n bosib ein bod wedi cael esboniad am y treiglad ar ddechrau'r ail elfen.

Glyn Cywarch

Ar ddechrau Gweledigaeth Angau mae Ellis Wynne yn disgrifio sut y daeth Cwsg a Hunllef i'w hebrwng at Angau ar 'ryw hirnos gaea' dduoer, pan oedd hi'n llawer twymach yng nghegin Glyn Cywarch nag ar ben Cadair Idris' (GBC). Ble roedd y gegin gysurus hon? Mae *Glyn Cywarch* yn dŷ urddasol i'r de o Dalsarnau ac i'r gorllewin o Eisingrug.

56 BBGC, XI, 1944.

Dyma gartref cangen o'r Wynniaid a oedd yn olrhain eu tras i Osbwrn Wyddel yn y drydedd ganrif ar ddeg. Adeiladwyd *Glyn Cywarch* gan William Wynn yn nechrau'r ail ganrif ar bymtheg (Gwy). Byddai Ellis Wynne yn hollol gyfarwydd â'r tŷ gan fod ei dad, Edward Wynne, yn un o deulu *Glyn Cywarch*, ac ef ei hun yn byw nid nepell i ffwrdd yn *Y Lasynys*.

Roedd *Glyn Cywarch* yn un o hoff gyrchfannau'r beirdd a cheir cryn nifer o gerddi i'r teulu. Mae Huw Machno (*fl.c.* 1585–1637) yn canmol y croeso hael a gâi'r beirdd yn y Glyn, ac ym Maesyneuadd cyn hynny, gan Morys Wynn o'r Glyn a'i wraig Annes o Lecheiddior yn ei farwnad i Annes:

> Yno i fil rhôi iawn faeth,
> Yn y Glyn enwog luniaeth,
> A da oll, hynod allu,
> Ddoe i Faesyneuoedd fu.   (NBM),

Gwariodd eu mab, William, a oedd yn Siryf Meirionnydd yn 1618, yn helaeth ar y tŷ, fel y dywed Siôn Phylip:

> Gweriaist ti – oes gŵr sad ail? –
> Gisteidiau ar gost adail.   (NBM)

Esgorodd yr holl wario ar blas hynod o foethus a hardd, fel y tystia Siôn Phylip:

> Tŷ galawnt teg a welir,
> Tŷ cain teg, y teca'n y tir. (NBM)

Parhaodd y nawdd i'r beirdd yn nyddiau Robert, mab William, ac yn nyddiau Owain, ei fab yntau. Aeres Owain oedd Marged, a briododd Syr Robert Owen o Glenennau yn 1683. Ar ôl marwolaeth ei gŵr dychwelodd Marged i'w hen gartref ac ailsefydu'r arfer o groesawu'r beirdd i'r Glyn, fel y canodd y bardd Ellis Rowland:

> Egorwyd pyrth ebyrth aur
> Llei rhoddwyd llawer rhuddaur,
> Eu cau ennyd acw unawr
> Oedd chwith, llei bu fendith fawr. (NBM)

Er mai *Glyn Cywarch* yw enw llawn y tŷ, anaml y gwelir cyfeirio ato â'r enw llawn. Cofnodwyd *Y Glynn* mor gynnar ag 1610/11, a cheir *Glynne* yn 1685 (Brog). *Y Glyn* sydd yn *The Cambrian Register* yn 1795, wedi ei gyfieithu'n syml fel 'the Vale'. Ond nodwyd *Glyn-cywarch* ar fap OS 1838, a *Glyn-Cywarch* sydd ar y map OS cyfredol. *Glynn demesne* oedd yn RhPDegwm plwyf Llanfihangel-y-traethau yn 1841. Yn y Cyfrifiad cofnodwyd *Glynn* yn 1841; *Glynn Farm* a *Glynn Hall* yn 1861; *Glynn* a *Glynn Cottage* yn 1881 a *Glynn Hall* yn 1901. Fodd bynnag, yn 1911 ceir *Glyn Cywarch* a *Glyn Cottage*. Y perchennog bryd hynny oedd yr Arglwydd Harlech.

Mae ystyr yr enw yn ddigon amlwg, sef *glyn + cywarch*. Mae GPC yn diffinio 'glyn' yn bur fanwl fel pantle hir a chul rhwng bryniau neu fynyddoedd, yn aml gydag afon yn rhedeg drwyddo. Dywed ei fod yn gulach na dyffryn a'i ochrau yn fwy serth. Trafodwyd *cywarch* yn yr adran am y cnydau uchod. Mae'n blanhigyn tra defnyddiol gan ei fod yn cynhyrchu math o edafedd a ddefnyddid i wneud hwyliau, bagiau cryfion a rhaffau. Ceir olew o'r hadau, a defnyddid y bonion a'r gwastraff gynt fel gwasarn i anifeiliaid y fferm.

Gob

Nodyn byr yw hwn ar enw bach anghyffredin a gofnodwyd ar annedd i'r gogledd o bentref Llandderfel. Fe'i nodwyd fel *Gob* yn RhPDegwm plwyf Llandderfel yn 1838; yn y Cyfrifiad yn 1841, 1861, 1871 ac 1891, ac ar fap OS 6" 1888–1913. Yr unig ffurf wahanol a welwyd yw *Y Gòb* yn y Cyfrifiad yn 1851.

Mae hwn yn enw mor syml fel na fedrodd y llurguniwr mwyaf pybyr ei newid. Yn ôl GPC benthyciad yw *gob* o'r gair Saesneg *gob*, term a ddefnyddid mewn pyllau glo am wythïen wag. Gallai hefyd olygu lle gwag a lenwir ag ysbwriel i atal cwymp ar ôl tynnu'r glo allan. Ond mae iddo ystyr arall fwy cyffredinol, ac mae'n debyg mai dyma'r ystyr yn yr annedd yn Llandderfel, sef bryncyn, codiad tir neu

140

bentwr. Cyfeiria GPC hefyd at *Pen-y-gob*, fferm ym mhlwyf Llangwm yn Sir Ddinbych.

Goetre

Mae *Goetre* yn enw a welir ym mhob rhan o Gymru. Ceir *Goetre Uchaf* a *Goetre Isaf* i'r gogledd-ddwyrain o Abermo, ond yma edrychwn ar yr annedd o'r enw hwn yn Y Ganllwyd. Mae'n debyg mai'r un lle yw'r *Goetre* a gofnodwyd yn Llanelltud yn 1699 ym mhapurau Nannau, gan fod Y Ganllwyd ym mhlwyf Llanelltud. *Goetre* yw'r ffurf a gofnodwyd gan Edward Lhuyd hefyd tua 1700 (Paroch). Nodwyd *Goidre* yn 1743 (CalMerQSR). Mae'r ffurf ar fap OS 1838 yn ddiddorol, sef *Coedtref.* Y ffurf yn RhPDegwm 1843 yw *Goetref.* Nodwyd *Goitref* yng Nghyfrifiad 1841, ond yn 1871 cawn y ffurf naturiol lafar *Goetra*. Yng Nghyfrifiad 1911 ac ar y map OS cyfredol ceir *Goetre.*

Roedd map OS 1838 wedi datgelu ystyr yr enw. Yr hyn sydd gennym yma yw *Y Goedtref*, ond fod y fannod wedi diflannu, gan adael y treiglad ar ôl ar ddechrau'r enw. Pe baech yn edrych yn GPC fe welech yr enw benywaidd *coetref*, gyda'r ystyr o dyddyn neu drigfan yn y coed. *Coed* + *tref* yw elfennau'r enw, ond beth yw ystyr *tref* yn y cyswllt hwn? Ystyr wreiddiol *tref* oedd fferm neu annedd unigol, a dyna sydd yn *cartref* ac *adref.* Fe glywir yr ymadrodd 'mynd tua thre' am fynd adref yn ne Cymru. Datblygiad diweddarach oedd defnyddio *tref* yn yr ystyr o 'town'. Felly, ystyr *Goetre* yw'r annedd yn y coed.

Gogarth

Fel rheol byddem yn cysylltu'r enw *Gogarth* ag ardal Llandudno, gan mai enw Cymraeg *The Great Orme* yw *Y Gogarth*, a *Penygogarth* yw *Great Orme's Head*. Ond mae yna le o'r enw *Gogarth* ym Meirionnydd hefyd, i'r dwyrain o Aberdyfi ac i'r de o Bennal. Ceir cofnod o'r enw yn y fan hon tua 1592 yn y ffurfiau *gogart* a *morva gogaerth* (AMR).

Nodwyd y ffurf *Gogerth* yn 1743 (CalMerQSR). Yn 1795 cofnodwyd *Y Gogarth* fel enw fferm yn *The Cambrian Register*. Fe'i nodwyd fel *Gogarth* yn yr un flwyddyn ar fap John Evans o ogledd Cymru ac ar fap OS 1837. *Gogarth* sydd yn RhPDegwm plwyf Tywyn yn 1838 ac yn y Cyfrifiad yn 1841, ond erbyn Cyfrifiad 1901 nodir *Gogarth Farm* a *Gogarth Hall*. Ar y map OS cyfredol nodir *Gogarth* a *Coed Gogarth*. Mae *Gogarth Hall* yn awr yn westy.

Bu sawl ymgais ryfedd i esbonio'r enw. Aeth *The Cambrian Register* ar ddisberod yn waeth nag arfer drwy ddehongli'r enw fel *gog* + *garth* a'i gyfieithu fel *the Cuckoo's Garth*. Esboniad un awdur yn *Ystyron Enwau* yw *go* = *bychan* + *garth*, neu *gwyddgarth*, sef *gwydd* (coed) + *garth* yn golygu 'amddiffynfa yn y coed'. Awgrym un o'r traethodau eraill yw 'lle braidd yn garthog'. Roedd y trydydd yn anghywir, ond roedd ei awgrym yn gallach, sef *Garth* = 'penrhyn, pentir'. Yr elfen *garth* oedd y maen tramgwydd, ond mewn gwirionedd nid yw *garth* yn rhan o'r enw o gwbl. Dangosodd Syr Ifor Williams mai *Gogerdd* oedd y ffurf wreiddiol (ELl). Ystyr y *cerdd* yma yw rhyw fath o stepen neu ris. Mae'r *go* yn awgrymu mai stepen fechan oedd hi. Y syniad yw glan neu rhyw fath o godiad bychan yn y tir. Ond roedd y gair *garth* yn llawer mwy cyfarwydd a daethpwyd i dybio mai *garth* oedd yr ail elfen. Ffurf fachigol *Gogerdd* yw *Gogerddan*. Mae hwn yn enw ar blasty sydd ar lan afon ger Aberystwyth.

Gorsedd

I ni heddiw prif ystyr y gair *gorsedd* yw cadair grand y mae brenin neu frenhines yn eistedd arni ar achlysur seremonïol. Wrth gwrs, os ydych yn eisteddfodwr bydd gan 'yr Orsedd' ystyr arall ichwi, sef cynulliad y beirdd, y cerddorion a chymwynaswyr y genedl yn nefodau'r ŵyl. Mae defnydd y gair *gorsedd* i gyfeirio at gynulliad yn adlewyrchu ei ystyr gynharaf, gan fod tystiolaeth ohono yn golygu llys barn yng nghyfreithiau Hywel Dda. Ond ni thâl yr ystyr hon mewn enwau caeau, nac ychwaith yr ystyr o orseddfainc frenhinol, gan mai go brin fod dim byd felly mewn cae yng nghefn gwlad Meirionnydd. Rhaid troi at ystyr arall eto, un nas defnyddir bellach, sef tomen neu fryncyn. Gwelir yr ystyr hon yn y Mabinogi. Ar fryncyn, sef *Gorsedd Arberth*, yr eisteddai Pwyll pan welodd Riannon am y tro cyntaf. A dyma'r ystyr mewn enwau lleoedd, sef bryncyn neu boncen.

Cofnodwyd annedd *Orsedd lâs* yn RhPDegwm plwyf Trawsfynydd yn 1840. Fe'i nodwyd fel un gair, *Orseddlas*, yn y Cyfrifiad yn 1841 ac 1911, ond ni wyddys a oedd hyn yn adlewyrchu unrhyw newid wrth acennu'r enw. Mae yno hyd heddiw i'r de-orllewin o Fronaber. *Orsedd-lâs* hefyd sydd ar y map OS cyfredol. Nodwyd annedd o'r enw *Orsedd* yn RhPDegwm plwyf Betws Gwerful Goch yn 1844. Mae yng Nghyfrifiad 1861 hefyd. Ceir cofnod o anheddau o'r enw *Bryn yr Orsedd* yn Nhywyn, Llanuwchllyn a Ffestiniog. Cofnodwyd *bryn yr orseth* yn Ffestiniog yn 1527 (Elwes). Roedd yna annedd o'r enw *Tyddyn Duy Ymryn yr Orsedd* yn Llanegryn yn 1689 (Pen), a cheir *Cae gwyn bryn yr orsedd* yno yn RhPDegwm yn 1841. Cofnodwyd annedd o'r enw *Orsedd* ym Metws Gwerful Goch yn RhPDegwm. Ceir yr elfen yn ei ffurf luosog *Gorseddau* i'r gogledd o Fron-goch. Nodwyd y caeau a ganlyn hefyd yn RhPDegwm: *Erw r orsedd* (Corwen); *Penyr orsedd* [sic] (Llandanwg); *Cae'r Orsedd* (Llanycil); *Yr Orsedd* (Tywyn); *Cae'r orsedd uchaf / isaf* a *Bryn yr orsedd* (Trawsfynydd) a *Dol Gorsedde* (Llandderfel).

Gwaith a diwydiant

Un o'r agweddau mwyaf diddorol a gwerthfawr ar enwau lleoedd yw'r cipolwg a roddant ar waith y bobl. Gallant ddweud llawer am yr economi, am natur y tir, ac am fywyd beunyddiol ein hynafiaid. Dynion yw mwyafrif y crefftwyr a nodir yn yr enwau, ac mae hyn braidd yn annheg, gan fod yna wniadwragedd, gwehyddesau a golchwragedd a oedd yn ddiau yn llafurio'r un mor galed. Dechreuwn ym more oes. Yr oedd yna un swyddogaeth a oedd yn briod waith i'r wraig, sef gwaith y famaeth. Y term Saesneg yw 'wet nurse': byddai hon yn cymryd plentyn gwraig arall i'w fwydo o'r fron neu hyd yn oed i'w fagu. Mewn oes pan amddifadwyd babanod yn aml o'u mamau ar eu genedigaeth, yr oedd y famaeth yn anhepgor. Ceir cyfeiriad at *Tyddyn y famedd* yn Llandrillo yn 1740 (AMR). *Tyddyn-famaeth* sydd ar fap OS 1838; *Tyddyn fammaeth* yn RhPDegwm 1840 a *Tyddyn -y-fameth* yng Nghyfrifiad 1841. Roedd yn ddiddorol sylwi ar enw dau frawd a oedd o flaen eu gwell yn y llys ym Mawddwy yn 1415–16, sef 'Eignon ap Cadogan ap y Vamath' a 'Dauid ap Cadogan ap y Vameth'.[57]

Yn fuan iawn mae'r plentyn yn camu allan i'r byd a rhaid ymorol am ddillad a bwyd iddo. Un o'r crefftwyr a welir yn aml mewn enwau lleoedd yw'r crydd. Cofnodwyd *Gwerglodd pwll y Krydd* yn Llanaber yn 1631 (MyN). Nodwyd *Pont y Crudd* yn Nhalsarnau ar fap John Evans o ogledd Cymru yn 1795. Roedd cae o'r enw *Carreg y Crydd* yn Llanfihangel-y-traethau yn RhPDegwm 1842 a chawn wybod enw un crydd yn *Erw Hugh Crydd* yn RhPDegwm Llandrillo yn 1840.

Roedd y lledr eisoes wedi cael ei drin yn drylwyr cyn cyrraedd y crydd. Prin yw'r cyfeiriadau at y *barcer* mewn enwau lleoedd, er bod *Maes y Barcer* yn fyw hyd heddiw yng Nghaernarfon. Mae gweithdy'r barcer wedi ei gofnodi'n amlach o lawer. Cofnodwyd y caeau a ganlyn ym Meirionnydd yn RhPDegwm: *Cae barcty* (Corwen); *Llain Tanhouse* a *Ddol dan y Tanhouse* (Pennal) ac *Erw Tanhouse* (Llandderfel). Gwaith y *barcer* oedd trin lledr trwy ei drochi yn gyntaf mewn pwll calch i gael gwared o'r blew cyn ei fwydo mewn trwyth o ddŵr oer a rhisgl. Y rhisgl hwn *(bark)* a roddodd y gair *barker* yn Saesneg a benthyciwyd hwnnw wedyn gennym ni.

Rhaid troi at y gwehydd am ddillad a defnyddiau i'r

57 Keith Williams-Jones, 'A Mawddwy Court Roll, 1415–16', BBGC, XXIII, Rhan IV, Mai 1970.

cartref. Mae'r elfen *gwehydd* yn gallu bod yn broblem.Y ffurf a welir yn aml yw *gwydd*. Nid yw'n hawdd penderfynu pa ystyr i'w rhoi i'r *gwydd* hwn pan welir yr elfen mewn enw mor amwys â *Cae gwydd*, gan nad oedd croniclwyr y cofnodion yn poeni'n ormodol am acenion. Gallai fod yn *gûydd* = aderyn; *gwŷdd* = coed; *gwŷdd* = gwehydd; neu hyd yn oed *gwŷdd* = ffrâm y gwehydd, er bod yr olaf yn annhebygol. Gwelwyd enghreifftiau o gofnodi *gwehydd* fel elfen mewn enw personol fel *Wedd*, *Widd*, *With*, *Wydd* ac *Wyth* ar wahanol adegau. Ond nid oes amheuaeth nad y gwehydd ei hun sydd yn *Cay Jeun Gwythe* a gofnodwyd yn Nhywyn yn 1592 (AMR), a hefyd o bosib yn *Tyre gwyth* ym Mrithdir yn 1613 a *Ty yr Gwydd* yn Llanaber yn 1620 (AMR). Gellir nodi'r caeau *Buarth y gwydd* a *Cae gwydd* yn RhPDegwm Llandrillo a Chorwen heb geisio eu hesbonio.

Mae'r defnydd yn awr yn barod i fynd i'r *pandy*. Yno roedd y defnydd, yn enwedig gwlân, yn cael ei lanhau er mwyn cael gwared o unrhyw faw neu olew a oedd ynddo. Ceir sôn am y broses yn amser y Rhufeiniaid pan arferai caethweision dylino'r defnydd drwy ei sathru â'u traed mewn tybiau mawr o droeth dynol. Yn ddiweddarach defnyddid pridd pannwr ('fuller's earth'), ac yna sebon i'w lanhau. Byddid yn ei dewhau wedyn drwy ei guro â phastwn neu â thraed neu ddwylo'r pannwr. Byddai'n amhosibl rhestru yma yr holl enghreifftiau o'r elfen *pandy* a welwyd ym Meirionnydd, ond mae'n werth edrych ar y cofnodion yng nghasgliad rhyfeddol Archif Melville Richards.[58] Cofnodwyd yr enw *Tyddyn [y] Pandy* yn Llanfair, Llanfachreth, Maentwrog, Pennal, Llanaber, Llanbedr a Llanenddwyn, a *Tyn y Pandy* yn Llanymawddwy. Trafodir *Maes y Pandy* yn Nhal-y-llyn ar wahân isod. Gwelwyd sawl cofnod o *Tyddyn Pandy* yn Llanaber, a nodwyd hwnnw fel *ty yn y pantie* yn 1630/1 (Brog). Prin yw'r cyfeiriadau at y pannwr ei hun ond nodwyd *Ty'n y Pannwr* yn Llanycil. Yn

---

58 www.e-gymraeg.co.uk/enwaulleoedd/amr

RhPDegwm rhestrir yr enw od *Panwr clud* ar gae ar dir *Pandy* yn Nhrawsfynydd.

Ar ôl cael ei olchi, byddai'r defnydd yn cael ei sychu drwy ei estyn â bachau ar ffrâm y *deintur*. Yn RhPDegwm cofnodwyd *Cae['r] deintur* ym mhlwyfi Llandrillo, Llanelltud, Llandderfel, Corwen, Gwyddelwern, Llanddwywe, Pennal a Thywyn. Nodwyd *Tenterfield* yn Nolgellau. Gair benthyg o'r enw Saesneg am y ffrâm sychu, sef 'tenter', yw *deintur*. O'r broses o osod y defnydd ar y bachau y daw'r idiom Saesneg 'on tenterhooks'.

Wedyn os oeddech am gael tipyn o steil roedd angen lliwio'r defnydd. Gwaith y *lliwydd* oedd hyn. Nodwyd *Cae'r lliwydd* yn RhPDegwm plwyf Trawsfynydd. Ceir cyfeiriad at *Cae'r lliwdy*, *Dol y lliwdy* a *Lliwdy Cottage* yn RhPDegwm plwyf Pennal yn 1838.

Ar ôl eu gwisgo byddai'n rhaid golchi'r dillad. Gwneid hynny yn y tŷ golchi ar ffermydd go fawr. Nodwyd *Bryn y ty golchi* yn RhPDegwm plwyf Trawsfynydd. Yn Nhywyn roedd cae o'r enw *Bank dillad*. Tybed a arferid taenu dillad ar y gwrych i'w sychu yn y cae hwn?

Ceir cyfeiriadau lu at yr *odyn*. Ffwrn fawr ar gyfer llosgi neu sychu deunydd megis calch neu frics oedd yr odyn. Ond fe ddefnyddid yr odyn hefyd i sychu a chrasu grawn. Yn y cyswllt hwn mae gennym gyfeiriad prin at y *craswr*, sef y gŵr a ofalai am y broses o grasu'r ŷd, yn enw *Tir y Craswr* yn RhPDegwm plwyf Gwyddelwern. Odynau calch neu odynau ŷd oedd y mwyafrif. Yn yr odyn galch llosgid y calch i'w ddefnyddio fel gwrtaith ar y tir neu fel morter. Ar un adeg arferid sychu a chrasu grawn gartref neu mewn twll pwrpasol yn y ddaear. Yn ddiweddarach aed â'r grawn i odyn y felin. Fodd bynnag, ceid odynau brag hefyd lle sychid y grawn i greu brag ar gyfer diodydd meddwol. Mewn enwau lleoedd ni nodir bob amser pa fath o odyn a olygir. Nodwyd annedd o'r enw *Bryn yr Odyn* yn RhPDegwm (Maentwrog) a'r caeau *Cae'r odyn* (Llandrillo); *Llawr yr Odyn* (Llanfihangel-y-traethau) a *Pig yr odyn* (Gwyddelwern). Mae rhai enwau yn fwy penodol: yn RhPDegwm nodwyd

Cae'r odyn galch yng Nghorwen, Llangar a Llandrillo a *Lime Kiln* ym Mhennal. Mae lleoliad y *Maltkiln Cottages* yn Llansanffraid Glyndyfrdwy hefyd yn amlwg. Cofnodwyd y bracty yn enw'r annedd *Bragdu* yn Llangelynnin, a'r caeau *Cae tan y bragty* (Llandanwg); *Cae'r Brag Ty* (Corwen) ac *Erw Bragty* (Llansanffraid Glyndyfrdwy). Yn naturiol iawn, roedd *Erw Bragty* ar dir y *Maltkiln Cottages*.

Yn RhPDegwm plwyf Corwen nodwyd *Cae Kiln*. Benthyciwyd y gair Saesneg mewn sawl lle, yn enwedig yn ardal Tywyn. Er enghraifft, yn RhPDegwm plwyf Tywyn ceir pedwar *Cae cylin*, saith *Cae cylyn* ac un *Cae cillyn*.

Os mai bara yw ffon y bywyd, roedd gwaith y melinydd yn anhepgor, ac eto prin yw'r cyfeiriadau at y melinydd ei hun. Yn RhPDegwm cofnodwyd *Cae'r melinydd* yng Ngwyddelwern a *Gweirglodd y melinydd* yn Nhrawsfynydd. Ceir llawer mwy o gyfeiriadau at y felin, ond rhaid bod yn ofalus yma, gan nad melin flawd yw pob un. Yn RhPDegwm plwyf Pennal nodwyd *Felinganol and Pandy (Fulling Mill)*. Ceir cofnod o felin ban yn Llanuwchllyn hefyd yn 1697/8 fel *Tythyn y melinidd fulling mil* (AMR). Cofnodwyd cae o'r enw *Malt Mill* yn RhPDegwm plwyf Llanenddwyn. Gwyddom fod yna felin wynt yn Llanfor gan fod cae o'r enw *Bank y felin wynt* wedi ei gofnodi yno yn 1847 yn RhPDegwm. Ym Meirionnydd ceir cyfeiriad at felin yn enwau'r anheddau canlynol: *Melinycoed* (Llanddwywe); *Felin Hen* (Llandrillo); *Bryn y Felin* (Llanenddwyn); *Tyddyn y Felin* (Brithdir, Llanddwywe, Llanfair, Llanuwchllyn a Maentwrog); *Tyn y Felin* (Llanfor). Un o'r enwocaf yw *Tai'r Felin*, Cwmtirmynach ger yeY Bala, gan mai yno y ganwyd Robert Roberts (Bob Tai'r Felin), y melinydd a oedd yn ganwr gwerin poblogaidd iawn yng nghanol yr ugeinfed ganrif.

Dylid crybwyll gair arall sy'n ymwneud â'r felin flawd, sef *eisingrug*. Elfennau *eisingrug* yw *eisin* + *crug*. Yr *eisin* yw plisg y grawn ŷd a dynnir ymaith wrth falu'r grawn yn flawd. Yn aml gwelid *crug* neu dwmpath ohono gerllaw melin. Mae tuedd i newid y gair yn *singrig*. Mae *Eisingrug* yn ardal i'r de o Landecwyn. *Singrig* oedd ffurf yr enw ar fap OS 1838. Cofnodwyd annedd o'r enw *Singrig* yn Ffestiniog yn 1772 ac 1775 (Elwes). Yn RhPDegwm nodwyd *Pensingrig Cottage* yn Llandderfel, a chae o'r enw *Erw singrig* yng Ngwyddelwern. Ceir cyfeiriad at y *Blowtey* yn Llanycil yn 1573 (AMR). Ystyr yr enw yw adeilad a ddefnyddid i hidlo neu ogrwn blawd. Y term Saesneg amdano yw *bolting-house*. Mae elfennau'r enw yn amlwg, sef *blawd* + *tŷ*, ond ceir cryn amrywiaeth yn y modd y sillefir ef. Noda GPC y ffurfiau *bloty*, *blowty* a *blawty* ar gyfer adeilad o'r fath.

Y cam nesaf i'r blawd yw ei gludo at y pobydd. Yr unig gyfeiriad at y pobydd ei hun a welwyd hyd yn hyn ym Meirionnydd yw cofnod o *Pont Dole y Pobith* yn Llanfachreth yn 1746 (AMR). Ceir mwy o sôn am y popty. Nodwyd *Parky popty* yn Nhywyn yn 1679 (AMR). Cofnodwyd *Cae tŷ popty* yn RhPDegwm plwyfi Corwen a Llangar, *Cyfar ty pobty* yn Llanaber ac *Erw popty* a *Cae r popty* yn Llandderfel. Mae'n anodd gwybod beth yw arwyddocâd yr enw *Dol* [sic] *y bara* yng Ngwyddelwern.

Yn ogystal â bwyd yn eu boliau roedd yn rhaid i'n hynafiaid, fel ninnau, gael to uwch eu pennau. Roedd hynny'n golygu gwaith i'r saer wrth adeiladu'r tai. Mae Edward Lhuyd yn cyfeirio at annedd *Pant y Saer* yn Llanuwchllyn tua 1700 (Paroch). Ai'r un lle yw hwn â *Pant y saer* a nodwyd ym mhlwyf Llangywer yn RhPDegwm yn 1842? Gwyddom enw un saer o'r cofnod *Tû Siôn William y Saer* yn Nolgellau yn 1713 (Nannau). Nodwyd y caeau a ganlyn yn RhPDegwm: *Cilfach y saer* (Llanaber); *Cae['r] saer* (Llangar, Llanycil, Llandderfel a Llandecwyn). Enwir saer arall yn *Cae Sion saer* yn RhPDegwm plwyf Llansanffraid Glyndyfrdwy yn 1844. Ni welwyd cyfeiriad ym Meirionnydd at y sglatars a'r towyr hyd yn hyn, ond ceir un cyfeiriad anarferol yn enw *Craig y masiwn*, annedd yn RhPDegwm plwyf Tywyn yn 1838. Dywed GPC mai gair llafar yng Ngheredigion, Sir Benfro a'r De yw hwn am saer maen. Cofnodwyd *Cae masiwn* yn RhPDegwm plwyf

Llanwenog yng Ngheredigion. Ceir *Cae twll y mortar* yn RhPDegwm plwyf Pennal. Ceir cyfeiriadau at 'mortar pits' mewn caeau yn Lloegr, lle arferid cloddio'r garreg galch i wneud mortar (EFN).

Mewn ardal sy'n dibynnu cymaint ar amaethyddiaeth disgwylid gweld hyn yn cael ei adlewyrchu mewn enwau crefftau gwledig yn enwau'r lleoedd. Ond nid yw hyn yn amlwg iawn ym Meirionnydd. Ceir cyfeiriad at y *bugail* yn annedd *Bryn Bugeilydd* yn Llandanwg. Trafodir yr enw hwn ar wahân uchod. Cofnodwyd annedd *Cwt y Bugail* yn Ffestiniog (ELlSG), a *Cefn-llwyn-y-bugail* ar fap OS 1838 yn Llanycil. Nodir *Llety'r Hwsmon* yn Llanfachreth ar y map OS cyfredol. *Lletty hwsmon* oedd y ffurf yng Nghyfrifiad 1841. Gair benthyg o'r Saesneg Canol *husbandman* yw *hwsmon*. Yr ystyr yw ffermwr neu lafurwr. Mae'n elfen eithaf prin mewn enwau lleoedd, ond ceir cyfeiriad at *Waun Dafydd Hwsmon* ym Mhenmynydd, Môn. Ceir sawl cofnod o *Bedd y Coedwr* i'r de o Drawsfynydd. Mae yno hyd heddiw. Cofnodwyd *Beth y Coydwr o[therwise] Bedd y Coedwr* yn 1725/6 (B'wylfa). *Bedd-y-coedwr* oedd ar fap OS 1838 a dyna'r ffurf sydd ar y map OS cyfredol. Gwaith y coedwr neu'r fforestwr yw gofalu am y coed mewn coedwig.

Os ydym am gynnwys y môr wrth sôn am y crefftau gwledig, mae gennym ddau enw pur ddiddorol yn Nhywyn. *Erw-porthwr* oedd ffurf enw'r annedd ger Tywyn yn RhPDegwm y plwyf yn 1838. *Erw Porthor* yw'r ffurf heddiw. Newidiwyd un llythyren, ond ar yr un pryd newidiwyd yr ystyr. Byddai *Erw-porthwr* yn enw digon naturiol mewn ardal arfordirol fel Tywyn, gan mai ystyr *porthwr* yw cychwr neu ŵr â gofal am fferi. Ond mae ystyr *porthor* yn hollol wahanol. Ceidwad porth neu ddrws yw *porthor*, neu ambell dro fe'i defnyddir am un a oedd yn cludo bagiau mewn gorsaf reilffordd. Mae'n debyg mai *porthwr* nid *porthor* oedd yn Nhywyn, er nad yw'r annedd, sydd yno hyd heddiw, yn arbennig o agos at y môr. Cofnodwyd *Dalar y porthwr* yn Llanaber yn ogystal. Yn RhPDegwm Tywyn ceir cyfeiriad at annedd arall o'r enw *Cae Waterman.* Cychwr oedd y *waterman* hefyd, a chymryd mai'r enw cyffredin sydd yma yn hytrach na chyfenw.

Un o'r crefftwyr pwysicaf ar un adeg oedd y gof. Mewn oes pan wneid llawer mwy o ddefnydd o geffylau ar gyfer teithio a gwaith o gwmpas y fferm roedd yn rhaid cael gof ar gyfer pedoli'r ceffylau. Ond roedd gwneud a thrwsio offer fferm a thŷ hefyd yn rhan anhepgor o'i waith. Ceir cyfeiriadau at annedd *kay mab y Go* yn Llwyngwril yn 1633 (Nannau). Y ffurf yn 1646/7 oedd *kay mab y goe* (Pen). Nodwyd *Cae'r-gof* ym Mallwyd ar fap OS 1838. Roedd yr un enw yn RhPDegwm plwyfi Llanymawddwy, Maentwrog a Thrawsfynydd. Cofnodwyd y caeau a ganlyn yn RhPDegwm: *Tir y gof isaf / uchaf* (Gwyddelwern); *Cae'r henof* (Trawsfynydd). Mae'n debyg mai 'hen of' sydd yma, a gwelir yr un enw, sef *Cae'r hen of*, ynghyd â *Bwlch y Gof* yn Llanfihangel-y-traethau. Nodwyd *Bryn y go* yn Nhywyn. Ceir cyfeiriadau hefyd at weithle'r gof, sef yr efail. Ceir cofnodion cynnar ar gyfer *Gwernefail* yn Llanycil: *Wernovel* yn 1292–3 (MLSR); *Wernevel* yn 1419–20 (Rec.C); *Gwernevayll* yn 1481; *Gwernevell* yn 1514 (AMR); *Gwerne evell* yn 1568 (Rec.C.Aug.) a *Gwernevel* yn 1620/1 (Elwes). Dywed cofnod yn 1710 mai enw arall ar *Glan Dysynni* yn Llanegryn oedd *Pant yr Efel*. Ar fap OS 1837 y ffurf yw *Pant-yr-efail*. Yn RhPDegwm cofnodwyd y caeau a ganlyn: *Cae'r efail, Erw'r efail* ac *Efail isa* (Llanfor); *Tan yr efail* (Trawsfynydd); *Bryn cae'r efail* (Llanenddwyn); *Cae'r efail ucha / isa* (Llanfair); *Gwern yr efail fach* (Llanddwywe). Byddai'r gof yn deall ceffylau ac yn medru trin rhai agweddau ar eu hiechyd, ond ar gyfer anhwylderau mwy cymhleth byddai'n rhaid troi at y fet neu'r ffarier. Cofnodwyd *Cae ffarier issa / ucha* yn RhPDegwm plwyf Corwen yn 1839.

Trown yn awr at rai o'r crefftau na chlywn fawr o sôn amdanynt bellach ond a oedd ar un adeg yn eithaf cyffredin. Un o'r rhain oedd gwaith y *cowper*. Ceir cofnod o *Tyddyn y Kowper* ym Maentwrog tua 1700 (Paroch). Y ffurf yn RhPDegwm 1840 oedd *Tyddyn y Cowper*. Nodwyd *Tyddyn-*

cwper ar fap OS 6" 1901. Ceir cofnod o'r un enw yn Llandecwyn. Benthyciad o'r Saesneg 'cooper' sydd yma. Gwaith y gŵr hwn oedd gwneud a thrwsio casgenni a bwcedi pren. Disgrifir Morris ap Rhisiart, tad Morrisiaid Môn, ambell dro fel *cowper* a thro arall fel *cylchwr*. Y *cylchwr* fyddai'n llunio fframwaith y casgenni. Cyfeirid ato ef weithiau fel 'hooper' yn Saesneg, ond mewn gwirionedd, byddai'r cowper yn aml yn gwneud y ddwy dasg.

Crefftwr sy'n ymddangos yn eithaf aml mewn enwau lleoedd yw'r *eurych*. Beth oedd *eurych*? Noda GPC y gall olygu gweithiwr mewn metelau gwerthfawr, sef gof aur neu arian. Mae'n anodd credu fod llawer o alw am waith crefftwr mor gywrain yng nghefn gwlad. Ond mae GPC yn ymhelaethu ryw gymaint drwy gynnig yr ystyr Saesneg 'embellisher'. Yn y Mabinogi cawn hanes Manawydan, tra oedd yn dysgu gwahanol grefftau, yn gwylio'r eurych gorau yn y dref yn 'euro' byclau ar gyfer esgidiau. Mae yma awgrym fod hwn yn waith i grefftwr medrus, ond gallai fod yn waith eithaf ymarferol at iws gwlad, fel petai, yn hytrach na chynhyrchu tlysau gwerthfawr yn unig. Fodd bynnag, mae GPC hefyd yn rhoi ystyr arall i *eurych*, sef 'tincer', sydd yn waith llai urddasol o lawer. Mynnai Syr John Morris-Jones mai 'cyweiriwr' neu 'ysbaddwr' oedd ystyr *eurych* ym Môn, hynny yw, y gŵr a fyddai'n mynd o gwmpas y ffermydd i sbaddu neu dorri ar anifeiliaid. Mae GPC yn cydnabod yr ystyr hon hefyd. Mae'n amlwg fod eurychod, yn ogystal â thinceriaid, yn cael eu hystyried yn greaduriaid blin, ofer ac afreolus, oherwydd mae Ellis Wynne yng Ngweledigaeth Cwrs y Byd yn enwi eurych fel un o'r giwed feddw a oedd yn ymdrybaeddu yn eu diod. Tybed a oedd hyn yn adlewyrchu ei brofiad personol ef o eurychiaid Meirionnydd?

Ceir cyfeiriad o'r flwyddyn 1451 at annedd *Tythyn y Revrych* ym Mrithdir (Nannau). Mae sawl cofnod o annedd *Cil Eurych* yn Llansanffraid Glyndyfrdwy. Ym mhapurau Rug nodwyd *Kil Erych* yn 1556; *Kylyrych* yn 1594 a *Kilerych o[therwise] tythyn y kylyrych* yn 1595/6. *Cil-eurych* sydd ar y map OS yn 1838 a *Cil-eyrych* yn RhPDegwm 1844. *Cil*

Eurych sydd yng nghofnodion y Cyfrifiad yn 1851 a *Cileurych* yn 1911. Cofnodwyd y caeau a ganlyn yn RhPDegwm: *Erw eurych issa / ucha* (Llandrillo) a *Cae r Eurych* (Llanycil). Ceir cae o'r enw *Bryntinger* yn RhPDegwm Corwen. Mae'n bosib mai *tincer* yw'r ail elfen.

Gwelir crefft fwy anghyffredin yn enw'r annedd *Bron Turnor* ger Maentwrog. Gwaith y turnor oedd llunio gwrthrychau pren trwy eu naddu ar durn ('lathe'). Trafodir yr enw hwn ar wahân uchod. Ceir sôn am rai crefftau a diwydiannau eraill, megis y *sadler* yn y caeau *Cae Saddler isa / ucha* yn RhPDegwm plwyf Llanycil. Cofnodwyd *Cae coachman* yn RhPDegwm plwyf Corwen. Er mor anghyffredin yw'r enw nid yw'n unigryw, gan y cofnodwyd *Dryll y coachman* yn RhPDegwm plwyf Dwygyfylchi. Enw anarferol yw'r *Llwyn cynydd* a gofnodwyd ar gae yn RhPDegwm plwyf Corwen. Rhaid casglu mai heliwr neu ŵr a ofalai am gŵn hela sydd yma. Ceir y ffurf luosog yn *gwayn y kynyddion* a gofnodwyd yn Llanenddwyn yn 1574 (Thor). *Gwayn y kynyddion* oedd y ffurf yn 1636 a *gwein y Kynyddion* yn 1637 (Dfrïog), ond *Gwern y Cynyddion* a nodwyd yn 1798 (Poole). Efallai mai'r *cynydd* sydd hefyd yn *Ynys y kynnyd* a gofnodwyd ym Maentwrog yn 1637/8 (Dfrïog).

Cyfeirir at rai swyddogaethau hefyd yn yr enwau. Cofnodwyd cae o'r enw *Ffrydd Soldier* yn RhPDegwm plwyf Llangar yn 1847, a chae o'r enw *Cae pant y Milwr* yn RhPDegwm plwyf Llanfihangel-y-traethau yn 1842. Yn 1576/7 ceir cyfeiriad at *acrey yr ustus* yn Llandanwg (Mostyn B), a *Cae'r ustus isaf* a *Cae'r ustus uchaf* yn RhPDegwm plwyf Gwyddelwern yn 1836. Ceir sawl cyfeiriad at y *rhingyll*. Bellach ystyr y term yw swyddog yn yr heddlu neu'r fyddin, ond mae rhai o'r cyfeiriadau cynnar a nodir yn amlwg yn cyfeirio at y swyddog a gadwai drefn yn y cwmwd. Nodir annedd o'r enw *Cae'r rhingylliaid* yn RhPDegwm plwyf Trawsfynydd yn 1840. Mae yno hyd heddiw i'r dwyrain o Drawsfynydd. *Caerhingylliaid* yw'r ffurf ar y map OS cyfredol. Fodd bynnag, ceir cofnodion llawer cynharach o'r enw hwn. Yn y cynharaf a welwyd hyd yn hyn, o'r flwyddyn 1519, mae'r ffurf luosog yn wahanol, sef *Kayr ryngyllione* (Pen). Erbyn tua 1592 *rhingylliaid* sydd yn yr enw yn y ffurf *ka Rynglehellet* (AMR). *Cae-rhingylliaid* sydd ar fap OS 1838. Mae gennym gyfeiriadau eraill at y rhingyll ym Meirionnydd. Yn 1568 nodwyd *Tirre Eignon ringell*, sef Tir Einion Ringyll, yn Nhal-y-bont (Rec.C.Aug.). Ffurf yr enw yn 1610/11 oedd *Tyre Ignion Ringild* (Pen). Yn 1632 nodwyd *Tythyn Meridicklace Ringyld* yno (Pen). Mae'r ffurf *Meridicklace* yn broblem, ond mae'n debyg mai *Meriddig* oedd enw'r gŵr hwn. Yn 1655 ceir cyfeiriad at *farm called Meriddig farme* (Pen). Yn ddiweddarach yr enw oedd *Tyddyn Meriddig*. Ai'r un enw personol sydd yn *Cae Moreiddig*, annedd yn Llangelynnin?

Yng nghanol eu holl brysurdeb llwyddai ein hynafiaid i ymlacio rywfaint i fwynhau barddoniaeth a cherddoriaeth. Mae *Bryn Prydydd* yn Llanfachreth hyd heddiw. Roedd yno yn 1570 pan gofnodwyd yr enw fel *tuthyn Bryn Breder* (Nannau). *Bryn Pridir* a nodwyd yn 1592. Erbyn 1746 penderfynwyd mai *Bryn y Prydydd* oedd yr enw ond cydnabuwyd iddo gael ei alw yn *Bryn Preuder* ambell dro (Nannau). Yn RhPDegwm plwyf Corwen yn 1839 nodwyd cae o'r enw *Tir y prydydd*. Cofnodwyd *Tir awenydd* ar stad plas Corsygedol yn RhPDegwm plwyf Llanddwywe. Yn Llanegryn ceir cyfeiriad at un bardd wrth ei enw yn y cofnod *Kae Eigion* [Einion] *Vardd* yn 1592/3 (Pen).

Nodwyd *Cae-crythor* ym Mallwyd ar fap OS 1836. Yn RhPDegwm plwyf Llandrillo yn 1840 nodwyd dau gae: *Tir crythor* a *Gwern y crythor*. Efallai y dylid rhoi gair o rybudd yma. Ceir sawl enghraifft o *crwth* fel elfen mewn enwau lleoedd ledled Cymru. Cofnodwyd *Cae Crwth* yn Llanfachreth. Ni ddylid cymryd yn ganiataol mai'r offeryn a olygir yma. Yn fwy na thebyg mae'n cyfeirio at rywun crwca neu wargam a oedd yn byw yn yr annedd rywdro.

Byddai ein hynafiaid, fel ninnau, yn mynd yn sâl o bryd i'w gilydd a gorfod troi at y meddyg. Ceir cofnod o *Tir y doctor* yn Llandecwyn yn 1535/6 a *ffridd y doctor* yno yn

1566 (MyN). Ond rhaid bod yn ofalus gyda'r elfen doctor mewn enw lle. Yn aml mae'n cyfeirio at ddoethur mewn Diwinyddiaeth neu yn y Gyfraith. Ar y cyfan, defnyddir *meddyg* yn amlach ar gyfer ffisigwr. Lleolir *Cae'r Meddyg* i'r de o Lanbedr. Mae yno hyd heddiw. Fe'i cofnodwyd yn y ffurf *Caer Methig* yn 1732 a *Cae'r Meddig* yn 1760 (Thor). Nodwyd *Caermeddig* tua 1834 (Brog) a *Caemeddyg* yn 1874 (Worr). *Cae'r Meddyg* sydd ar y map OS cyfredol. Nodwyd cae o'r enw *Ddol meddyg* yn RhPDegwm plwyf Llanycil yn 1838.

Petai sgiliau'r meddyg yn annigonol gellid troi at y gŵr hysbys. Mae'n eithaf posibl mai cyfeiriad at ŵr felly sydd yn enw annedd *Tyddyn Dewin* ym Maentwrog. Nodwyd *Tyddyn dewin* ar fap John Evans o ogledd Cymru yn 1795. Os oeddech y tu hwnt i gymorth y meddyg a'r gŵr hysbys roedd yn bryd galw am yr offeiriad. Roedd *Hafod Offeiriad* ger Llan Ffestiniog: mae ei adfeilion yno hyd heddiw. Fe'i nodwyd yn RhPDegwm plwyf Ffestiniog yn 1842. Cofnododd Edward Lhuyd *Lhetty yr offeiriat* ym Metws Gwerful Goch tua 1700 (Paroch). Mae'r caeau *Lletty yr Offeiriad*, *Lletty offeiriad uchaf* a *Votty yr offeiriad* yn RhPDegwm plwyf Betws Gwerful Goch yn 1844.

Dim ond un crefftwr arall sydd yn ein haros, sef y *clochydd*. Roedd angen hwnnw i dorri'r bedd a chanu'r cnul adeg yr angladd. Mae *clochydd* yn elfen hynod o gyffredin mewn enwau lleoedd ledled Cymru. Yn wir, honnodd Melville Richards mai hon yw'r elfen sy'n digwydd amlaf fel enw galwedigaeth mewn enwau lleoedd.[59] Ond fe dybiwn i fod yr elfen *gof* yn digwydd yn amlach.

Lleolir *Dôl y Clochydd* yn Llanfachreth. Mae yno hyd heddiw. Gan fod cryn dystiolaeth i'r enw hwn fe'i trafodir ar wahân uchod. Nodwyd *Muriau'r Clochydd* yn y ffurf *mirier clochyth* yn Llanegryn yn 1563/4 (Pen) a *Tythin y Clochydd* yn Nhywyn yn 1633 (RCLCE). Cofnodwyd *Hendre y*

59 *Trafodion Cymdeithas Hanes Sir Gaernarfon*, Cyf. 52–53, 1991–2, t. 22.

Clochydd yn Llanaber yn 1658 (Tgl). Mae'r enw yn RhPDegwm plwyf Llanaber yn 1839. Erbyn Cyfrifiad 1911 cofnodwyd *Hendreclochydd Hall* a *Hendreclochydd Farm*. Mae *Hendreclochydd Hall* bellach yn westy. Ceir cyfeiriad at *Tu-yr-Clôchydd* yn Llanelltud yn 1706 (Nannau). Mae RhPDegwm plwyf Llanfair yn 1839 yn cofnodi annedd o'r enw *Caerclochydd* yno. Gwelir y caeau canlynol hefyd yn RhPDegwm: *Cae['r] clochydd* (Corwen, Tywyn a Llanfair); *Maes y clochydd* (Llanycil); *Llain y clochydd* (Tywyn a Thrawsfynydd) a *Buarth y Clochydd* (Llanfihangel-y-traethau).

Gwanas, Dôl Ysbyty a Hafod Ysbyty.

Lleolir *Gwanas*, a adwaenir weithiau fel *Plas Gwanas*, i'r dwyrain o Ddolgellau ac i'r gogledd o ffordd yr A470 ger y gyffordd lle saif tafarn y *Cross Foxes*. Mae *Dôl Ysbyty* ychydig i'r gorllewin o *Gwanas*. Lleolir *Gwanas Fawr* i'r de o'r A470 yn yr un ardal. Fodd bynnag, mae *Hafod Ysbyty* gryn bellter i ffwrdd i'r gogledd yng Nghwm Teigl i'r dwyrain o Lan Ffestiniog. Mae *Gwanas* yn ffermdy sy'n dyddio o ddechrau'r bedwaredd ganrif ar bymtheg, ond â darn o'r ail ganrif ar bymtheg. Roedd Gwanas Fawr yno yn yr oesoedd canol, ond mae'r adeilad presennol wedi ei newid a'i atgyweirio'n helaeth. Nodwyd y dyddiad 1722 arno (Gwy). Mae'n bur debyg fod *Hafod Ysbyty* yn dyddio o'r unfed ganrif ar bymtheg.

Trafodir *Gwanas, Dôl Ysbyty* a *Hafod Ysbyty* yn yr un adran, gan eu bod i gyd yn diroedd a oedd gynt yn eiddo i Urdd Marchogion Sant Ioan, neu Urdd yr Ysbytywyr. Ffurfiwyd yr Urdd yn yr unfed ganrif ar ddeg i ymgeleddu pererinion a oedd yn ymweld â'r Wlad Sanctaidd. Roedd gan yr Urdd diroedd ledled Cymru, ond yn y gogledd fe'u cysylltir yn bennaf ag Ysbyty Ifan (HOSJJ). Yng *Ngwanas* a *Hafod Ysbyty* roedd ganddynt ffermydd ('granges') a oedd hefyd yn darparu lloches i deithwyr.

Un o'r cofnodion cynharaf o'r enw *Gwanas* yw *Wannas* yn

1285 (StentM). Nodwyd *Wonas* yn 1292–3 (MLSR). Yn y drydedd ganrif ar ddeg hefyd crybwyllir *Gwanas* yn Llyfr Du Caerfyrddin, lle sonnir am feddau hir y gwŷr dienw yno:

> E beteu hir yg guanas
> Ny chavas ae dioes
> Pwy vyntvy pvy eu neges.[60]

Ceir cyfeiriad at Ffridd Wanas mor gynnar ag 1419–20 yn y ffurf *ffrith Wanas* (Rec.C). Nodwyd *ffryth Wannas* yn 1563 (Rec.C.Aug.) a *Ffrydd / Ffrith Wanas* yn 1691 (MyN). Yn 1793 cofnodwyd *Gwanas Icha* a *Gwanas Isa* (CalMerQSR). Nodwyd *Gwanas uchaf* a *Gwanas isav* yn *The Cambrian Register* yn 1795, gyda'r ystyr 'the lower limit' i *Gwanas isav*. Ar fap OS 1837 ceir *Plâs Gwanas* a *Gwanas-fawr*. *Gwanas*, *Gwanas-Fawr* a *Pont Gwanas* sydd ar y map OS cyfredol.

Mae GPC yn nodi 'peg' neu hoel bren ym mhared ysgubor neu stabl i ddal harnais a thaclau eraill fel ystyr y gair *gwanas*. Ond nodir fod ystyr ffigurol i'r enw hefyd, sef rhywun sy'n rhoi nawdd a chynhaliaeth, neu orffwysfa. Efallai fod yr ystyr hon yn fwy addas ar gyfer swyddogaeth *Gwanas* gynt fel ysbyty neu loches. Gellid tybio y gallai teithwyr gael bwyd a diod yno, nid yn unig yn yr oesoedd canol, ond drwy'r blynyddoedd, os gellir coelio'r hen gân 'Wrth fynd hefo Deio i Dywyn', a'r geiriau:

> Dod ymlaen a heibio i'r Dinas,
> Bara a chaws a gaed yng Ngwanas.

Mae'n bur debyg mai enw ar gae oedd *Dôl Ysbyty* i gychwyn ac mai yn y llecyn hwn y safai ysbyty Marchogion Urdd Sant Ioan yn yr oesoedd canol. Ni welwyd cyfeiriadau cynnar at yr annedd. Nodwyd *Dolysputty* yn 1760 (CalMerQSR); *Dôl-yspytty* ar fap OS 1837 ac ar y map OS cyfredol, a *Dolspritty* yn RhPDegwm 1838. Yn y Cyfrifiad

---

60 Y beddau hir yng Ngwanas, ni wyddai'r sawl a'u hanrheithiodd pwy oeddynt na beth oedd eu neges.

cofnodwyd *Dolyspyty* yn 1841; *Dolyspytty* yn 1871, a *Dol yr ysbytty* yn 1901.

Elfen gyntaf enw *Hafod Ysbyty* yw *hafod* < *haf* + *bod,* sef 'llety'r haf.' Yn aml fe ddefnyddir yr elfen *hafod* yn eithaf llac. Mae'r wir hafod fel rheol ar dir uchel ac fe symudir y preiddiau yno o'r hendref yn ystod yr haf. Mae'n debyg fod *Hafod Ysbyty* yn hafod yng ngwir ystyr y gair, gan fod y fferm ar ddarn o dir mynyddig helaeth o'r enw Gamallt. Roedd ar yr hen ffordd unig o Feddgelert i Ysbyty Ifan, a byddai'n ddiau yn lloches dderbyniol iawn i bererinion a fforddolion o bob math.

Ceir cyfeiriad at *Ffreeth* [ffridd] *Havod y Spythy* yn 1593 (ExPH–E). Nid oes fawr o amrywiaeth yn ffurf yr enw dros y blynyddoedd ac eithrio ansicrwydd ynglŷn â sut i sillafu 'ysbyty'. Cofnodwyd *Havod y spyttu* yn 1791 (AMR). *Hafod Yspytty* sydd yn RhPDegwm 1841. Yn y Cyfrifiad nodwyd *Hafod Spyty* yn 1841; *Hafod Sbyty* yn 1861; *Hafodysbyty* yn 1881 a *Hafod Yspytty* yn 1901.

Gwenhidwy

Mae'r enw hwn yn cael ei sillafu mewn nifer o wahanol ffyrdd, a phe baech yn edrych dan *gwenhidwy / gwenhidyw* yn GPC fe gaech amryw ystyron, gan gynnwys: ellyll, rhywun dibwys neu ddistadl, corrach, môr-forwyn. Esboniad William Owen Pughe o *gwenhudiw* oedd 'that allures with a smile' (DWL). Nid yw'r esboniadau hyn o lawer o gymorth i ddeall beth neu bwy oedd *Gwenhidwy.* Mae'n wir fod GPC wedi nodi'r ystyr 'môr-forwyn' i'r enw, ond mae Myrddin Fardd yn ymhelaethu ar hyn, gan awgrymu fod *Gwenhidwy* yn rhyw fath o dduwies a oedd yn arglwyddiaethu ar y môr. Dywed mai ei defaid hi oedd y tonnau brigwynion ac mai'r nawfed don oedd ei hwrdd (LlGSG). Ceir yr un disgrifiad yng ngwaith y bardd Rhys Llwyd o'r bymthegfed ganrif: 'Haid o ddefaid Gwenhidwy / A naw hwrdd yn un â hwy' (GPC; HWW).

Roedd Lewys Glyn Cothi yntau yn gwybod amdani yn y

157

bymthegfed ganrif. Yn 'Cywydd y Farf' dywed, 'Ni adaf fal Gwenhidwy / ar fy min dyfu barf mwy'. Awgrymir mai cyfeiriad at wallt hir y forforwyn sydd yma (GLGC). Roedd Thomas Love Peacock wedi clywed amdani pan ysgrifennodd ei lyfr dychanol *The Misfortunes of Elphin* yn 1829. Yno mae *Gwenhidwy* yn amlwg yn cynrychioli'r môr, gan y clywir llais sinistr yn darogan gwae â'r geiriau 'Beware of the oppression of Gwenhidwy' cyn i'r môr oresgyn y tir yng Nghantre'r Gwaelod. Cyfeiriodd W.J. Gruffydd at y traddodiad yng Nghymru mai Gwydion oedd brenin y Tylwyth Teg, fod ei gartref ymhlith y sêr, ac mai *Gwenhidwy* oedd ei frenhines (MvM; HWW). Credai Francis Jones mai duwies ddŵr oedd *Gwenhidwy* i gychwyn, ac mai'r gair *hud* sydd yn ei henw. Ond mae'n honni fod y rhagddodiad *gwen* wedi ei ychwanegu er mwyn ei Christioneiddio (HWW).

Yn awr, beth sydd a wnelo *Gwenhidwy* â Meirionnydd? Mae ei henw yn digwydd mewn tri enw lle, ond yn rhyfedd iawn nid yw'r un ohonynt yn agos at y môr. Tua 1700 cyfeiriodd Edward Lhuyd at gromlech o'r enw *Maen Gwenhidw / Gwynhidw* yng Ngwyddelwern (Paroch). Roedd traddodiad yno fod y maen mewn cae o'r enw *Caer garreg* a nodir yn RhPDegwm yn 1836 ar dir Bryn Brith. Erbyn hyn mae'r maen wedi diflannu.

Ceir ychydig mwy o dystiolaeth am yr ail gyfeiriad at *Gwenhidwy*. Yn ôl gwefan Cymdeithas Ffynhonnau Cymru mae safle *Ffynnon Gwenhidw* yng ngardd fferm o'r enw *Tŷ Isa'r Blaenau*[61] ar ochr mynydd wrth fynd o Ddolgellau i ben y Garnedd Wen. Mae'r ffynnon ei hun wedi ei chwalu. Ar y map OS cyfredol nodir *Blaenau* i'r gogledd-orllewin o Rydymain. Gerllaw safai *Tŷ Ucha'r Blaenau*, cartref Rhys Jones, yr hynafiaethydd a'r bardd. Credid fod dŵr y ffynnon yn dda at y crydcymalau ac esgyrn toredig.

Mae'r trydydd cyfeiriad at *Gwenhidwy* yn yr enw *Nant*

---

61 Arweiniodd yr enw *Blaenau* at gamdybio fod y ffynnon ym Mlaenau Ffestiniog, *Rhamant Bro*, Rhif 28, t. 23.

Gwenhidw i'r gogledd o Frithdir. Cofnodwyd yr enw yn 1767/8 fel *Nantgwanhidw* (Drhyd). *Nantcynidiw* oedd yn RhPDegwm plwyf Llanfachreth yn 1846; *Nantcynidiaw* yng Nghyfrifiad 1881, a *Nantycnidiw* sydd ar y map OS cyfredol. Clywir yn aml gyfeirio at y ffynnon hefyd fel *Ffynnon Gnidw*. Nid yw'r enw yn gyfyngedig i Feirionnydd. Ceir sawl cyfeiriad at *Tyddyn Gwenhidw* yn Llangristiolus ym Môn, a cheir *Ffynnon Gwenhidw* hefyd yn Llannarth yng Ngheredigion.

Gwenyn a Mêl

Ceir nifer o gyfeiriadau at wenyn ym Meirionnydd fel ym mhob rhan arall o Gymru. Yn 1754 nodwyd annedd o'r enw *Tythyn Gwenyn* yn Nhywyn, ac eto yn 1765 fel *Ty yn y Gwenyn* (CalMerQSR). Yn RhPDegwm plwyf Tywyn yn 1838 nodwyd dau gae a oedd yn amlwg ar dir yr hen dyddyn, sef *Cae Tyddyn Gwenyn bach* a *Cae tyddyn gwenin mawr*. Nodwyd *Cae Mur y gwenin* yn Llandecwyn yn 1772 a *Mur y Gwnin* yn 1777 (Poole). Yn RhPDegwm plwyf Gwyddelwern nodwyd caeau *Erw gwenyn bach / isaf / uchaf*. Cofnodwyd annedd *Drws-caegwenyn* yn Llanuwchllyn ar fap OS 1838 ac yng Nghyfrifiad 1851.

Elfen arall sy'n ymwneud â gwenyn yw *bydaf*, sef haid neu nythaid o wenyn gwyllt, er y gall hefyd gyfeirio at gwch gwenyn. Ambell dro cyfeirir at y fydaf fel *modrydaf*. Cofnodwyd annedd o'r enw *Tythyn bach y mony vyda* yn Ffestiniog yn 1521 (TyB). Efallai mai gwall am 'ym mron y fyda' sydd yma, ac mae'n debyg mai'r un lle yw hwn â'r *Bron y vyda* a *bron y vida* a nodwyd yno yn 1522, ac fel *Bron y fyda* yn 1559 (TyB). Ceir cyfeiriadau hefyd at yr enw *Llannerchfyda* yn Llanymawddwy: *llannerchvyda* a *llan'ghvyda* yn 1570 (PA); *Llanerchfyda* yn 1698 (Mostyn) a *Llanyrchfyde* yn 1699 (LlB). Mae'r ffaith fod y fydaf hon mewn llannerch yn awgrymu o bosib mai nythaid o wenyn gwyllt oedd yno.

Ceir tystiolaeth o ddarluniau mewn ogofâu fod dyn yn casglu mêl tua 8,000 o flynyddoedd yn ôl. Gwyddom fod yr hen Eifftiaid a'r Rhufeiniaid yn gwneud defnydd helaeth ohono i felysu bwyd. Parhaodd yr arfer hwn yn gyffredinol nes i siwgwr ddod yn haws ei gael. Rhaid cofio hefyd mai mêl yw sylfaen medd, sydd â hanes hir iddo. Gwneir medd drwy eplesu mêl a dŵr ac ychwanegu yn aml ffrwythau, sbeis, grawn neu hopys. Mae'r bardd Aneirin, mor bell yn ôl ag ail hanner y chweched ganrif, yn sôn am osgordd Mynyddawg Mwynfawr yn yfed medd eu harglwydd cyn y frwydr: 'glasved eu hancwyn[62] a gwenwyn vu' (CA). Ond yr oedd y beirdd eu hunain yr un mor chwannog i yfed medd eu noddwyr. Cyfeiriwyd eisoes at y modd y canmolodd Wiliam Cynwal ei noddwr yng Nghrogen am ei wleddoedd 'lle mae medd a mêl' (NBM).

Fodd bynnag, roedd yna ddefnydd pwysig arall i fêl, sef fel antiseptig. Mae'r Athro David Thorne mewn erthygl hynod ddiddorol yn trafod enwau lleoedd sy'n ymwneud â meddygon a thermau meddygol eraill yng ngogledd Sir Gaerfyrddin.[63] Wrth gwrs, dyma diriogaeth Meddygon Myddfai, a pharhaodd y traddodiad meddygol yn gryf yn yr ardal. Ni all Meirionnydd hawlio'r un math o draddodiad, ond mae llawer o'r hyn a ddywed yr Athro Thorne yn berthnasol i Feirionnydd a rhannau eraill o Gymru. Mae'n cyfeirio at elfennau eraill diddorol mewn enwau lleoedd sy'n ymwneud â mêl a gwenyn megis *melgoed, dilfa* a *Tyllgoed*. Mae'n debyg mai cyfeiriad at nythod gwenyn gwyllt mewn tyllau ym moncyff coeden sydd yn *Tyllgoed* (WWF). Ni welwyd enghreifftiau o'r elfennau hyn ym Meirionnydd hyd yn hyn. Efallai na ddefnyddir mêl yn gyffredin bellach fel antiseptig, ond yn sicr mae llawer un yn dal i gredu'n gryf yn ei effeithioldeb ar gyfer lleddfu dolur gwddw.

62 ancwyn = gwledd
63 David Thorne, 'Ar Drywydd Meddygon Cantref Mawr a Chantref Bychan', *Trafodion Cymdeithas Meddygon Myddfai*, 2016 (cyhoeddwyd gan y Gymdeithas, 2018).

Gwerclas

Plasty yn ardal Cynwyd i'r de o Gorwen yw *Gwerclas*. Mae'r tŷ presennol yn dyddio o'r ddeunawfed ganrif, ond fe'i hadeiladwyd ar seiliau tŷ Tuduraidd, a cheir cyfeiriadau o'r cyfnod hwnnw at yr enw *Gwerclas*. Daw'r cyfeiriad 'Gorav klas lys *Gwerklas* lan' o'r flwyddyn 1601. Ystyr *klas* (clas) yn y cyd-destun hwn fyddai 'amddiffynfa neu le caeedig' (GPC, DHDC). Cofnodwyd *Gwerklys* rhwng 1586 ac 1613 (LDwnn). Tua 1611 ceir y cyfeiriad 'llys *Werclys* lles wirglod' gan y bardd Siôn Phylip (DHDC). Ffurf yr enw yn 1636 ac 1656/7 oedd *Gwerckles* (Rug). *Gwerclas* sydd gan Edward Lhuyd tua 1700 (Paroch). *Gwerclas* hefyd sydd ar fap John Evans o ogledd Cymru yn 1795. Yn *The Cambrian Register* yn yr un flwyddyn nodir *Gwerclas* gyda'r ystyr 'the verdant close'. *Gwerclas* yw'r ffurf arferol o hynny ymlaen.

Beth felly yw ystyr yr enw hwn? Mae'n anodd dweud, ond awgrymwyd mai'r gair Hen Saesneg *weorc*, Saesneg Canol *werk*, sydd yn y sillaf gyntaf (OFiF; DHDC). Dyma'r elfen a welir yn *Basingwerk* (PNF), a'r ystyr fyddai rhyw fath o amddiffynfa. Mae'r *klas* o 1601 a'r *close* o 1795 hefyd yn awgrymu amddiffynfa neu le caeedig. Mae'n wir fod yna ryw fath o heneb ger *Gwerclas*, ond mae cryn ansicrwyd ynglŷn â beth yn hollol ydyw, ai tomen ynteu carnedd? Ond mae'n bosib fod y nodwedd hon ar un adeg yn ddigon amlwg i haeddu'r enw *werk*. Rhaid tybio mai'r ansoddair *glas* sydd yn yr ail elfen, yn cyfeirio at y llystyfiant a dyfodd dros yr heneb gyda'r blynyddoedd.

Mae'r *G* ar ddechrau'r enw yn ddatblygiad ieithyddol diddorol. Gwelir yr *G* hon ar ddechrau sawl enw yn Sir y Fflint, megis *Gwesbyr*, *Gwepra* a *Gwersyllt*. Enwau Saesneg oedd y rhain ond wrth geisio eu Cymreigio ystyriwyd mai treiglad oedd yr *W* ar ddechrau'r enwau ac 'adferwyd' yr *G* na fuasai erioed yn rhan o'r enw (PNF). Dywed yr Athro Hywel Wyn Owen, er bod hyn yn digwydd yn Sir y Fflint, ei bod yn rhyfedd ei weld mewn enw mor bell i'r gorllewin â

Chynwyd.[64] Ond mae'n anodd gweld unrhyw esboniad arall i'r enw *Gwerclas*.

Gwndwn

Mae *gwndwn* yn elfen sydd i'w gweld mewn enwau anheddau a chaeau ledled Cymru, a cheir nifer o enghreifftiau ym Meirionnydd. Daw mwyafrif y cyfeiriadau o blwyf Llanelltud, wedi eu cofnodi ym mhapurau Nannau. Yn y casgliad hwnnw ceir *y buarth gwndwn* o 1669 ac eto yn 1700/1. Yna ceir llu o gyfeiriadau at *Cae Gwndwn* ym mhlwyf Llanelltud: *y Kay Gwndwn* (1633); *Kaie gwndwn* (1659); *Cae Gwyndwn* (1697/8); *y Cae Gwndwn* (1700/1); *Cae Gwyndwn* (1704). Mae'n anodd lleoli llawer annedd gan nad yw'r cofnod ond yn nodi enw'r plwyf neu'r drefgordd, ac mae hyn yn cynnwys ardal bur eang. Felly, rhaid gofyn ai'r un lle sydd yn y cofnodion uchod â'r *Gwndwn Uchaf / Isauf* [sic] a gofnodwyd yn Y Ganllwyd yn y Cyfrifiad yn 1841? Mae'r Ganllwyd ym mhlwyf Llanelltud. Cofnodwyd yr anheddau yn Y Ganllwyd fel *Gwndwn ucha / isa* yng Nghyfrifiad 1871, ac fel *Gwndwnisaf* a *Gwndwn ucha* yn 1911. Nodir *Gwndwn-isaf*, *Gwndwn-uchaf* a *Ffridd Gwndwn-isaf* ar y map OS cyfredol. Ceir cyfeiriadau hefyd at anheddau *Caegwndwn* ym mhlwyf Llanaber a *Gwndwn* yn Llandanwg yn yr ail ganrif ar bymtheg (AMR). Nodwyd annedd o'r enw *Gwndwn* yn RhPDegwm plwyf Trawsfynydd.

Gwelir yr un elfen yn enw sawl cae yn RhPDegwm: *Gwndwn* (Llanfihangel-y-traethau, Trawsfynydd); *Cae Gwndwn* (Llanddwywe, Llanenddwyn, Llanegryn, Llandecwyn); *Rhos y Gwndwn* (Betws Gwerful Goch); *Werglodd wndwn* a *Gwndwn grygog* (Llandanwg); *Arlas y Gwndwn* (Llandecwyn); *Gwndwn bychan* (Llandanwg); *Blaen Gwndwn* (Llandecwyn) a *Gwndwnpella* (Llanddwywe).

Na thybied neb mai ffurf wallus yw'r *Gwyndwn* a nodwyd

---

64 Mewn trafodaeth bersonol â'r Athro.

ddwywaith yn y cofnodion uchod. Yn wir, mae'r ffurf honno yn gywirach na *gwndwn*, gan mai tarddiad y gair yw *gwyn* + *twn*. Ystyr *twn* / *ton* yw tir heb ei aredig, wyneb y ddaear, tywarchen. Ceir yr un elfen yn y Gernyweg a'r Wyddeleg. Felly, ystyr *gwndwn* yw tir nad yw wedi cael ei drin a'i aredig am gyfnod. Mae'n hen air: fe'i ceir yng nghywydd 'Yr Adfail' gan Ddafydd ap Gwilym. Dyma sut y mae ef yn cyfarch yr adfail:

> 'Tydi, y bwth tinrhwth twn[65]
> Rhwng y gweundir a'r gwyndwn ...' (CDapG)

'Gwraig rasol a gaiff anrhydedd'

Dyna a ddywed Llyfr y Diarhebion, beth bynnag (Diar. XI, 16). Ond, o'u cymharu â'r dynion, prin yw'r gwragedd a anrhydeddir drwy gael eu henwi mewn enwau lleoedd. Byddai'n dasg enfawr cofnodi'r holl enwau lleoedd sy'n cyfeirio at y dynion gan eu bod mor niferus. Ni wyddom a oedd y gwragedd a goffeir mewn enwau lleoedd ym Meirionnydd yn rasol, ond mae'n werth bwrw golwg ar rai ohonynt. Hen enwau traddodiadol yw'r mwyafrif ohonynt yma, fel mewn mannau eraill yng Nghymru; enwau fel *Angharad*, *Nest* a *Gwenllïan*.

Cofnodwyd annedd o'r enw *Kae Gwenllian* yn Llangar yn 1600 ac 1668 (Rug). Ceir cofnod o annedd *Dôl Gwenllian* yn Llanbedr yn 1639. Fe'i ceir yn y ffurf *Ddole Gwenllian* yn 1712 a *Dole Gwenllian* yn 1791 (AMR). Cofnodwyd yr un enw yn RhPDegwm plwyf Llanymawddwy yn 1842 ond ar y ffurf *Dol y Gwenllian*. Er y gwelir y fannod ambell dro o flaen cyfenw anghyfiaith neu enw personol gwrywaidd, prin yw'r enghreifftiau o flaen enw personol benywaidd. Ceir cyfeiriad at *Erw Gwenllian* yn 1728/9: mae yn Aberdyfi hyd

---

65 Mae ystyr wahanol i *twn* yma. Ansoddair yw hwn, yn golygu 'toredig, drylliog'. Sylwer mai *gwyndwn* yw'r ffurf a ddefnyddiodd Dafydd.

heddiw. Annedd arall sydd yma o hyd yw *Hendre Gwenllian* yn Llanfrothen; fe'i nodwyd fel *Hendregwenllian* yn RhPDegwm yn 1840.

Yr enghraifft enwocaf o'r enw *Angharad* ym Meirionnydd yn ddiau yw *Garthangharad* i'r gorllewin o Ddolgellau. Bu'r adeilad presennol yn ysbyty ar un adeg, ond mae'r enw yn llawer hŷn. Ceir cofnod o *Tyddyn Garddyn Arradere* o'r flwyddyn 1592/3, ac yn ddiau yr un lle yw hwn (AMR). Fe'i nodwyd yn y ffurf *Garth ynaradr* ym mhapurau Peniarth yn 1674; fel *Garthyngharad* yn 1722 (Dolrhyd); *Garthunarad* yn 1743 (CalMerQSR) a *Garth-ynghared* ar fap OS 1837. Ceir *Garthynhared* yn y Cyfrifiad yn 1861, ond erbyn 1901 mae wedi ymsefydlogi fel *Garthangharad*. Lleolir annedd *Maes Angharad* i'r gorllewin o Ddolgellau. Mae yno hyd heddiw. Fe'i cofnodwyd fel *mays Angharad* yn 1592/3 (AMR). *Maes-ynghared* oedd ar fap OS 1837 a *Maesynghuad* yn RhPDegwm yn 1838. *Maes Angharad* sydd ar y map OS cyfredol. Nodwyd annedd *Erow yngharad* yng Nghorwen yn 1615 (Rug). Enw ar gae oedd *Erw Angharad* yn RhPDegwm plwyf Corwen yn 1839. Yno hefyd nodir annedd o'r enw *Tyddyn Angharad*. Mae'r annedd yno o hyd rhwng Gwyddelwern a Chorwen. Ai'r un lle yw'r *Tyddyn Yngharad* sydd yn RhPDegwm plwyf Gwyddelwern hefyd yn 1836? Fe'i cofnodwyd fel *Tyddynanghared* yn 1763 (CalMerQSR) ac fel *Tyddyn Angharad* ar fap OS 1838.

Ceir llawer iawn o gyfeiriadau at *Cae Nest* yn Llanbedr. Tŷ o'r bedwaredd ganrif ar bymtheg yw hwn sydd bellach yn westy, ond fe'i hadeiladwyd ar seiliau tŷ cynharach. Ceir cofnod o *Kayneste* yn Llanbedr yn 1574, ac yn y ffurf *Kaenest* yn 1587 (Thor). Yn yr un ffynhonnell ceir *Caenest* yn 1732 ac 1760. *Cae Nêst* sydd yn *The Cambrian Register* yn 1795. Nodwyd *Cae-nest* ar fap OS 1838 a *Cae Nest* yn RhPDegwm yn 1840. Ceir *Cae Nest Farm* ar y map OS cyfredol. Mae'r gwesty bellach wedi ymddyrchafu i fod yn *Cae Nest Hall*. Annedd arall sy'n bodoli hyd heddiw yw *Llety Nest* ym Mrithdir. Ceir cyfeiriad ato yn y ffurf *lletty Nest* ym mhapurau Nannau yn 1609 ac 1622/3. Yn yr un ffynhonnell ceir *lletty nest* yn 1687 a *Lletty Nest* yn 1710. *Lettynest* oedd yn RhPDegwm yn 1838. Nodwyd yr enw *Llettu Nest* yn Ffestiniog hefyd yn 1625 (Poole). Yn AMR ceir cyfeiriad at *Tyr Eva verg nest*[66] ym Mrithdir a *Tir Nest* yn Llangelynnin yn 1592.

Ceir cyfeiriadau prin at yr enw *Dyddgu*. Ond gweler yr adran 'Creaduriaid dof a gwyllt' uchod, lle trafodir y posibilrwydd fod rhywfaint o gymysgu wedi bod rhwng *dyfrgi* a *Dyddgu* mewn rhai enwau lleoedd. Pa un tybed a olygir yn *Talar ddyfngy* yn Llanaber yn 1714 (Cynwch)? Cofnodwyd *Cay dduthgu* yn Llanbedr yn 1501 (Ygn), a *Kae dyddgi* yn Llangar tua 1650 (Rug).

Lleolir *Hendre-forfydd* yng Ngharrog; mae yno hyd heddiw. *Hendre vorwydh* oedd gan Edward Lhuyd yn y *Parochialia* tua 1700. Fe'i cofnodwyd fel *Hendreforfedd* a *Hendreforfydd* yn ATT yn 1798. Ceir cae o'r enw *Cae hendre Morfydd* yn RhPDegwm plwyf Llanfor yn 1847. Cofnodwyd *bryn morvyth* yn Llanegryn yn 1567 (Pen).

Cyfeiriwyd eisoes at *Tyr Eva verg nest* ym Mrithdir. Nodwyd *Rhyd Eva* yn Nhywyn yn 1707–8 (AMR). Roedd yna *ryd Efa* yng Nghorwen hefyd yn 1638 (Rug). Tybed ai'r un Efa oedd hon ag a gofnodwyd yng Ngwyddelwern yn enw *Tythyn Eva* yn 1711 (Rug)? *Tyddyn Efa* oedd yn RhPDegwm yn 1836. Yn 1711 hefyd nodwyd *y wern Eva* yng Ngwyddelwern (Rug).

Enw anghyffredin yw *Alswn*, ffurf Gymraeg yr enw *Alison*. Mae AMR yn nodi *lloyn Alsune* yn Nhywyn yn 1592. Mae'n debyg mai *llwyn* yw'r elfen gyntaf yn y cofnod hwn, ond erbyn 1633 mae wedi troi'n *llain*. Nodwyd *llaine Alswn* yn y flwyddyn honno (RCLCE), a *Llain Alswn* yn 1702 (Pen).

Prin yw'r cyfeiriadau at yr enw personol benywaidd *Tangwystl* mewn enwau lleoedd. Ceir cyfeiriad at *Tythin Tanglwyst* yn Nhywyn yn 1633 (RCLCE). Mae'n amlwg fod sillafiad yr enw wedi peri problem yma. Gwelir yr un anhawster yn achos *Tir Tangwystl* yn Abertawe, lle

66 Tir Efa ferch Nest.

cofnodwyd yr enw fel *Tangloost, Tanghist* a *Danglust* ar wahanol adegau (AMR).

Ceir nifer o gyfeiriadau at yr annedd *Hendre Hunydd* yn Llanfrothen, ond roedd yr enw benywaidd *Hunydd* hefyd yn amlwg yn boendod i'r cofnodwyr. *Hendre hvnyth* oedd y ffurf yn 1519 (Bangor). Cofnodwyd *Hendre Heinid* ym mhapurau Mostyn yn 1543/4 ac 1754. Yn y Cyfrifiad ceir *Hendraheunud* yn 1851, a *Hendreheynyd* yn 1861. Roedd pethau wedi gwella rhyw gymaint erbyn 1911 pan nodwyd *Hendreheunydd.* Roedd annedd o'r enw *Llwyn Hunydd* yn Nhywyn. Yn 1592 y ffurf oedd *llwyn hynydd.* Fe'i cofnodwyd fel *Tyddyn llwyn Hynyth* yn 1596 (Nannau) a *Llwyn hynydd* yn 1633 (RCLCE).

Y mwyaf adnabyddus o'r cyfeiriadau at yr enw *Gwerful* ym Meirionnydd yw enw'r pentref *Betws Gwerful Goch.* Amheuthun o beth yw medru gwybod pwy oedd y sawl a goffeir mewn enw lle, ond dangosodd Melville Richards fod tystiolaeth bur gref yn yr hen achau fod *Gwerful Goch* yn ferch i Gynan ab Owain Gwynedd ac yn wraig i Iarddur ap Trahaearn ap Cynddelw ap Rhirid. Honnir mai hi a sefydlodd y betws. Mae'n debyg ei bod yn byw tua diwedd y ddeuddegfed ganrif (AtM). Cofnodwyd *Cay Gwerfell* yn Llanuwchllyn yn 1592 (AMR). *Kay gwvryl* oedd y ffurf yn 1606 (Mostyn). Mae'n fwy na thebyg mai merch o'r enw *Gwerful* sydd hefyd yn llechu yn yr enw a gofnodwyd yn Llanenddwyn yn 1517 fel *Lletty Weyrvyl* ac yn 1552 fel *lleytey Wervill* (Mostyn).

Un o'r enwau a lurguniwyd fwyaf ym mhob rhan o Gymru yw *Lleucu.* Fe'i ceir wedi ei sillafu yn *Llyky, Lleike, Lleyckve, Llecci, Llyke, Lukey, Likey, Llicky* a sawl ffurf ddieithr arall mewn gwahanol fannau. Un o'r llurguniadau rhyfeddaf yw *Moelyci* am *Moel Leucu* yn Nhregarth ger Bangor, ffurf a barodd i lawer un dybio mai ci yn hytrach na merch a roddodd ei enw i'r foel (HEALlE). Mae'r enw yn cael ei gam-drin hefyd yn achos enw'r annedd *Cae Lleucu* yn Llanfachreth. Mae yno hyd heddiw, yn cael ei sillafu'n gywir fel *Cae Lleucu* ambell dro, ond fel *Cae Lleci* dro arall. Ym mhapurau Nannau fe'i cofnodwyd â'r sillafiad anhygoel *Kay lleuqy* yn 1542, ac fel *Kay lleyku* yn 1610 a *Kay Lleykey* yn yr un ffynhonnell yn 1667. *Cae Lleci* oedd yn RhPDegwm yn 1836. Ceir cyfeiriad at annedd o'r enw *Tyddyn Lewky* yn Llanegryn yn 1592/3, a nodwyd y caeau a ganlyn yn RhPDegwm: *Cae lluci* yn Llangar, *Erw lice* yng Nghorwen, *Cae lleci* a *Cae r lleici* yn Llandderfel, a *Llain llecci* yn Nhywyn. Gwall yn ddiau yw'r cae a nodir fel *Bardd lecky* ym Mhennal: mae'n debyg mai 'gardd' a olygir yn yr elfen gyntaf.

Yn 1555 cofnodwyd yr enw *Tythyn Gwladys goch* yn Nhrawsfynydd (Mostyn). Ceir yr un ffurf yn 1636 (Dfrïog). Mae sillafiad yr enw ychydig yn wahanol yn 1657, sef *Tyddyn gwladus goch* (Mostyn). Gollyngwyd yr ansoddair gan Edward Lhuyd tua 1700: *Tyddun Gwladus* sydd ganddo ef (Paroch). *Tyddyn Gwladus* oedd yn RhPDegwm yn 1840. Yng Nghyfrifiad 1901 nodwyd *Plas Tyddyngwladys*. Ar un adeg gwelodd *Tyddyn Gwladus* gryn brysurdeb diwydiannol. Fe fu cloddio am blwm yno ym mhedwardegau'r bedwaredd ganrif ar bymtheg, ac yna ymgais aflwyddiannus i gloddio am aur. Roedd gwaith powdwr gwn yno rhwng 1887 ac 1892.

Gwelwyd tri chyfeiriad at yr enw *Mabli* ym Meirionnydd. Ffurf Gymraeg ar *Mabel* yw *Mabli*. Ceir cofnod o *Tythyn Mablye* yn Llandrillo yn 1582 (EFD), ac mae gan AMR gyfeiriadau o'r flwyddyn 1592 at yr enw *Mabli* yn *Tyddyn Cay mably / Kaye Mabley / Kay mably* ym Mrithdir. Nodwyd *bryn mablie* yn Llanymawddwy yn 1638, ac eto fel *Bryn Mabli* yn 1659 ac 1664 (Wynn).

Yn 1622 ceir cyfeiriad at annedd o'r enw *Gwastad Annes* yn Llanaber (Dfrïog). Erbyn 1630/1 mae wedi newid i fod yn *gwastad Agnes* (Brog). Mae'n troi'n ôl i fod yn *Gwastad Annes* yn 1665 (MyN). Yng nghasgliad Llanfair a Brynodol yn LlGC ceir *Gwasted Annes* yn 1695/6, ond *Gwastad-Agnes* yn 1698, ac mae'n troi'n ôl i fod yn *Gwasded Annes* drachefn yn 1707. *Gwastadagnes* sydd yn RhPDegwm yn 1839. Mae fferm *Gwastad Agnes* yn bodoli hyd heddiw i'r gogledd o

Abermo. Ni ddylid cymysgu'r enw hwn â'r *Gwastad Annas* ym Meddgelert. Dangosodd Syr Ifor Williams mai llurguniad yw'r enw hwnnw o 'gwastad onnos', sef gwastatir lle roedd llawer o goed ynn yn tyfu (ELl). Cofnodwyd *Korlan Annes* yn Llanfair yn 1561 (MyN), ac *Erw Annes* yng Nghorwen yn 1631 ac 1639/40 (Rug). Yn RhPDegwm yn 1842 nodwyd *Gwastadanas* yn Llandecwyn ar dir *Plas Llandecwyn*. Roedd cae yn Llandanwg o'r enw *Talar annas*.

Gwelwyd cofnodion unigol o rai enwau eraill: nodwyd *Tythyn ffynnon Sioned* yn Nhywyn yn 1653/4 (Pen). Gwelir yr enw *Generys* yn *Kay geneyrys* yn Ffestiniog yn 1502 (TyB). Yn RhPDegwm plwyf Llanycil yn 1838 nodwyd yr enw *Buarth Sibil*. Mae'n debyg mai enw merch yw'r ail elfen *Maelan* yn *Garthmaelan* a *Cefnmaelan* a drafodir ar wahân uchod. Ceir llawer mwy o enwau mwy modern eu naws yn RhPDegwm, yn enwedig yn enwau'r caeau, enwau megis *Cae Ann Llwyd* (Corwen); *Cae Ellin Morgan* a *Dole Catherine Lloyd* (Llandecwyn) a *Cae Barbara Owen* a *Cae Mary Lewis* yn Nhywyn.

Gyfynys a Chefnynysoedd

Mae'r enw *Gyfynys* i'w weld mewn sawl man yng Nghymru: yn Nhudweiliog yn Llŷn, yn Llangoed ym Môn, yn Nhrofarth (Dinb.) ac ym mhlwyf Maentwrog ym Meirionnydd. Yr olaf yw'r un o ddiddordeb i ni yma. Nododd Edward Lhuyd yr enw yno yn y ffurf *Gyvynys* tua 1700 (Paroch). Ar y map OS cyfredol nodir *Craig Gyfynys* yn agos at atomfa Trawsfynydd. Ar fap OS 1838 nodwyd *Craig-y-Gyfynys* ac annedd o'r enw *Gyfynys* gerllaw. *Gyfynys* oedd yn RhPDegwm plwyf Maentwrog yn 1840. Cofnodwyd yr enw yn y ffurf *Gyfynys* yn y Cyfrifiad yn 1841, 1881 ac 1901, ac fel *Gyfynus* yn 1861. Ar fap OS 6" 1888–1913 ceir *Craig Gyfynys*, *Nurse*[67] *Gyfynys* a *Gyfynys*.

67 *nurse* = planhigfa.

Mae *Gyfynys* yn ddiddorol oherwydd ystyr yr enw. Nid oes unrhyw ddiben chwilio am y gair *cyfynys* mewn geiriadur, ond mae'n amlwg mai cyfuniad sydd yma o'r rhagddodiad *cyf–* yn dynodi cysylltiad neu gydberthynas + *ynys*. Fe welwn yn yr adrannau ar *Y Lasynys* a'r *Farchynys* nad yw *ynys* bob amser yn golygu darn o dir yng nghanol môr, afon neu lyn. Gall hefyd olygu dôl ar lan afon neu ddarn o dir gwastad ar fin y dŵr (ELl). Rhydd D. Geraint Lewis yr esboniad 'dwy ddôl ar bwys ei gilydd' am y gair *cyfynys* (LlE). Ym Meirionnydd ceir cofnod hefyd o ddau gae o'r enw *Fynys bach* a *Fynys fawr* yn RhPDegwm plwyf Corwen yn 1839.

Ceir sawl cofnod o'r ffurf luosog *Gyfynysoedd* yn Llanfaethlu ym Môn (Sotheby). Yn AMR nodir annedd yn Llanenddwyn yn y ffurf *y kevynyssoydd* o'r flwyddyn 1548 ac *y Kevenysoedd* o 1551/2 (Mostyn). Mae Melville Richards yn dehongli'r enw hwn fel 'Y Cyfynysoedd'. Fodd bynnag, yn RhPDegwm plwyf Llanenddwyn yn 1840, nid oes annedd o'r enw hwn, ond nodwyd dau gae, sef *Gyfynus Ganol* a *Cefynysoedd* [sic] ar dir Bronyfoel Ucha. Felly, ai 'Cyfynysoedd' ynteu 'Cefnynysoedd' oedd yr enw yn Llanenddwyn? Mae'r enw *Cefn Ynsoedd* yn sicr yn bodoli: ceir sawl cofnod ohono yn Llanfaglan yn Arfon, ac mae rhai o'r sillafiadau yno yn bur ryfedd, megis *Cefn ysoedd*, *Cefnsoedd* a *Cefnyssodd* (HEALlE). Fe'i nodwyd hefyd yn Llandrygarn ym Môn fel *Cefn ysodd*. Mae'n hawdd deall sut y digwyddodd y cywasgu yn yr enw. Mae aceniad y sillaf o flaen yr acen yn tueddu i fod yn wan yn y Gymraeg, ac yma mae'r *n* yn *Cefn* a'r *n* yn *ynysoedd* yn cael eu cyfuno ar lafar nes llyncu'r sillaf ragobennol yn llwyr.

Ym Meirionnydd cofnodwyd y ffurf od *Cenfnfensedd* [sic] yn enw ar annedd yn RhPDegwm plwyf Llangelynnin yn 1839. Mae'n bosib mai *Cefn Ynsoedd* sydd yma hefyd. Yn y Cyfrifiad yn 1841 nodwyd *Cefninsydd*. Nid oes cofnod ohono yn y Cyfrifiad ar ôl hynny, ond yn 1861, 1871 ac 1911 nodwyd *Cefnfeusydd* [sic]. Ai'r un lle yw hwn? Byddid wedi disgwyl cael *Cefn Meysydd* os mai *cefn + meysydd* yw'r enw.

Awgryma'r ail *f* yn *Cefnfeusydd* efallai mai llurguniad o *Cefn Ynysoedd* sydd yma. Mae *The Cambrian Register* yn cofnodi'r ffurf *Cevyn Veusydd* yn Llangelynnin mor gynnar ag 1795.

Helygog

Ffermdy rhestredig o ddiwedd yr ail ganrif ar bymtheg ym Mrithdir yw *Helygog*. Saif hyd heddiw i'r dwyrain o bentref Brithdir ac i'r gogledd o'r hen ffordd Rufeinig o Ddolgellau i'r Bala. Ansoddair yw *helygog* i ddisgrifio rhywle lle ceir llawer o goed helyg. 'Willow-grove' yw'r ystyr a nodir yn *The Cambrian Register* yn 1795. Yn rhyfedd iawn, *tythyn yr helygoge* a geir yn 1556 (Nannau) lle ystyrir *helygog* yn enw, a fyddai'n cyfateb i'r syniad o gelli helyg. Byddid wedi disgwyl cael *tythyn helygoge* gan drin *helygog* fel ansoddair. Fe'i hystyrir fel enw eto mewn cofnod o 1637/8, sef *y Tv yn yr hylygog* (Hg). Mae'r ffurf *Lygog* a nodwyd yn 1725 (Hg) yn ddiddorol. Ceir talfyrru tebyg yn achos *Cae'r Helygen* ger Y Bontnewydd yn Arfon. Nodir *Cae'r lygan* sawl gwaith dros y blynyddoedd yn asesiad y Dreth Dir (HEALlE). Mae'n amlwg mai hwn oedd yr ynganiad ar lafar. Dengys Dr B.G. Charles fod cwtogi cyffelyb wedi digwydd yn enw'r afon *Helygen* yn Sir Benfro a gofnodwyd fel *Lygen*, ac yn enw *Nant-yr-helygen* a drodd yn *Nant yr lygen* a *Nantyrlegon*. Nodwyd *Helugog* yn 1741 (Hg). *Helygogfach* a *Helygogfawr* sydd yn RhPDegwm plwyf Dolgellau yn 1838.

Hendre a Hafod

Dwy elfen gyffredin iawn ym Meirionnydd fel yng ngweddill Cymru yw *Hendre* a *Hafod*.[68] Yr hendref yn llythrennol oedd 'yr hen dref', sef yr hen gartref a'r drigfan sefydlog. Cofnodwyd anheddau o'r enw *Hendre[f]* ym

---

68 Gweler hefyd Elwyn Davies, 'Hendre and Hafod in Merioneth', CCHChSF, VII, 1973.

mhlwyfi Gwyddelwern, Llandrillo, Corwen, Llanfachreth, Llanfrothen, Llanfihangel-y-Pennant, Llanfor, Llandderfel, Mallwyd, Llanycil a Llangelynnin. Ceir llu o anheddau eraill ledled Meirionnydd lle cyfunir yr elfen *hendre* ag elfen arall yn yr enw, megis anheddau *Hendre Fawr* (Trawsfynydd); *Hendrefechan* (Llanddwywe); *Hendre cerrig* (Llandecwyn); *Hendreclochydd* (Llanaber); *Hendre Gwenllian* (Llanfrothen); *Hendre Forfydd* (Corwen), i enwi dyrnaid yn unig. Yn RhPDegwm nodwyd y caeau a ganlyn: *Hendre isa / uchaf* (Llanfair); *Hendre issa* (Llanymawddwy); *Hendre boeth* (Llandecwyn); *Hendre bach* (Gwyddelwern a Llanenddwyn) a *Maes yr hendre* (Llanuwchllyn).

Os mai'r hendref oedd y drigfan sefydlog, swyddogaeth yr hafod oedd darparu porfa frasach i'r da byw yn ystod yr haf. Dyna yw ystyr yr enw, sef *haf* + *bod*, trigfan yr haf. Arferai'r ffermwyr a'u da symud o'r hendref i'r hafod fel rheol o Galan Mai hyd Awst neu Fedi. Yr oedd yr hafodydd ar y cyfan ar dir rhwng 600 troedfedd a 1000 troedfedd o uchder ar ymylon ffridd neu lechwedd mynydd. Mae'n amlwg fod llawer annedd o'r enw *hafod* ar dir is na hyn, a rhaid casglu nad yw'r rhain yn hafodydd yng ngwir ystyr yr enw, ond yn hytrach wedi eu henwi ar ôl porfa arbennig, ac efallai nad yw 'hafod' ambell dro yn ddim mwy nag enw dymunol a apeliodd at berchennog yr annedd.

Cofnodwyd anheddau o'r enw *Hafod* yn syml ym mhlwyfi Llanddwywe, Mallwyd, Llangar, Llanfor a Thywyn. Ymhlith y llu o enghreifftiau o enwau lle cyfunir yr elfen *hafod* ag elfen arall mae anheddau *Hafod y Coed* (Llanbedr); *Hafodymorfa* (Llanelltud); *Hafod [y] garreg* (Trawsfynydd a Llangelynnin); *Hafod las* (Gwyddelwern a Llanddwywe); *Hafodwian* (Mallwyd) a *Hafod bleuddyn* (Gwyddelwern). Yn RhPDegwm cofnodwyd y caeau hyn hefyd: *Hafod fechan* (Llangar); *Hafod y Foel* (Betws Gwerful Goch); *Hafod y Meirch* (Dolgellau); *Hafod y mynydd* (Ffestiniog) a *Ffridd hafod* (Llanaber).

Yn ogystal â *hafod* ceir y ffurf lawnach *hafoty*. O ystyried

171

ystyr wrthgyferbyniol *hendre* a *hafod*, mae'r enw *Hafoty Hendre*, a gofnodwyd yn Llanfachreth a Llanfihangel-y-Pennant, yn ddiddorol. Talfyriad llafar o *hafoty* yw'r ffurf *Foty* sydd yn elfen hynod o gyffredin. Yn RhPDegwm gellir gweld datblygiad y ffurf hon. Gwelir hefyd yr arfer ar un adeg o sillafu'r elfen â *V* yn hytrach nag *F*. Yn Llanegryn cofnodwyd annedd o'r enw *Hafodty* a nodwyd *Hafodty fach* yn Llangywer. Gwelir y talfyrru yn dechrau mewn enw fel *Cae tan y fodty* (Llandanwg). Yna caledwyd y sain *dt > t*, a chawn *Hafoty* fel yn *Hafotty* yn Llanfrothen, *Hafoty Hendre* uchod, a *Hafotty Berwin* [sic] yng Ngwyddelwern. Y cam nesaf yw *Foty / Voty.* Ceir llu o'r rhain. Yn eu plith mae'r anheddau *Fotty Newydd* (Betws Gwerful Goch); *Fotty boeth* (Gwyddelwern); *Vottywen* a *Votty ganol* (Llandderfel), a *Fottyfach* (Mallwyd), a'r caeau *Buarth fotty* (Llandderfel) a *Ffridd y Votty* a *Votty yr Offeiriad* (Betws Gwerful Goch). Dywed GPC y gall *hafoty / foty* fod yn wrywaidd neu'n fenywaidd, ond benywaidd yw'r elfen ar y cyfan heblaw am ambell eithriad, fel annedd *Votty coch* (Llanycil).

Hendre Bryn Crogwydd

Lleolir *Hendre Bryn Crogwydd* yng Nghwm Prysor ar y ffordd rhwng Trawsfynydd a'r Bala. Mae Melville Richards yn cyfeirio at yr enw mewn erthygl hynod o ddiddorol ar safleoedd rhai crocbrenni yng Nghymru'r oesoedd canol.[69] Cyfeiria at gofnod o'r enwau *Bryn y Crogwr* a *Nant y Crogwr* yn Nhrawsfynydd yn 1590.[70] Ychydig o gofnodion eraill a welwyd o'r enw ac eithrio *Bryn-y-crogwydd* ar fap OS 1838 a *Bryn y crogwydd* yn RhPDegwm plwyf Trawsfynydd yn 1840 ac yn y Cyfrifiad yn 1841. *Hendre-bryn-crogwydd* oedd ar fap OS 1901, a dyna sydd ar y map OS cyfredol.

69 Melville Richards, 'The Site of Some Medieval Gallows', Arch.Camb., Cyf. CX111, 1964.
70 IAMMer.

Mae'r cyfeiriad at erthygl Melville Richards eisoes wedi rhoi awgrym inni o ystyr yr enw. Er bod *crocbren* yn fwy arferol na *crogwydd*, ceir digon o enghreifftiau yn GPC o *crogwydd* dros y canrifoedd. Cyfuniad o *crog* + *gwŷdd* sydd yma, ac mae'r elfennau'n cyfateb yn union o ran ystyr i *crocbren*, sef fframwaith o byst a thrawst lle crogid drwgweithredwyr. Nid yw'r enw *Bryn Crogwydd* yn gyfyngedig i'r un yn Nhrawsfynydd: fe'i cofnodwyd hefyd yn Niserth yn Sir y Fflint, yng Nghnwclas ym Maesyfed, yn Niwbwrch ym Môn ac yn Neigwl yn Llŷn.[71] Cofnodwyd yr un elfen yn *Rhiw'r Crogwydd* yng Nghaeo, *Clun y Crogwydd* yng Nghenarth, a *Rhyd y Crogwydd* yng Nghilcain.

Nododd Melville Richards mai'r gosb am ddynladdiad yng Nghymru'r oesoedd canol oedd gorfod talu galanas yn hytrach na chrogi. Ond arferid cosbi rhai troseddau eraill, gan gynnwys rhai mathau o ladrad, drwy grogi. Cyfeiria'r Athro at drydedd gainc y Mabinogi lle mae Manawydan ar fin crogi llygoden am ddwyn ei wenith. Pan holir Manawydan am hyn, ei ateb yw: 'Yn lledratta y keueis ef, a chyfreith lleidyr a wnaf inheu ac ef, y grogi' (PKM). Credai Melville Richards fod y crocbren yn Nhrawsfynydd yn gysylltiedig â Chastell Prysor a Ffridd Prysor.

Hengwrt

Roedd plasty *Hengwrt* wedi ei leoli rhwng Llanelltud a Dolgellau. Adeiladwyd y tŷ Sioraidd rhwng 1750 ac 1754, ond fe'i dinistriwyd mewn tân yn 1962. Fodd bynnag, mae'r safle yn llawer hŷn, fel y tystia'r enw *Hengwrt*. Roedd yma fferm yn perthyn i Abaty Cymer. Ceir cyfeiriad at y lle mor gynnar ag 1291 (ACLW). Fe'i cofnodwyd fel *Yr hen courte* yn 1564 (Nannau); *yr hengourt* yn 1574 (Pen) ac *Yr Hengwrt* tua 1700 (Paroch). Mae symlrwydd yr enw yn golygu na fu llawer o lurgunio ar ei ffurf. Yr elfennau yw *hen* + *cwrt*. Mae ystyr arbenigol i *cwrt* yma, sef 'grange'. Gwelir *cwrt* yn

71 Melville Richards, *op. cit.* ac AMR.

amlach mewn enwau lleoedd yn ne Cymru, megis *Cwrt-sart* a *Cwrtybetws.*

Efallai y dylid crybwyll yma ddamcaniaeth yr archifydd a'r arbenigwr ar enwau lleoedd, Tomos Roberts, am ddefnydd yr ansoddair *hen.* Honnai ef fod gwahaniaeth rhwng *hen* pan fo'n elfen gyntaf mewn enw lle a phan fo'n ail elfen. Dywed mai'r ystyr fel elfen gyntaf yw *cyn-,* sef 'former', ac mai 'old' yw'r ystyr pan fo'n ail elfen (ADG2). Os dilynwn y ddamcaniaeth hon, ystyr *Hengwrt* yn Saesneg fyddai 'former grange' yn hytrach nag 'old grange'. Mae lle i amau a yw'r rheol hon mor ddi-syfl ag yr awgryma Tomos Roberts, ond mae'n gwneud synnwyr yn achos *Hengwrt,* gan y byddai swyddogaeth y safle fel fferm y Mynaich Gwynion wedi dod i ben erbyn y cyfnod pan adeiladwyd y tŷ cynharaf yno.

Bu teulu *Hengwrt* yn noddwyr i'r beirdd, ond nid ar yr un raddfa â rhai o dai mawr eraill Meirionnydd. Ysgolheigion a hynafiaethwyr a dyrrai i *Hengwrt,* er mwyn ymweld â'r llyfrgell ryfeddol a grëwyd gan Robert Vaughan (?1592–1667). Ceir englynion o 1662 gan John Griffith, bardd ac uchelwr o Landdyfnan, yn clodfori'r gwaith a wnaeth Robert Vaughan a Meredith Lloyd, yr hynafiaethydd, yn diogelu'r hen lawysgrifau. Mae'n dechrau trwy ganmol ymdrechion Robert Vaughan:

> Gwaith parchus, hwylus helaeth, – a gwiw dasg
>   Oedd gadw'r henafiaeth,
>   [A] Robert gwiwbert a'i gw[n]aeth
>   Cyn llwydo cannwyll odiaeth.   (NBM)

Roedd y llyfrgell yn cynnwys trysorau amhrisiadwy megis Llyfr Gwyn Rhydderch, Llyfr Du Caerfyrddin a thestunau cynnar eraill. Mae'n wyrth fod cymaint o'r trysorau hyn wedi eu harbed, gan fod y llyfrgell wedi ei hanrheithio gryn dipyn dros y blynyddoedd. Dyma gyflwr y llawysgrifau a'r llyfrau yn 1778:

174

Mae'r Llygod Freinig (sic), Gwlaw, drwg Gadwraeth gwedi gwneud Anrhaith didrefn yn eu mysg – a'r rhan fwyaf o'r Llyfrau gorau wedi eu dwyn.[72]

Mae'n arswydus meddwl am yr hyn a gollwyd wrth i ddeunydd mor werthfawr adael y llyfrgell a phasio'n ddi-hid o law i law o gwmpas Dolgellau. Arhosodd y llyfrgell yn *Hengwrt* am tua thri chan mlynedd cyn ei chyfuno â chasgliad Peniarth. Yn y diwedd cyrhaeddodd y casgliad cyfan hafan ddiogel y Llyfrgell Genedlaethol.

Lasynys, Y

I Gymry llengar, mae'r *Lasynys* yn dwyn i gof ar unwaith enw Ellis Wynne, awdur *Gweledigaetheu y Bardd Cwsc*. Plasty bychan yw'r *Lasynys* rhwng Talsarnau a Harlech, ac yno y ganwyd Ellis Wynne ar 7 Mawrth, 1671 (BCG). Mae'n debyg mai ei fam oedd etifeddes *Y Lasynys*, tra hanai ei dad o deulu Wynniaid *Glyn Cywarch*.

Mae'r *Lasynys* yn dyddio o ddechrau'r ail ganrif ar bymtheg. Gwnaethpwyd rhai newidiadau i'r adeilad gan Ellis Wynne yn 1715, a bu llawer o atgyweirio arno yn niwedd yr ugeinfed ganrif. Fodd bynnag, ceir cyfeiriad at y safle ganrifoedd cyn hyn. Yn Stent Meirionnydd yn 1285 nodwyd '*in viride insula qua vocatur Glacuns*', sef 'yn yr ynys werdd a elwir *Glacuns*'. Ymgais i gyfleu *Glasynys* sydd yma, yn ôl pob golwg. Mae'r sillafiad yn dechrau ymsefydlogi yn fuan ar ôl hyn, gan y sonnir am dir pori o'r enw *Glasynys* yn 1308–9.[73] Nodwyd *Glasenys* yn 1315–21, a *Glassenys* yn 1328 (AMR). Ceir y ffurf *y llas ynys* yn 1590

72 Llythyr oddi wrth Richard Thomas at Owain Myfyr. Am ragor o hanes cysylltiad yr hynafiaethwyr â llyfrgell Hengwrt gweler WOP.

73 E.A. Lewis, 'The decay of tribalism in North Wales', *Trans. Cymm.*, 1902–3. Mae'r erthygl yn cynnwys cyfeiriadau o Rôl Siryf Meirionnydd am 1308–9.

(Mostyn); *Las Ynys* yn 1699 (MyN);[74] *Y Las Ynys /
Y Lasynys Vach* gyda'r cyfieithiad 'the Green Island' a 'the
Little Green Island' yn 1795 (Camb.Reg.) a *Lasynys fawr /
Lasynys bach* yn 1840 (RhPDegwm). Yn y Cyfrifiad nodwyd
Lâsynys bach / Lasynysfawr yn 1841; *Lasynysbach /
Lasynysfawr* yn 1861, a *Las Ynys Bach / Las Ynys Fawr* yn
1901. Ar y map OS cyfredol, ceir *Lasynys-fâch,* a nodir
Lasynys-fawr ddwywaith, y naill yn cyfeirio at yr hen blasty,
a'r llall at y fferm.

Mae ystyr yr enw yn hollol amlwg, sef *glas + ynys.* Ond
mae'n rhaid cofio fod mwy nag un ystyr i *glas* yn Gymraeg.
Nid *glas* yn yr ystyr o liw glas fel yr awyr sydd yma, ond y
glas a geir yn *glaswellt.* Gwyrdd, mewn geiriau eraill. Roedd
The Cambrian Register yn gywir wrth gyfieithu'r enw fel
'green island'. Felly hefyd y cofnod yn Stent Meirionnydd yn
1285 lle defnyddiwyd yr ansoddair *viridis* (gwyrdd) nid yr
ansoddair *caeruleus* (glas). Adeiladwyd *Y Lasynys* ar lecyn o
dir gwyrdd sy'n codi o'r tir corsiog oddi amgylch. Ar adegau
gallai droi'n ynys go iawn. Fel y dangosodd yr Athro Gwyn
Thomas, gellid cael llifogydd yno ar lanw mawr (GyeL).
Lluniodd Ellis Wynne ei hun ddeiseb i'r Senedd tua 1718 yn
gofyn am godi morglawdd i ddiogelu'r ardal rhag y llifogydd.

Llanfendigaid

Er bod hwn yn swnio fel enw ar eglwys neu blwyf, mae'n
cyfeirio yn awr at blasty hardd sy'n dyddio'n bennaf o ganol
yr ail ganrif ar bymtheg a'r stad o'i gwmpas. Dyma gartref
teulu Nanney-Wynn ers canrifoedd, ond bellach mae'n cael
ei osod fel cyrchfan foethus i ymwelwyr. Fe'i lleolir i'r de o
Roslefain ac i'r gogledd o Donfannau. Cofnodwyd yr enw fel
Lanuendygt yn Stent Meirionnydd yn 1285. Y ffurfiau yn
1419/20 oedd *Lanvendigaid* a *Llanvendigaid* (Rec.C).

74 Daw'r cofnod hwn o weithred sy'n cynnwys llofnod Ellis Wynne.
   Bu farw Lowry, ei wraig gyntaf, ar enedigaeth plentyn bum
   niwrnod cyn dyddiad y ddogfen hon.

Nodwyd *Lamendyget* yn 1392–3 (AMR);[75] *llanvendiget* yn 1453 (Nannau); *Llanvendiged* yn 1511 (Pen); *Llanvendiged* a *Tuthyn llanvendeged* yn 1574/5 (MyN); *Llanfedigaid* yn 1691 (MyN); *Llanfendigaid* ar fap John Evans o ogledd Cymru yn 1795, a *Llanvendigaid* yn yr un flwyddyn yn *The Cambrian Register* gyda'r cyfieithiad 'the resort of the blessed'. Yn RhPDegwm plwyf Llangelynnin yn 1839 nodwyd *Llanfedigaed*. Yng nghofnodion y Cyfrifiad ceir *Llanfeddiged* yn 1841 ac 1871 a *Llanfendigaid* yn 1881, 1901 ac 1911.

Mae'n rhyfedd meddwl fod gennym gynifer o gyfeiriadau at yr enw *Llanfendigaid*, ac eto ni lwyddwyd i esbonio'n hollol pam y cafodd yr enw hwn. Yn ôl Robert Prys Morris:

> … bu gynt hen eglwys yn sefyll gerllaw, neu tua'r fan y saif yr amaethdy neu y neuadd a elwir Llan Fendigaid. Ac ymddengys yn amlwg mai Llan Fendigaid oedd enw yr hen eglwys honno, a bod yr amaethdy a nodwyd yn dwyn ei enw yn awr (CM).

Roedd y geiriau hyderus 'yn amlwg' yn ddigon i wneud i bawb ddilyn yn ddigwestiwn yr hanes am yr hen eglwys, ond ni fedrai neb ei lleoli'n bendant na bod yn hollol siŵr mai *Llanfendigaid* oedd ei henw. Mae'n bosib fod yna ryw gapel anwes bychan yn yr ardal ar un adeg. Nid yw rhestr henebion Meirionnydd yn cyfeirio at unrhyw olion, ond noda fod 'maenhir' ger cae o'r enw *Cae'r Capel* yn agos at *Lanfendigaid* (IAMMer). Nid yw'n sicr ynglŷn â dyddiad na phwrpas y maen. Fodd bynnag, mae'n debyg y bu cael heneb o'r fath a'r enw *Cae'r Capel* yn fodd o gynnal y traddodiad fod yna ryw fath o adeilad eglwysig wedi bodoli gynt ar y safle.

---

75 Ceir llu o gyfeiriadau at yr enw *Llanfendigaid* yn AMR, ond yn anffodus nodwyd fod pob un ohonynt yn Llangelynnin, Sir Gaernarfon. Mae'n wir fod yna *Langelynnin* yn Sir Gaernarfon, ond roedd *Llanfendigaid* yn bendant ym mhlwyf *Llangelynnin*, Meirionnydd.

Fel y gellid disgwyl gyda thŷ mor urddasol a hynafol, bu *Llanfendigaid* yn noddi'r beirdd. Cyfeiriodd Huw Arwystli (*fl.* 1550) at y lle fel 'gwindai cynnes' mewn cywydd moliant i'w noddwr Huw ap Siôn (NBM). Pan fu farw Huw ap Siôn cwynodd Wiliam Llŷn ei golled mewn awdl farwnad iddo:

Mae'r medd ellynedd? Mae'r llawnion – seigiau?
Mae'r byrddau? Mae'r beirddion?
Mae'r rhodd gŵyl? Mae'r rhwydd galon?
Mae'r hap sydd? Marw Huw ap Siôn. (NBM)

Ail fab Huw ap Siôn oedd Dafydd Llwyd. Mewn cywydd drosto i ofyn march mae Gruffudd Phylip yn olrhain ei ach:

Dafydd, wiwglod fodd eglur,
Llwyd ap Huw, llew o waed pur,
ŵyr Siôn, ei ryw a soniwn,
Ap Hywel hael, pwy ail hwn?
Llew o waed cain, llwyddo'i caid,
Llawn fan deg, Llanfendigaid. (NBM)

Llety'r Goegen

Roedd ein hynafiaid yn bur ddiflewyn-ar-dafod ar adegau ac yn barod i gyhoeddi ffaeleddau eu cymdogion yn enwau eu tai. Ceir sawl cyfeiriad at *Llety'r Goegen* ym Mrithdir. Cofnodwyd *Lletty Goigen* yn 1767 (MyN). Yn y Cyfrifiad nodwyd *Llety goegan* yn 1841; *Llety'r goegen* yn 1871 a *Lletty'r goegen* yn 1881.[76] Nid yw'r elfen *coegen* yn gyfyngedig i'r annedd ym Mrithdir. Cofnodwyd *Tyddyn y Goegen* yn Llangadwaladr ym Môn a *Wern Goegen* ym Motwnnog yn Llŷn.

Mae GPC yn nodi'r ffurfiau gwrywaidd *coegddyn*, *coegwas*, *coegwr* a *coegyn* am ddyn balch mursennaidd, dihiryn neu gnaf. Y ffurf fenywaidd yw *coegen*. Diffiniad GPC o *coegen* yw putain, mursen, hoeden, maeden, sydd

76 Mae *Llety'r Goegen* yn chwarae rhan flaenllaw yn llyfr Bethan Gwanas *I Botany Bay*.

ychydig yn gryfach na'r disgrifiad o'r dynion. Yng Ngweledigaeth Cwrs y Byd mae Ellis Wynne yn gosod y goegen yn Stryd Balchder ac yn rhoi disgrifiad lliwgar iawn ohoni: 'Gwelwn aml goegen gorniog fel llong ar lawn hwyl, a chryn siop pedler o'i chwmpas, ac wrth ei chlustiau werth tyddyn da o berlau' (GBC). Wrth roi cyngor i ŵr cyn mynd i garu mae'r Ficer Prichard yn ei rybuddio i osgoi rhai mathau o ferched: 'Gochel goegen falch, ddifeder, / Gochel soga[77] sur, ansyber' (CyC). Felly, merch eithaf anhygar oedd yn byw yn yr annedd ym Mrithdir ers talwm.

Yn Llangelynnin ceir annedd o'r enw *Llabwst*. Ni fu nemor ddim amrywiad yn sillafiad yr enw. *Llabwst* oedd yn y Cyfrifiad yn ddi-ffael; *Llabwst* oedd yn RhPDegwm yn 1839. Camsillafwyd yr enw fel *Llabwrt* ar fap OS 1837. *Llabwst Farm* sydd ar y map OS cyfredol. Ceir cofnod o *Prysg y llabwst* yn Llangelynnin yn 1662 (MHTax), ond mae'n anodd dweud ai dyma oedd ffurf wreiddiol yr enw ynteu a oedd yn fodd o wahaniaethu rhwng y gwahanol enghreifftiau o'r elfen *prysg* yn yr ardal. Yn sicr, byddid wedi disgwyl cael rhyw elfen arall, megis *tyddyn* neu *cae*, o flaen *llabwst* i gychwyn. Felly, mae *Prysg y Llabwst* yn gwneud synnwyr. Er enghraifft, cofnodwyd *Pant Llabwst* yn Llaneilian ym Môn (HEYM). Er mai ystyr arferol *llabwst* yw rhywun afrosgo neu hurt, mae GPC yn nodi ystyron mwy difrïol, sef seguryn ac ystelciwr.

Yn sicr, nid oes unrhyw amheuaeth am natur annymunol y lleidr. Nodwyd *Llety['r] Lladron* yn Ninas Mawddwy a Dolgellau. Ar fap OS 1838 cofnodwyd *Llam-y-lleidyr* yn Llandanwg a *Nant-y-lladron* yn Llandrillo a Thrawsfynydd. Yn achos yr enw yn Llandanwg nodwyd *Llanlleidir* yn y Cyfrifiad yn 1871; *Llainy lleidir* yn 1881 a *Llanlleidr* yn 1891. Ai'r un lle oedd y *Llanlleithdir* a nodwyd yn 1901, ac a oes yma ymgais i roi gwedd barchusach i'r enw? Ond wedi dweud hynny, roedd yn ôl yn ddigamsyniol fel *Llamlleidr* yn 1911.

---

77 soga = slwt

Llwyn Griffri

Mae *Llwyn Griffri* yn Llanddwywe, ychydig i'r de o bentref Tal-y-bont. Daw'r cyfeiriad cynharaf ato a welwyd hyd yn hyn o 1658 yn y ffurf *Llwyn Griffri* (MyN). Yn wir, ychydig iawn o amrywiaeth sydd yn sillafiad yr enw dros y blynyddoedd. Ceir ychydig o simsanu mewn cofnod o 1679, lle nodir *Llwyn Griffith alias Llwyn Griffri* (MyN). Yn llawysgrifau Brynodol nodwyd *Llwyngriffry* yn 1695 a *Llwyn Griffri* yn 1707. *Llwyn Grifri* [sic] sydd yn *The Cambrian Register* yn 1795, gyda'r esboniad 'Grifri's grove'. Yn yr un flwyddyn *Llwyn Griffri* sydd ar fap John Evans o ogledd Cymru, ond *Llwyn-grifri* sydd ar fap OS 1838. Nodwyd *Llwyngriffri* yn RhPDegwm plwyf Llanddwywe yn 1840. Yn y Cyfrifiad ceir *Llwyngriffri* yn 1881, ond *Llwyngyffri* yn 1911. *Llwyn Griffri* sydd ar y map OS cyfredol.

Mae'r elfen gyntaf *llwyn* yn hollol gyfarwydd ac yn elfen gyffredin iawn mewn enwau lleoedd. Er ein bod yn tueddu i feddwl am lwyn fel planhigyn trwchus, rhaid cofio y gall hefyd olygu clwstwr neu gelli o goed. Cyplysir yr enw *llwyn* yn aml ag enw personol mewn enw lle. Er enghraifft, ym Meirionnydd ei hun gellir gweld y cyfuniad hwn yn enw'r pentref *Llwyngwril*, a'r anheddau *Llwynwcws* (Llanaber), *Llwyn Llwydyn* (Llanuwchllyn), *Llwyn Iocyn* (Llanfachreth), *Llwyn Iolyn* (Llanfor), *Llwyn Hwlcyn* (Llanfair), *Llwyn Alswn* a *Llwyn Hunydd* (Tywyn).

Hen enw personol nas clywir yn aml bellach yw *Griffri*. Ac eithrio'r cofnod *Llwyn Griffith alias Llwyn Griffri* o 1679, sydd efallai yn ymgais i esbonio'r enw *Griffri* a oedd eisoes yn mynd yn anghyfarwydd, mae'r cofnodion i gyd yn gytûn mai'r enw personol gwrywaidd *Griffri* sydd yn yr ail elfen. Er mor anghyfarwydd yw'r enw heddiw ceir nifer o enghreifftiau o'r enw *Griffri* mewn enwau lleoedd. Ceir cyfeiriad at *Gauell Griffri* yng Nghororion yn Arfon yn 1352, a *Gweirglodd Griffri* yn Llanfairfechan. Nodwyd *Bryn*

Griffri yn nhrefgordd Bodwylog ym Môn, a *Cae Griffri* yn Llanelidan (Dinb.). Mae annedd o'r enw *Treriffri* ym mhlwyf Llechcynfarwy, Môn, hyd heddiw. Bu tynged *Griffri* yn enw *Llwyn Griffri* yn ddidramgwydd iawn o gofio'r hyn a ddigwyddodd iddo yn enw *Bach Riffri* yn Llanddeiniolen yn Arfon. Llurguniwyd hwnnw i'r ffurfiau mwyaf rhyfedd, fel *Bach yr Hilfri*, *Bach-yr-yffry* a *Braich Effri* dros y blynyddoedd (HEALlE). Tybiai Melville Richards mai gwraidd yr enw *Griffri* oedd *griff*, sef y griffwn, creadur chwedlonol cryf a chanddo gorff llew, pen eryr ac adenydd. Defnyddid yr enw yn ffigurol am arglwydd neu bennaeth, ac o'i gyfuno â'r elfen *rhi*, sef brenin, byddai'n cyfleu arglwydd urddasol, yn yr un modd ag y mae'r enw *Gruffudd* yn gyfuniad o'r elfennau *griff* + *udd*, sef 'tywysog' (ETG). Yr un syniad sydd yma ag arfer y beirdd o gyfarch eu noddwyr fel llew, eryr neu garw.

Llwynwcws

Ffermdy i'r gogledd o Lanaber yw *Llwynwcws*. Daw'r cyfeiriad cynharaf a welwyd at yr enw o 1671–2 yn y ffurf *Llwyn Vwckws* (Tgl). Yn yr un ffynhonnell cofnodwyd *Llwyn Iwcws* yn 1704 a *Llwyn Iockos* yn 1786. *Llwyn-wcws* oedd ar fap OS 1837, a *Llwynwcws* oedd y ffurf ym mhob Cyfrifiad o 1841 hyd 1911. *Llwynwccws Farm* sydd ar y map OS cyfredol.

Mae'r enw'n ymddangos yn ddieithr i ni heddiw, ond byddai wedi gwneud mwy o synnwyr i'n hynafiaid. Y rheswm am hyn yw mai hen ffurf anwes, neu ffurf fachigol, ar yr enw personol *Iorwerth* sydd yn yr ail elfen. Mae'n debyg mai'r unig ffurf anwes ar yr enw *Iorwerth* a ddefnyddir heddiw yw *Iolo*, er y clywid *Iori* ryw genhedlaeth neu ddwy yn ôl. Ond yn y gorffennol clywid y ffurfiau anwes *Iwcws*, *Iocws*, *Iolo*, *Iolyn*, *Iol*, *Ioca* a *Iwca*. Mae'n amlwg mai *Iwcws* oedd y sain wreiddiol yn enw *Llwynwcws*. Gwelir ffurf arall ar yr enw yn y *Pant iccws* a nodwyd ar dir Rhos Maelan yn Llandwrog yn Arfon, ac mae'n debyg mai'r un enw anwes sydd yn enw'r cae *Drullycws* a gofnodwyd yn RhPDegwm plwyf Llanenddwyn. Ond efallai mai yn enw *Tyddyn Iocws* yn Abererch yn Llŷn y digwyddodd y llurgunio rhyfeddaf. Ymhen amser collwyd yr elfen *Tyddyn* a nodwyd enw'r annedd yn syml fel *Iocws*. Roedd yr enw wedi mynd yn annealladwy bellach, ac aethpwyd i dybied mai enw Saesneg oedd yno, sef *Yoke House*. Ym Meirionnydd, rhaid cyfaddef fod rhyw apêl arbennig i'r enw *Tythyn Jockws ddigri* a gofnodwyd ym Mawddwy yn niwedd yr ail ganrif ar bymtheg (CENgh).

Fel yn achos *Tyddyn Iocws* yn Abererch, bu ystyr *Llwynwcws* yn boendod i'r sawl a geisiai ei esbonio. Mae *The Cambrian Register* yn 1795 yn ei gyfieithu'n dalog fel 'the grove of Ocos', ond dyn a ŵyr pwy neu beth oedd Ocos. Awgrymwyd hefyd mai'r planhigyn *hocys* ('mallow') oedd yn yr ail elfen.[78] Ond yr unig reswm dros gynnig hyn oedd mai *llwyn* oedd yr elfen gyntaf, felly tybiwyd mai enw planhigyn oedd yn dilyn. Ond dyfalu di-sail oedd hyn, ac ni thâl hynny wrth egluro enwau lleoedd. Rhaid mynd ar ôl ffurfiau cynharach yr enw, ac os gwneir hynny gydag enw *Llwynwcws*, fe welir nad oes arlliw o'r llythyren *h* yn yr ail elfen mewn unrhyw gofnod i awgrymu mai *hocys* sydd yma. Ac nid oes raid cael enw planhigyn ar ôl yr elfen *llwyn*. Ceir sawl enghraifft arall o enw personol yn dilyn *llwyn* ym Meirionnydd, fel y nodyd wrth drafod *Llwyn Griffri* uchod. Yn wir, mae gennym ddau enw sy'n cyfateb yn union o ran ystyr i *Lwynwcws*, sef *Llwyn Iolyn* yn Llanfor a *Llwyn Iocyn* yn Llanfachreth, lle gwelir cyfuno'r elfen *llwyn* â ffurfiau anwes eraill ar yr enw *Iorwerth*, sef *Iolyn* a *Iocyn*.

---

78 Trafodwyd hyn yn Rhifyn 50 a 51 *Bwletin Llên Natur* yn Ebrill a Mai, 2012. Mae'n hawdd gweld o ble y daeth y dehongliad hwn: dyma'r esboniad a gynigir yn YstE.

Llygadog

Enw trefgordd yn ardal Corwen oedd *Llygadog*, ond yn RhPDegwm plwyf Corwen fe'i rhestrir hefyd fel fferm. Cyfeiriadau at y drefgordd yw'r cofnodion cynharaf. Nodwyd *Llygadoc* yn 1292–3 ((MLSR). Cofnodwyd enw'r drefgordd fel *llegadoc* yn 1544; *llegadock* yn 1560 (Wynn), a *Llygadock* yn 1579/1 (Rug). *Llygadogge* sydd yng nghofnodion stad Bachymbyd yn 1581. Yna ceir nifer o gyfeiriadau ym mhapurau Rug: *Llygadog* yn 1591 ac 1668, a *Llegadog* yn 1649, 1653 ac 1671. Nododd Edward Lhuyd *Llygadog* fel enw trefgordd yn ei *Parochialia* tua 1700. Cofnodwyd *Llygadog* fel enw fferm yn *The Cambrian Register* yn 1795 ac, fel y nodwyd, yn RhPDegwm yn 1839.

Mae hwn yn enw anodd iawn ei esbonio. Yn ôl GPC, ansoddair yw *llygadog* a chanddo amryw ystyron, megis 'â llygaid mawr; yn llawn llygaid, craff, gofalus, llawn tyllau, brechlyd', a gall hyd yn oed gyfeirio at gawl neu botes â dafnau o fraster tawdd ar ei wyneb. Mae'n amlwg nad y dafnau braster a olygir yn enw'r lle yng Ngorwen. Gallai'r ystyron 'â llygaid mawr; craff, a gofalus' yn hawdd fod yn ddisgrifiad o unigolyn arbennig, a rhaid gofyn a oedd yr ansoddair *llygadog* yn wreiddiol ynghlwm wrth enw personol. Yn y cyswllt hwn, mae'n ddiddorol sylwi ar gofnod o 1545 sy'n cyfeirio at *[heilin ap Evnydd]: llygadoc* yng Ngorwen (AMR). Ni ddarganfuwyd mwy am y gŵr hwn ac mae'n anodd dweud a yw *llygadoc* yn ddisgrifiad ohono ynteu yn nodi lle roedd yn byw.

Cofnodwyd enw nid annhebyg mewn man arall ym Meirionnydd. Ym mhapurau Peniarth ceir cyfeiriadau at annedd yn Llanegryn o'r enw *Tyddyn Mab Einion Llygad*. Nodwyd y ffurfiau a ganlyn: *Tythyn Mab Eign' Llyged* (1596/7) a *Tythyn Mab Eigian y Llyged* (1642). Yna ceir cyfeiriadau ychydig yn wahanol yn yr un ffynhonnell: *Llwyne Mab Eiynion Lligad* yn 1652 a *Llwyn ap Enion Llygad* yn 1710. Mae'n debyg na chawn byth wybod beth oedd arwyddocâd y cyfeiriadau at lygaid Heilyn ac Einion.

Felly, gallwn o leiaf ystyried esboniad arall i'r enw *Llygadog*. Mae *The Cambrian Register* yn 1795 yn cynnig 'that is speckled' fel esboniad i'r enw, ac mae hyn yn cyfateb i'r 'brechlyd' a geir yn GPC. Gallai hyn fod yn addas i ddisgrifio gŵr a chanddo lawer o frychni, ond gallai hefyd ddisgrifio math arbennig o dirwedd. Mae *brithdir* yn elfen a welir yn aml mewn enwau lleoedd, ac mae'n debyg mai'r un ystyr sydd i *Brechfa*, ond rhaid cyfaddef na welwyd *llygadog* fel disgrifiad o bridd brych neu amryliw. Efallai y dylid ystyried sut y defnyddir *llygad* am darddiad afon neu ffynnon. A ellid disgrifio man lle mae mwy nag un ffynnon neu nant yn tarddu fel man 'llygadog'? Ond gwell peidio â dyfalu, a chyfaddef fod ystyr yr enw hwn yn ddirgelwch.

Maenofferen

Enw ar fferm yn wreiddiol, a bellach enw ar ardal ym Mlaenau Ffestiniog yw *Maenofferen*. Mae hwn yn enw ardderchog i ddangos sut yr ydym yn llurgunio a moldio enwau i greu stori dda, neu i roi rhywfaint o ramant i le arbennig. Mewn darlith hynod o ddifyr cyfeiriodd Dr Bruce Griffiths at hanesion ei nain am *Maenofferen* (PLlPC). Roedd hi'n cofio maen mawr yn y fferm. Drylliwyd y maen a defnyddio'r darnau i adeiladu capel *Maenofferen*. Gellir yn hawdd dderbyn hyn i gyd, ond roedd yn rhaid rhoi dipyn o sglein ar y stori. Y gred yn lleol oedd fod y Derwyddon yn arfer lladd eu hebyrth yma, a bod yna dyllau ar ochr y maen gynt lle gosodid cwpanau arian i ddal y gwaed a lifai o'r ebyrth. Os oedd yr hanes i fod i esbonio'r elfen *offeren*, roedd yma dipyn o gymysgwch dealladwy ynglŷn â litwrgi a defodau'r Derwyddon, ond rhaid dweud fod yna gyffyrddiadau bach hyfryd, megis y cwpanau arian, sy'n dangos cryn ddychymyg.

Mae ystyr yr enw yn llawer symlach ac yn llawer llai cyffrous. Elfennau'r enw yw *maen* + *y* + *fferam*. Ystyr *fferam* yn syml yw 'fferm'. Ar yr olwg gyntaf gellid tybio mai enghraifft sydd yn yr –*a*– yn *fferam* o lafariad epenthetig, neu lafariad ymwthiol. Gwelir y math hwn o lafariad mewn geiriau megis *pobl* > *pobol*; *aml* > *am**a**l* a *llwybr* > *llwyb**y**r*. Er bod y ffurfiau â'r llafariad ymwthiol yn hollol dderbyniol ar lafar, ni fyddem yn eu defnyddio wrth ysgrifennu Cymraeg safonol: *pobl* ac *aml* a ddefnyddiem, os nad oeddem am gyfleu tafodiaith arbennig. Ond nid oes awgrym fod *fferam* yn ffurf lafar ar *fferm*. Mae GPC yn trin y ddwy ffurf yn gyfartal ac yn ystyried *fferam*, a *fferem*, fel amrywiadau ar *fferm*. Rhaid cofio mai gair benthyg o'r Saesneg 'farm' yw *fferm*, beth bynnag. Ceir sawl enghraifft o *fferam* mewn enwau lleoedd ym Môn, ond ychydig iawn o enghreifftiau a welwyd y tu allan i'r ynys.

Ceir cofnod o *Maen y ferran, Festiniog* fel cartref Griffith a William Davies ar rôl bwrdeisiaid tref Caernarfon yn 1782. Nodwyd *Maen y fferam* rhwng 1800 ac 1825 (PA). *Maen-y-fferm* oedd ar fap OS 1838. Yng Nghyfrifiad 1841 nodwyd *Maenyfferm* am enw'r annedd, a cheir cyfeiriad hefyd at y chwarel sydd yn yr ardal fel *Maenyferem Quarry*. *Maen y fferam* oedd y ffurf yn RhPDegwm 1842. Yna gellir gweld yr enw yn newid: *Maenofferan* sydd yng Nghyfrifiad 1861; *Maenofferen* yng Nghyfrifiad 1901, a *Maen Offeren* ar y map OS cyfredol. Gellid tybio oddi wrth yr enghreifftiau hyn mai datblygiad gweddol ddiweddar yw'r *offeren* yn yr enw, ond cofnodwyd *Maen yr offeren* mor gynnar ag 1688 (Tgl). Fodd bynnag, sylwer fod yr Athro Gwyn Thomas yn ei hunangofiant *Bywyd Bach* yn pwysleisio fwy nag unwaith mai *Maenfferam* yw ynganiad lleol yr enw.

Maesglase

O edrych ar y map OS cyfredol fe welir yr enwau *Maesglase, Craig Maesglase* a *Maes-glase-bâch* wedi eu nodi i'r gorllewin o Ddinas Mawddwy. Mynydd yw *Maesglase*, yr uchaf o Fryniau Dyfi. Yng nghysgod *Craig Maesglase* yn 1749 y ganwyd Hugh Jones, cyfieithydd nifer o lyfrau ac awdur yr emyn 'O! Tyn y gorchudd yn y mynydd hyn'.

Mae'r enw *Maesglase* wedi newid gryn dipyn dros y canrifoedd. Y cyfeiriad cynharaf a welwyd ato yw *Maesglasiure* o'r flwyddyn 1415–16.[79] Ymgais garbwl sydd yma i gyfleu *Maesglasfre*. Efallai y teimlid fod yr enw hwn yn anodd ei esbonio, oherwydd ceir cryn ddryswch ynglŷn â sut i'w sillafu. Nodwyd *Maes y glasseie* yn 1570 (PA) a *Maesglasserey, alias Maesglasey* yn 1765.[80] Rhoddodd *The Cambrian Register* y gorau i geisio ei ddeall yn 1795, gan nodi'n syml *Maes Glas, Green-field*. Yn RhPDegwm plwyf Mallwyd yn 1838 nodwyd *Maesglassey* a *Maesglasseyfach*. Cofnodwyd *Maesglase* yn y Cyfrifiad yn 1841 ac 1861. Yna ceir newid arwyddocaol yn 1881 pan gofnodwyd *Maesyglasau*. Nodwyd *Maesglasau Fach* yn 1901 a *Maesglasefach* yn 1911.

Mae'r ffurf *Maesyglasau* yn 1881 yn un arwyddocaol gan ei bod yn amlwg fod ymyrryd bwriadol wedi digwydd. Byddai'n naturiol, efallai, i dybio mai ffurf lafar y terfyniad lluosog –*au* oedd yr –*e*, a bod rhyw burydd wedi penderfynu ei 'gywiro'. Ond roedd yna reswm mwy cymhleth y tu ôl i'r newid. Daethpwyd i gredu yn lleol mai ystyr *glasau* oedd *clasau*, ffurf luosog *clas*, sef sefydliad o fynaich. Roedd rhyw apêl yn y syniad fod mynaich wedi bod yn byw ac yn addoli yn y llecyn diarffordd hwn. Ond yn anffodus nid oes unrhyw sail i'r traddodiad.

Mae esboniad yr enw i'w weld yn glir yn y cofnod o 1415–16, er bod y sillafiad braidd yn gamarweiniol. Elfennau'r enw yw *maes* + *glas* + *bre*. Ystyr *bre* yw 'bryn': fe'i gwelir hefyd yn yr enwau *Moelfre* a *Pen-bre*. Ceir yr un cyfuniad o *glas* + *bre* yn *Glasfre* yn Esclus[81] ger Wrecsam (AMR). Y terfyniad –*e* sydd yn gywir yn enw *Maesglase*, gan mai ôl yr –*e* yn *bre* sydd yma. Mae cofnodion y Cyfrifiad yn

79 Keith Williams-Jones, 'A Mawddwy Court Roll, 1415–16', BBGC, XXIII, Rhan IV, Mai 1970.
80 Papurau Ty'n y Braich, Dinas Mawddwy, yn Archifdy Meirionnydd.
81 Esclusham

dangos mai ymgais i greu hanes ffug am y *clasau* yn niwedd y bedwaredd ganrif ar bymtheg a achosodd y camsillafu. Nid oedd yma unrhyw fynaich. Yn hytrach roedd yma faes a bryn gwyrdd.

Maes y Pandy

Lleolir *Maes y Pandy* ar ben deheuol y llyn yn Nhal-y-llyn. Ceir cofnod ohono yn 1594/5 fel *Maies Pandy* (Ex.P.H-E). *Maesypandy* yw'r ffurf yn 1691 (MyN); *Maes y Pandy* tua 1700 (Paroch); *Maes ypandy* yn 1764 (MyN); *Maes y Pandy, the fulling–mill field* yn 1795 (Camb. Reg). Nodwyd *Maes y pandy* a *Maes y pandy Mill* yn RhPDegwm yn 1838. Nid oes diben pentyrru enghreifftiau gan na fu fawr o newid yn ffurf yr enw dros y blynyddoedd. Mae yno hyd heddiw. Mae ystyr yr enw yn gwbl amlwg. Trafodir swyddogaeth y pandy yn yr adran 'Gwaith a diwydiant' uchod.

Yr oedd *Maes y Pandy* yn un o'r tai lle câi'r beirdd nawdd a chroeso, ac fe ganodd rhai beirdd pur enwog foliant i'r tŷ a'i berchenogion. Canmolodd Wiliam Cynwal ei noddwr Rhys ap Huw o *Faes y Pandy* gan annog y beirdd i fynd yno i brofi o'i haelioni:

> Awn, feirdd i'w lawn fwrdd a'i lys,
> Awn, wellwell yw'n ewyllys,
> Â'n mawl gân awn mal gwenyn
> At lew a llorf[82] Tal-y-llyn.   (NBM)

Mae Wiliam Llŷn yntau yn clodfori'r arlwy hael a geid ym *Maes y Pandy*:

> Tor maes lle mae tyrau medd,
> Tal-y-llyn, tâl holl Wynedd,
> Ac yno mae'n ddigonawl
> Gwŷr a meirch ac aur a mawl.   (NBM)

---

82 llorf = cynheiliad, amddiffynnwr

Maes yr Helmau a Llwyn yr Helm

Lleolir *Maes yr Helmau* i'r dwyrain o Ddolgellau, ac mae *Llwyn yr Helm* i'r gogledd o Frithdir. Cofnodwyd y ffurf *Maesyrhelma* yn 1633 (AMR); *Maes-yr-helmau* oedd ar fap OS 1837, a dyna sydd ar y map OS cyfredol. Nodwyd *Maesrhelme* yn RhPDegwm 1838; *Maesyrhelma* yn y Cyfrifiad yn 1841; *Maes yr Helmau* yn 1881, a *Maesyrhelmau* yn 1901. Y ffurf luosog sydd i *helm* yn y cofnodion *Llwyn-yr-helme* o 1726 ac 1753 (Thor), ond yr unigol sydd yn y *Llwyn yr helm* a nodwyd yn RhPDegwm 1838. *Llwyn'r helm* oedd yn y Cyfrifiad yn 1861; *Llwyn-yr-helm* sydd ar y map OS cyfredol. Yn 1720/21 cofnodwyd *Tythyn yr helme* ym Mrithdir (Thor), ond mae'n anodd dweud a oedd hwn yn annedd gwahanol eto. Cofnodwyd caeau *Dolau'r helmau* yn Llanenddwyn a *Cae r helm* yng Nghorwen yn RhPDegwm.

Fel rheol rydym yn meddwl am *helm* fel penwisg ddur milwr, sef *helmed*, ond mae yna ystyr arall i'r gair sy'n gweddu'n well o lawer mewn enw lle. Gall olygu tas o ŷd, neu dŷ gwair agored gyda tho ar ei ben a physt i'w gynnal. Dyna yn ddiau yw'r ystyr ym *Maes yr Helmau* a *Llwyn yr Helm*.

Meifod

Cysylltir yr enw hwn yn bennaf â'r pentref bychan i'r gogledd-orllewin o'r Trallwng, ond mae'n enw a welir yn bur aml ar dai, yn enwedig yng ngogledd Cymru. Rhaid cofio hefyd mai *(Y) Feifod* sydd yn ymguddio yn y ffurf erchyll *Vivod* ger Llangollen. Mae AMR yn nodi sawl enghraifft o'r enw. Fodd bynnag, canolbwyntir yma ar y *Meifod* yn Llanenddwyn yn Nyffryn Ardudwy. Trafodwyd yr enw *Meifod* gan eraill (ADG2, ELl), ond gan fod pobl yn dal i holi am ei ystyr, penderfynwyd manteisio ar y cyfle i'w esbonio'n gryno, gan fod gennym enghraifft ohono yma ym Meirionnydd.

Ychydig o gofnodion sydd gennym ar gyfer y *Meifod* yn Llanenddwyn. Ar y map OS cyfredol nodir *Meifod-Isa* a *Meifod Uchaf*. Yn RhPDegwm plwyf Llanenddwyn yn 1840 ceir *Meifod isa* a *Meifod ucha*. Cofnodwyd *Meifod isa* a *Meifoducha* yn y Cyfrifiad yn 1851; *Meifodisaf* a *Meifoduchaf* yn 1871, a *Meifod isaf* a *Meifod uchaf* yn 1911.

Mae ail elfen yr enw, sef *bod*, yn gyffredin iawn yn yr ystyr o 'breswylfa'. Credai Syr Ifor Williams fod yr elfen gyntaf *mei* yn dod o *mei–*, *meidd–*, sef 'canol' neu 'hanner', felly, mae'n cynnig yr ystyr 'llety'. Ambell dro, fe'i dehonglir fel 'lle yn y canol', a thybiai Melville Richards y gellid ei ddefnyddio am lety dros dro rhwng yr hendref a'r hafod.

Tybed ai'r un *mei–* yw'r elfen gyntaf yn enw *Meiarth* i'r gogledd o Wyddelwern? Mae'n bosib mai *mei* + *garth* sydd yma, gyda'r ystyr o 'ganol y garth'. Ychydig o gofnodion cynnar a welwyd o'r enw *Meiarth*, er bod y tŷ gwreiddiol o bosib yn dyddio o'r oesoedd canol. Fodd bynnag, fe'i hailadeiladwyd yn helaeth, ac mae'r rhan fwyaf ohono yn dyddio o tua 1800. *Meiarth* a *Meiarth bach* oedd yn RhPDegwm plwyf Gwyddelwern yn 1836. Yn y Cyfrifiad cofnodwyd *Meyarth bach* yn 1841; *Meyarth* a *Meyarth Mill* yn 1861; *Meiarth Bach* a *Melin Meiarth* yn 1881; *Meyarth* a *Melin Meyarth* yn 1891 a *Meyarth Bach* a *Meyarth Mill* yn 1901. Ar fap OS 6" 1901 nodwyd *Meiarth Hall*, *Felin Meiarth* a *Meiarth-bach*. Cyfeirir at y tŷ fel rheol bellach fel *Meiarth Hall*. Ceir yr enw *Meiarth* hefyd yn Llanfihangel Cwm Du ym Mrycheiniog, yn y ffurf *Myarth* gan amlaf (AMR).

Mesur y tir a siapiau'r caeau

Pan sonnir am fesur y tir y termau sy'n dod i'r meddwl ar unwaith yw *cyfair / cyfer*, *erw* ac *acer*. Dywed GPC mai cymaint o dir ag y medrid ei aredig mewn diwrnod oedd ystyr *cyfair* yn wreiddiol. Roedd y maint yn amrywio yn ôl yr ardal: 2,430 o lathenni sgwâr oedd y maint ym

Meirionnydd. *Cyfair* yw'r ffurf a ddefnyddir gan GPC, er ei fod yn cydnabod *cyfer* hefyd. *Cyfer* yw'r ffurf a welir amlaf ym Meirionnydd. Gall yr enw fod yn wrywaidd neu'n fenywaidd yn ôl GPC, a gwelir hyn yn glir yn RhPDegwm plwyf Corwen, lle nodir un cae o'r enw *Tair cyfer* ac un arall o'r enw *Pedwar cyfer*. Rhaid gofyn a oedd *cyfer* bob amser yn fesur penodol neu a ddefnyddid y gair yn gyfystyr â llain o dir amhenodol ei maint? Er enghraifft, ceir cae o'r enw *Cyfar Cwtta* yn RhPDegwm plwyf Llandanwg yn mesur 1 acer 30 perc, a chae o'r enw *Cyfer cwtta* yn Llandderfel yn mesur 2 rwd 38 perc. Yn Llandderfel hefyd yr oedd *Cyfer bach* yn mesur 1 acer 3 pherc a *Cyfer hir* yn mesur 4 acer 2 rwd 10 perc.[83]

Ceir nifer fawr iawn o gaeau, a rhai anheddau, yn cynnwys yr elfen *erw* ym Meirionnydd, cynifer ohonynt fel na ellir crybwyll ond dyrnaid yma. Er bod GPC yn nodi *erw* fel term arall am *cyfair* yn yr adran ar *cyfair*, dywed yn yr adran ar *erw* fod erw yn cyfateb i bedwar *cyfer* yng Ngwynedd. Yn wreiddiol roedd mesur *erw* wedi ei seilio ar wialen Hywel Dda neu ar hiriau'r aradr. Fodd bynnag, gellir tybio fod y term *erw*, fel *cyfer*, yn cael ei ddefnyddio'n aml yn eithaf cyffredinol am ddarn o dir heb gyfeirio at faint penodol, neu sut y gellid esbonio'r enw *Erw Bach* ar annedd yn Llanycil? Mae enwau'r caeau *Erw Thomas Shone* ac *Erw Morris* yn RhPDegwm plwyf Llandrillo, *Erw Angharad* ac *Erw Robert Wynne* yn RhPDegwm plwyf Corwen, ac *Erw Powell* yn Llangywer rywsut yn awgrymu term cyffredinol yn hytrach na mesur penodol. Ac yn wir, o edrych ar y mesuriadau a nodir yn RhPDegwm fe welir fod maint y caeau sy'n dwyn yr enw *erw* yn amrywio. Er enghraifft, mae *Erw Thomas Shone* yn mesur 1 acer 1 rwd a 38 perc, tra bo *Erw Robert Wynne* yn mesur 9 acer a 38 perc.

Ffurfiau penodol ar nifer o erwau yw *dwyer* (2), *pumer* (5), *chwecher* (6), ac mae GPC hyd yn oed yn nodi *nherer* (½).

83 rhwd, rhydau (*rood*) = chwarter acer; perc, -iau (*perch*) = 5 llath a hanner neu 16 troedfedd a hanner.

Ceir cofnod o'r enw *pymp errow* yn Llanhamlach, Sir Frycheiniog yn 1647, ond erbyn 1756 roedd wedi troi yn *y pimmer* (AMR). Nodwyd annedd o'r enw *Canner* yn RhPDegwm plwyf Llanelltud, ac mae yna gae o'r enw *Cae caner* yn Llangywer, sydd o bosib yn gamsillafiad o *canner.* Mae'r defnydd o *canner* (100 erw) yn ddiddorol, yn enwedig yn Lloegr. Yno ceir cryn dystiolaeth o ddefnyddio *Hundred Acre Field* mewn ffordd wawdlyd i gyfeirio at gae bychan iawn. Ceir cyfeiriad at gae o'r enw hwn yn Hendon nad oedd ond yn mesur 16 perc (EFND). Efallai fod y Sais yn fwy tueddol i or-ddweud gan y ceir sawl enghraifft o gaeau o'r enw *Thousand Acres.* Cofnodwyd hyd yn oed *Million Roods* yn Swydd Derby a *Billions Field* yn Essex (HEFN).

Y term a ddefnyddid am chwarter acer oedd *rhwd.* Ceir cyfeiriad at *Y Pymrood Corse* ac *Y Pymrood Gwayr* yn Harlech yn 1644; *Pymrhwd* ac *Y Pymrhwd Mawr* yn Harlech yn 1654 (MyN), a *Deg Roode ar Rhigain in acre Harleigh*[84] yn 1674 (MyN). Hyd yn hyn, ni welwyd enghraifft o ddefnyddio'r elfen *rhwd* mewn enw cae yn unman yn y RhPDegwm ym Meirionnydd ac eithrio Llandanwg. Yno mae'n bosib fod y term *rhwd* hefyd yn cael ei ddefnyddio mewn ystyr gyffredinol am lain o dir yn hytrach nag fel mesur penodol. Er enghraifft, ceir tri chae, sef *Pumrhwd, Dengrhwd* a *Pumrhwd ar hugan*, sy'n mesur fwy neu lai'r un maint â'i gilydd yn union, sef ychydig dros dair acer. Ond mae'r term *acer* ei hun yn codi'r un broblem. Cofnodwyd cae o'r enw *Hen acre* yn Llanenddwyn a oedd yn mesur 15 acer 1 rwd 11 perc. Yn Llandanwg ceir un cae o'r enw *Accar fawr* sy'n mesur dros 19 acer ac un arall o'r un enw yn mesur 3 rwd 16 perc. Mae'r term *acer* neu *acre* yn digwydd yn arbennig o aml yn Llandanwg.

Ffordd arall o gyfeirio at faint darn arbennig o dir yw yn ôl faint o lafur neu amser a gymer i'w drin. Ceir sawl enghraifft o nodi faint o weithwyr oedd eu hangen i drin cae arbennig, hynny yw, ei aredig neu ei fedi. Yn RhPDegwm

84 Harlech

plwyf Llandderfel ceir dau gae y byddai un gweithiwr yn ddigon i'w drin, sef *Yr ungwas* a *Gwaithgwr*. Nodwyd *Gwaith gwr* yn Llanaber hefyd. Yn Llanfair a Llanycil cofnodwyd *Gwaith gŵr hir*. Mae'n amlwg mai'r gwaith oedd yn hir, nid y gweithiwr. Ond yn Llanycil hefyd ceir yr enw diddorol *Gwaith gwr llisg*. Ai 'llesg' a olygir yma ac a oes awgrym nad oedd angen llawer o nerth braich i drin y cae hwn? Ceir cyfeiriad yn RhPDegwm at *Gwaith dau ŵr* ym mhlwyfi Llandderfel, Llanuwchllyn a Thywyn. Yn Llanuwchllyn hefyd ceir *Gwaith Chwegwr*, tra nodir *Gwaith saithwr* yn Llandderfel a *Gwaith y Seithwr* yn Llangywer. Cofnodwyd *Rhos Saithwr* a *Rhos wythwr* yn Llanuwchllyn. Roedd yna lain o dir o'r enw *Gwaith y Gwr Bach* yn Llangelynnin yn 1663 (Pen).

Ambell dro cyfeirir at y bladur ei hun yn hytrach na'r pladurwr. Yn RhPDegwm plwyf Llanuwchllyn nodwyd *Gwaith pladur* a cheir *Gwaith y bladur* yn Nhrawsfynydd. Ai un pladurwr oedd ei angen yma? Mae'n fwy anodd deall faint o waith a olygid wrth *Gwaith pladuriau* a *Pladur yr hogiau* a nodwyd hefyd yn Nhrawsfynydd. Cofnodwyd y mesuriadau a ganlyn yn RhPDegwm y plwyfi a nodir: *Ddwy bladur* (Llandrillo); *Ddwy Bladyr bach* (Llanenddwyn); *Pedair pladur* (Trawsfynydd); *Werglodd pedwar pladur* (Llanaber); *Pump pladur* (Tywyn); *Saith bladur* (Llanegryn), ac roedd digon o waith ar gyfer *Pedair Pladur ar ddeg* mewn cae a oedd ychydig dros chwe acer yn Llangywer.

Dro arall mesurir y llafur yn ôl faint o amser a gymer i'w gyflawni. Cofnodwyd dau gae o'r enw *Cae pedwar diwrnod* ar yr un fferm yn Llandanwg, y naill ychydig dros un acer a'r llall ychydig dros ddwy acer. Nodwyd cae o'r enw *Pump diwyrnod* yn RhPDegwm plwyf Llanaber. Mae'r dull hwn o fesur y llafur yn cyfateb i'r termau *Day math* neu *Day work* a welir yn weddol aml yn Lloegr (EFN). Mae'n ddiddorol sylwi mai'r ddau gae nesaf at *Pump diwyrnod* yn RhPDegwm plwyf Llanaber yw *Pedwar cyfar* a *Chwech erw*: tri dull gwahanol o fesur tir yn yr un fferm. Un enghraifft yn unig a gafwyd o fesur yn Saesneg, a hynny mewn cae o'r enw *Furlong* yn Llanymawddwy.

Mesurir rhai caeau yn ôl eu gwerth mewn arian. Weithiau mae'r swm yn cyfateb i faint o rent a delir am y tir, ond dro arall, yn enwedig gyda symiau bach iawn o arian, mae'r ystyr yn ddifrïol ac yn cyfeirio at gaeau bychain iawn eu maint. Fodd bynnag, yn ôl RhPDegwm plwyf Llandderfel roedd *Cae geiniogwerth issa* yn mesur wyth acer, *Cae geiniogwerth canol* yn mesur deg acer, a *Cae geiniogwerth ucha* yn mesur saith acer. Ceir enghreifftiau eraill o ddefnyddio'r dull hwn o fesur yn RhPDegwm Meirionnydd: *Bryn swllt* (Gwyddelwern a Llanbedr) a *Dalar ddima* (Llanfihangel-y-traethau). Cofnodwyd *Gwaith y tair keiniog* yn Llanegryn yn 1678 (Pen) a *Gwaith y Tair Ceiniog* hefyd yn Llanenddwyn yn 1727 (Tgl). Mae'n anodd gwybod beth yn hollol oedd arwyddocâd yr enw *Tir y Pymthege* a gofnodwyd yn Nhywyn yn 1588 (Pen) a *Tire y Pymtheg* yn Llanegryn yn 1618 (Pen). Mae'n bur debyg mai'r un lle sydd yn y ddau gyfeiriad.

Yn ogystal â chyfeirio at y caeau wrth eu mesuriadau roedd ein hynafiaid yn hoff iawn o'u disgrifio wrth eu siapiau. Nid awn ar ôl y myrdd o enwau sy'n cynnwys yr ansoddeiriau *mawr*, *bach*, *bychan*, *hir*, *byr* a *cwta*, neu ni fyddai terfyn ar y gwaith, ond mae'n werth sylwi ar rai geiriau eraill a ddefnyddir i ddynodi siâp y caeau.

Mae un ansoddair diddorol i'w weld yma ac acw, sef *llepa*. Yn ei ragymadrodd i *Enwau Lleoedd* mae Syr Ifor Williams yn cyfaddef iddo gamddehongli ystyr y gair hwn wrth ystyried yr enw *Cae Llepa* ym Mangor. Credai ef mai *lledpen* > *llepan* > *llepa* oedd yr ystyr. Roedd yn gamgymeriad hawdd ei wneud gan fod yn y Gymraeg ddau air eithaf tebyg o ran ffurf ac ystyr. Tybiodd Syr Ifor mai o'r gair *llepan* y daethai ail elfen enw *Cae Llepa*. Ystyr *llepan* yw 'ochr', ac yn aml iawn 'ochr y pen'. Gall hefyd olygu 'ochr mynydd' ac yr oedd Syr Ifor, wrth gwrs, yn hollol gyfarwydd â lleoliad *Cae Llepa* ar lethr Mynydd Bangor. Ond yr oedd Dr Thomas Richards, Llyfrgellydd Coleg y Brifysgol ym Mangor ar y pryd, wedi gweld cofnod o ffurf gynharach, sef *Cae Lletpai*. Ansoddair yw *lletpai* gyda'r ystyr o fod ar ogwydd neu ar oleddf. Ffurf lafar ar *lletpai* yw *llepa*. Sylweddolodd Syr Ifor ar unwaith wedyn ei fod yntau yn hollol gyfarwydd â'r ansoddair *lletpai*, gan y gwyddai fod gan *leithbe* mewn Gwyddeleg yr un ystyr yn union. Dywed fod y Cymry hwythau yn disgwyl i farnwr fod yn *ddiletpai*, sef yn ddiduedd, heb ochri na gwyro i'r naill ochr na'r llall (ELl). Felly, caeau ar ogwydd yw'r rhai sy'n cynnwys yr ansoddair *llepa*. Mae'n ansoddair sy'n digwydd droeon yn enwau caeau Meirionnydd. Yn RhPDegwm rhestrir *Ffridd Leppa*, *Cae lleppa* a *Faches* [sic] *Leppa* yn Llanenddwyn; *Cae lleppa* a *Cae r lleppa uchaf / issa* yn Llanaber; *Ochr llepa* yn Llandanwg, ac yn ddoniol iawn ceir y ffurf *Gors lippa* yn Nhrawsfynydd a *Buarth lippa* yn Llanfihangel-y-traethau. Ond, chwarae teg i Syr Ifor, mae yma enghreifftiau o'r gair *lledpen* hefyd, sef *Erw ledpen* yn Llandderfel, *Erw lledpen* [sic] ac *Erw lledpen pella* yng Nghorwen, *Erw lepen* yn Llanycil a *Buarth Llepan* yn Llanbedr. Nodir caeau cam eraill yn Rhestrau Pennu'r Degwm: *Erw gam* (Llandderfel); *Dalar gam* (Llanegryn) a *Dalar bengam* ym mhlwyfi Llanddwywe, Llandanwg, Llanfair a Llanenddwyn.

Mae yma lu o gaeau crwn a sgwâr. Ni cheir unrhyw broblem wrth nodi'r rhai crynion. Cofnodwyd *Cae crwn*, sef anheddau yng Ngwyddelwern a Llanfrothen a chae yn Llanegryn. Mae'n hawdd dychmygu'r *Ardd gron* yn Llanenddwyn, ond mae'n fwy anodd deall y *Rhigol gron* yn Llandanwg. Lleolir annedd *Llwyn Crwn* yn Nhrawsfynydd. Wrth gwrs, yr un ystyr sydd i enw'r annedd *Crynllwyn* ger aber afon Dysynni. Er ein bod yn tueddu i feddwl am lwyn fel planhigyn trwchus megis llwyn celyn, rhaid cofio y fel y gwelwyd, gall hefyd olygu clwstwr neu gelli o goed. Gyda'r caeau sgwâr y ceir yr ansicrwydd yn y sillafu. Cofnodwyd *Cae square* yn Llanuwchllyn, Tywyn a Llanenddwyn ond *Cae ysgwar* yn Nhrawsfynydd; *Buarth Square* yn Llanfair, ond *Buarth ysgwar* yn Llanfihangel-y-traethau. Ceir amrywiaeth o siapiau eraill: *Dryll pwrs* (Llandrillo); *Erw fforchiog* (Llanddwywe) a *Dryllia f[f]orchog* (Llanaber); *Werglodd trichornel* (Llanegryn); *Buarth cornelog* (Llanfor); *Talar pigfain* (Llanfair) a *Cae penllydan* (Llanegryn). Hawdd dychmygu mai stribedi o gaeau fyddai *Gwddf* (Llanaber) a *Tir y gynffon* a *Cynffonau* (Trawsfynydd). Ceir enghreifftiau o'r enw *Cae hetar* mewn ambell le am gae ar siâp haearn smwddio, ac mae'n debyg mai dyna sydd yn *Hetter* yn RhPDegwm plwyf Llandderfel. Siâp blaen aradr fyddai i'r caeau sy'n cynnwys yr elfen *swch*. Trafodir *swch* ar wahân isod. Mae'n anodd dychmygu darn o dir ac iddo siâp fel blaen pladur, ond cofnodwyd annedd *Blaenybladyr* yn Llanfrothen yn y Cyfrifiad yn 1851, ac fel *Blaen y bladur* yn 1891.

Cyn gadael y siapiau dylid crybwyll un enw sydd yn digwydd ledled Cymru, sef *Cae'r delyn*. Cyfeiriad sydd yma, nid at natur gerddorol y Cymry, ond at gaeau ac iddynt siâp trionglog fel telyn. Ceir yr un defnydd yn Lloegr, mewn enwau megis *Harp Field*, *Harp Mead*, *Welsh Harp Piece* (EFN). Yn RhPDegwm ym Meirionnydd cofnodwyd y caeau a ganlyn: *Cae['r] delyn* (Llandrillo, Llanycil); *Cae telyn* (Tywyn); *Clwt y delyn* ac *Erw Delyn* (Llandrillo) a *Buarth y delyn* (Llanfihangel-y-traethau).

Nannau

Lleolir plasty *Nannau* rhwng Llanfachreth a Dolgellau. Yn ei ddydd roedd yn adeilad hardd ond bellach, oherwydd esgeulustod, mae'n mynd â'i ben iddo. Fe'i hadeiladwyd yn gyntaf yn nechrau'r ail ganrif ar bymtheg a'i ailadeiladu yn niwedd y ganrif honno. Mae'r tŷ a welir heddiw yn dyddio o ddiwedd y ddeunawfed ganrif (Gwy). Bu *Nannau* yn gyrchfan i'r beirdd dros y canrifoedd a'r teulu yn noddwyr da iddynt (Nan). Yng nghanol y bymthegfed ganrif canodd Guto'r Glyn i Feurig Fychan ap Hywel Selau, ei wraig Angharad, ei fab Dafydd a'i ferch-yng-nghyfraith Elen. Meddai:

Gwreiddiodd penaig o Rydderch,
Gŵr a'i fab a'i wraig a'r ferch.
Gwenyn o frig Nannau fry,
Gwerin ŷnt gorau 'n unty.   (Guto'r Glyn.net)

Bu Meurig Fychan a'i wraig farw'n agos at ei gilydd ac mae
Guto'r Glyn yn cwyno am ei golled:

Pencenedl, poen yw canu,
Penrhaith ar Lanfachraith fu;
Dolgellau a Nannau'n un,
Diwreiddiwyd eu dau wreiddyn. (Guto'r Glyn.net)

Canodd Lewys Glyn Cothi yntau fawl i deulu Nannau.
Mewn cywydd i Gruffudd Derwas a Gwenhwyfar ei wraig
mae Lewys yn dilyn patrwm arferol y beirdd o glodfori tras
ac urddas ei noddwr, gan gyfarch Gruffudd fel 'llew Nannau'
a 'charw Nannau'. Ond roedd Gwenhwyfar yn haeddu'r un
clod:

Gwraig y sydd, myn y Grog sant,
Â'i gwrda'n un gyweirdant.   (GLGC)

Parhaodd y beirdd i ganu clodydd y teulu i'r ddeunawfed
ganrif. Yn ei awdl foliant i Wiliam Fychan, mae Rhys Jones
o'r Blaenau yn clodfori'r croeso hael a gâi ar aelwyd
Nannau:

Cynteddoedd Nefoedd i ni – yw *Nannau*
Nen enwog fawrhydi!
Troellen fraisg,[85] Tŵr llawn o fri,
A lanwyd o haelioni.   (B18g)

Nannau oedd enw'r hen drefgordd gynt. Daw'r cyfeiriad
cynharaf a welwyd o'r enw hyd yn hyn o 1292–3 yn y ffurf
Nannev (MLSR). Cofnodwyd *Nanhen* a *Nanhev* yn 1348, a
Nanne yn 1419–20 (Rec.C). Yn naturiol, ceir toreth o
enghreifftiau o'r enw ym mhapurau stad Nannau ei hun

---

85 braisg = cadarn, helaeth, gwych

dros y blynyddoedd, gyda'r sillafiad yn pendilio rhwng *Nanne* a *Nanney.* Nodwyd *Nanne* yn 1451, 1453, 1460, 1514 ac 1544, a *Nanney* yn 1443, 1501, 1523, 1538 ac 1558. *Nanney* oedd y ffurf a fabwysiadodd y teulu fel cyfenw. *Nanna* oedd ar fap Speed yn 1610 a map Blaeu yn 1645; *Nannau* sydd yn *The Cambrian Register* yn 1795, ar fap OS 1838 ac ar y map OS cyfredol.

Yr hyn sydd gennym yn yr enw yw hen ffurf luosog *nant*, sef y 'pant lle rhed y dŵr' chwedl Syr Ifor Williams (ELl). 'Ravines' oedd esboniad *The Cambrian Register.* Mae GPC yn nodi *nentydd*, *naint*, *neintydd*, *nantau*, *nennydd* a *nannau* fel ffurfiau lluosog *nant.*

Nant Pasgen

Lleolir *Nant Pasgen Fawr* a *Nant Pasgen Bach* yn agos at ei gilydd mwn man eithaf diarffordd i'r gogledd-ddwyrain o Dalsarnau. Datgelodd dyddio blwyddgylchau[86] yn adeilad *Nant Pasgen Fawr* fod rhannau ohono yn dyddio o 1564–5 (DTHE). Daw'r cofnod cynharaf a welwyd hyd yn hyn o'r enw *Nant Pasgen* o 1590–1 yn y ffurf *Nanpaskan* (Elwes). Nodwyd *NanPasken* yn 1672/3 (Ygn). *Nant Pasken* oedd gan Edward Lhuyd yn ei *Parochialia* tua 1700. *Nant-pasgan* sydd ar fap OS 1838. Yn RhPDegwm plwyf Llandecwyn yn 1842 ceir *Nant pascan bach* a *Nant Pascan fawr.* Cofnodwyd *Nant pasgan bach* a *Nant pasgan fawr* yn y Cyfrifiad yn 1841 ac 1861; *Nantypasgain Bach* a *Nantypasgain fawr* yn 1881; *Nantpasgen Bach* a *Nantpasgen fawr* yn 1901, a *Nant-y-pasgain Bach* a *Nant-y-pasgain Fawr* yn 1911. *Nant Pasgan-mawr* a *Nant Pasgan-bâch* sydd ar y map OS cyfredol.

Mae'r elfen gyntaf *nant* yn hollol gyfarwydd, sef ffrwd fechan. Enw personol yw *Pasgen* sy'n dod o'r enw Lladin

---

86 Am y dull o ddyddio tai oddi wrth y cylchoedd yn y coed a ddefnyddiwyd yn yr adeilad gweler gwefan y *Snowdonia Dendrochronology Project / Prosiect Dendrocroroleg Eryri.*

Pascentius. Ceir cyfeiriadau at un o feibion Urien Rheged o'r enw *Pasgen* yn y Trioedd, yng Nghanu Llywarch Hen ac yng nghywydd Iolo Goch i Ieuan ab Einion (TYP, CLlH, GIG). *Pascent* oedd ffurf gynnar yr enw yn Gymraeg, a chofnodir yr enw hwn ar Biler Eliseg o'r nawfed ganrif ger Abaty Glyn y Groes (TYP). Nid awgrymir fod gan y nant a'r anheddau yn Llandecwyn unrhyw gysylltiad â Phasgen fab Urien na'r Pascent ar Biler Eliseg, ond mae'n profi ei fod yn enw personol cydnabyddedig ar un adeg. Fodd bynnag, mae gennym gofnod o bosib o ŵr o'r un enw ym Meirionnydd, oherwydd dywedir fod ffurf enidol yr enw, sef *Pascent[i]*, i'w gweld gynt mewn arysgrif ar garreg o'r bumed neu'r chweched ganrif yn Nhywyn. Mae'r garreg arbennig hon bellach wedi diflannu, ond yn ffodus cadwyd yr arysgrifau gwerthfawr eraill yn Nhywyn (TYP, AtM). Ni allwn brofi fod gan y *Pascen* hwn ychwaith unrhyw gysylltiad â Llandecwyn, ond mae'n bosib ei fod o leiaf wedi bod yn byw rywbryd ym Meirionnydd.

Pale

Mae plasty *Pale* yn Llandderfel bellach yn westy moethus. Nid yw'r adeilad presennol yn hen: fe'i hadeiladwyd yn ei ffurf bresennol rhwng 1869 ac 1871 i Henry Robertson, a oedd yn beiriannydd rheilffordd (Gwy). Fodd bynnag, mae'r safle yn mynd yn ôl ymhellach. Gwyddom fod Marged, merch Morys ap Siôn, perchennog *Pale*, wedi priodi'r bardd Ieuan Llwyd Sieffrai (*fl.c.* 1599–1619). Croesewid y beirdd ar aelwyd *Pale* er dyddiau hen daid Marged, ac roedd y nawdd yn parhau yn oes Siôn Llwyd, gorwyr Marged a Ieuan Llwyd Sieffrai (NBM). Canodd Robert William o'r Pandy Isaf, Y Bala (1744–1815), glodydd Siôn Llwyd, gan gyfeirio at gartref ei noddwr fel

> Plas y Pale [y] lle llon,
> Hoff annwyl, tarddiad ffynnon.   (NBM)

Gan fod *Pale* yn enw mor syml, ni bu unrhyw newid yn y sillafiad dros y blynyddoedd, ac eithrio *y Paley* o 1652 (DPNW). *Pale* oedd gan Edward Lhuyd tua 1700 (Paroch). *Pale* oedd yn *The Cambrian Register* yn 1795, ac am unwaith ni chynigiwyd esboniad o'r enw. Nodwyd *Pale Demesne* yn RhPDegwm plwyf Llandderfel yn 1838. Mae'r cofnodion yn y Cyfrifiad yn 1911 yn dangos sut le oedd *Pale* pan oedd yn ei anterth fel tŷ preifat: *Pale Hall*, *Pale Lodge*, *Pale Stable House*, *Pale Garden House*, *Pale Flour Mill* a *Pale Mill House*. Ar y map OS cyfredol nodir *Pale Hall [Hotel]*.

Daw'r gair Saesneg *pale* (nid yn yr ystyr 'gwelw') o'r Lladin *p l s*, sef postyn mewn ffens neu balis coed. Defnyddid y term *pale* yn Saesneg yn y bymthegfed ganrif i gyfeirio'n benodol at y tiroedd a oedd dan lywodraeth brenin Lloegr yn Iwerddon, ond cyn bo hir daethpwyd i ddefnyddio'r term am 'ffin' yn gyffredinol. Pan ddywed y Sais fod rhywbeth 'beyond the pale' golyga ei fod y tu hwnt i'r hyn sy'n dderbyniol. Erbyn yr unfed ganrif ar bymtheg roedd y Cymry wedi benthyca'r *pale* Saesneg a'i droi'n *pâl* i olygu rhes o byst. Ar un adeg amgylchynid *Pale* gan ffens o'r fath (DPNW). Er bod *pâl* yn Gymraeg yn golygu rhes o byst, bathwyd ffurf luosog iddo, sef *palau*. Ffurf dafodieithol *palau* yw *pale*. Clywir y ffurf ddwysill *Pale* Gymraeg a'r ffurf unsill *Pale* Saesneg yn lleol am y plasty (DPNW).

Peniarth

Lleolir plasty a stad *Peniarth* i'r dwyrain o Lanegryn ar lannau afon Dysynni. Yn yr oesoedd canol roedd yna bedair trefgordd o'r enw Peniarth: un ym Metws-yn-Rhos (Dinb.), un ym Meifod (Tref.), un ym Mhennant (Tref.) ac un yn Llanegryn, Meirionnydd. Yr olaf yw'r un o ddiddordeb i ni yma. Ceir cyfeiriad at y drefgordd hon fel *Pennyarth* yn 1419–20 (Rec.C). Dywedir i *Bryn y Froches* a *Maes Peniarth* ddod i ddwylo Gruffudd ab Aron yn 1417/18 (NBM; YstE).

Ceir cyfeiriad at *Maespeniarth* yn 1476, a nodir y newid yn yr enw mewn cofnod o 1571: *Maespeniarth o[therwise] y plas ymhenuiarth* (Pen). Fodd bynnag, mae'r cof am yr hen enw yno o hyd yn 1682 pan nodwyd *Plase Penniarth alias maes Penniarth* (Pen). Ceir nifer o gyfeiriadau at y drefgordd: *Pennyarth* yn 1430; *Peniarth* yn 1476 a *pennyarthe* yn 1614 ym mhapurau stad Peniarth ei hun. Nodwyd y drefgordd fel *Pennearth* yn 1596/7 (ExPH-E), ac yna ceir yr holl gyfeiriadau at y plas a'r stad. Yn RhPDegwm plwyf Llanegryn yn 1841 cofnodwyd *Peniarth Demesne*, *Peniarthganol*, *Peniarth ucha* a *Peniarth Mill*. Yn y Cyfrifiad nodwyd *Peniarth* a *Peniarthganol* yn 1841 ac 1881, a *Peniarth*, *Peniarthganol* a *Peniarth Lodge* yn 1901.

Cyfeiriwyd uchod at Gruffudd ab Aron, a ddaeth yn berchennog *Peniarth* yn 1417/18. Canodd Lewys Glyn Cothi glodydd Gruffudd a'i dad am eu haelioni. Mae'n amlwg fod croeso i bawb, gan gynnwys y bardd, ym Mheniarth yn nyddiau Gruffudd:

> Ei blas oedd bob alusen
> i hael, i ieuanc, i hen,
> lle caid amddifaid, bob ddau,
> lle'r âi weddwon, holl raddau.
> Cruplaid, gweiniaid deg ynys,
> deunaw tlawd nid aent o'i lys.
> Yno cefais can cyfarch,
> yno y bu ynny barch.
> Ni ddown innau o'i neuadd,
> ac yno'r aeth ugain radd.   (GLGC; NBM)

Canodd Hywel Cilan gywydd moliant i Rys, mab Gruffudd, a'i wraig Catrin, am iddynt hwythau barhau i noddi'r beirdd:

Un allu, un ewyllys,
Un ran yw Catrin a Rhys,
Aur ynn fyth a rannai fo,
Aur ei hun a rôi honno:
Euro beirdd ar eu byrddau
Mewn diwall dai maent ill dau.   (NBM)

Canwyd clodydd y teulu trwy'r cenedlaethau. Mae Wiliam Llŷn yn moli *Peniarth* yn nyddiau Dafydd Llwyd, gorwyr Rhys. Credai Glenys Davies fod y ffaith i deulu *Peniarth* briodi gwragedd o deuluoedd eraill a arferai noddi'r beirdd wedi bod o gymorth i'r traddodiad ffynnu gyhyd (NBM). Erbyn y bedwaredd ganrif ar bymtheg mae gennym ninnau reswm i foli teulu *Peniarth*, oherwydd i William Watkin Edward Wynne (1801–80), yr hynafiaethydd a'r hanesydd, etifeddu llawysgrifau Hengwrt. Drwy gyfuno'r casgliad amhrisiadwy hwnnw, a drafodwyd yn yr adran ar *Hengwrt* uchod, â'i gasgliad llawysgrifau helaeth ef ei hun llwyddodd i ddiogelu'r cyfan. Bellach mae llawysgrifau Peniarth yn un o brif drysorau'r Llyfrgell Genedlaethol.

Elfennau'r enw *Peniarth* yw *pen* + *garth*. Mae'n debyg mai cefnen o dir yw ystyr *garth* yma. Yn enw *Peniarth*, ceir –*i*– yng nghanol yr enw. Atgof sydd yma o dreiglad yr –*g*– yn *garth* pan fo'n ail elfen gair cyfansawdd (ELl). Trafodir yr elfen *garth* yn fwy manwl yn yr adran ar *Cryniarth* uchod.

Pennant-tigi

Lleolir *Pennant-tigi Uchaf* a *Pennant-tigi Isaf* o boptu ffordd yr A470 i'r gogledd o Ddinas Mawddwy. Mae hwn yn enw dyrys iawn; yn wir, mae'n anodd gwybod hyd yn oed sut i'w sillafu. Ond mae iddo hen hanes. Roedd yma fferm wartheg ar ddechrau'r drydedd ganrif ar ddeg, ac fe'i gwerthwyd rhwng Mawrth 1201 ac Awst 1204 gan Wenwynwyn ab Owain i fynaich Sistersaidd Ystrad Marchell (AWR). Ceir cofnod o'r enw yn fuan wedyn yn 1232/3 yn y ffurf *Penanttiki* a *Penantigi* (AMR). Cofnodwyd y ffurf ryfedd *Pennantykin* yn 1420, ac mae'r ffurf hon yn fwy anodd ei hesbonio na hyd yn oed yr holl ffurfiau eraill. Yn 1419/20 ceir *Pennatigi* ag un *n* ar goll yn y canol, ond mae'n amlwg mai gwall copïo yw hwn (Rec.C).

Erbyn 1771 gwelir newid pendant yn y sillafiad, sef *Penant Higi* (Pen), a'r un modd yn *Pennant Higi* yn 1775 (LlB). *Pennant Igi* sydd yn *The Cambrian Register* yn 1795. *Penanttygissa* a *Penantygy ucha* sydd yn RhPDegwm plwyf Mallwyd yn 1838. Yn y Cyfrifiad nodwyd *Penantigi Uchaf* yn 1841; *Penantigiucha* yn 1861; *Penantigi Uchaf* ac *Isaf* yn 1911. Ceir cofnod diddorol yn y Cyfrifiad yn 1901, sef *Pentige-isaf* a *Pentige uchaf.* Dywed R.J. Thomas mai 'Pentigi' yw'r ynganiad ar lafar, ac efallai mai ymgais i gyfleu hynny sydd yng nghofnod 1901. *Penantigi Isaf* a *Penatigi Uchaf* sydd ar y map OS cyfredol.

Mae ystyr yr elfen gyntaf, *pennant*, yn amlwg, sef ucheldir neu ben dyffryn. Ond mae'r ail elfen yn broblem, gan ei bod yn anodd penderfynu ymhle mae rhaniad yr enw. Ai *pennant + tigi* ynteu *pennant + igi* sydd yma? A barnu oddi wrth y penawdau yn ei adran ar yr enw yn AMR, ymddengys fod Melville Richards yn tueddu i feddwl mai *Tigi* yw'r ail elfen, ond dywed R.J. Thomas ei fod ef yn tybio mai *Igi* sydd yma. Cyfeiriwyd at ei ddamcaniaeth ef am *Ig* wrth drafod *Cefn Bodig* uchod. Dywed hefyd fod nant fechan o'r enw *Igi* neu *Tigi* yn llifo yn ardal *Pennant-tigi* (EANC). Unwaith eto mae'n awgrymu mai *ig-* yw bôn yr ail elfen, ac yn ei gysylltu ag *igian* yn yr ystyr o 'ochain, beichio', gan awgrymu mai cyfeiriad sydd yma at sŵn y nant. Mae *The Cambrian Register* yn cyfieithu'r enw fel 'the Pennant of Igi', ond nid yw'n esbonio ai enw dyn ynteu nant yw *Igi*. Ar ôl dweud hyn i gyd, rhaid cyfaddef fod yr enw'n parhau i fod yn gryn ddirgelwch.

Piccadilly ac enwau annisgwyl eraill

Ambell dro cewch eich synnu gan enw dieithr sy'n ymddangos yn hollol annisgwyl yng nghefn gwlad Cymru. Gelwir y math hwn o enw lle yn enw trosglwyddedig ('transferred name'). Hynny yw, mae eisoes yn bodoli fel enw dilys ar fan arbennig yn rhywle arall, ond fe'i trosglwyddwyd a'i fenthyca am reswm. Ambell dro mae'n coffáu rhyw achlysur o bwys. Yn aml caiff ei fabwysiadu am y tybir fod yr enw gwreiddiol yn un priodol o ddisgrifiadol ar gyfer safle arbennig, neu gellir ei ddefnyddio mewn ystyr ddychanol. Gan eu bod mor gyffredin, nid yw'n fwriad yma drafod yr enwau lleoedd Beiblaidd a welir ym Meirionnydd megis *Tabor*, *Soar* a *Bethania*, er eu bod hwythau, wrth gwrs, yn enwau trosglwyddedig. Fodd bynnag, ceir un enw hynod iawn ar gapel nid nepell o Gellilydan, sef *Utica*. Mae'n enw mor annisgwyl fel y'i trafodir ar wahân isod.

Cofnodwyd annedd o'r enw *Piccadilly* yn Nhywyn yng Nghyfrifiad 1841. *Picadily* oedd y ffurf yn 1851, ac erbyn 1881 mae wedi ei nodi fel *Piccadilly Cottage*. Yn RhPDegwm plwyf Tywyn yn 1838 nodir dau gae, sef *Cae pic dills* a *Cae pic dills bach*. Mae'n anodd dweud ai gwall copïo sydd yma ynteu a yw'n dalfyriad anwesol i gyfleu hoffter o'r caeau hyn. Mae'r enw *Piccadilly* yn digwydd yn Aberystwyth hefyd, a cheir cofnod o gae o'r enw *Piccadilly* yn RhPDegwm plwyf Abergele yn 1840. Tybed ai cyfeiriad at rywle prysur sydd yma? Arferid clywed yr ymadrodd 'Mae hi fel Piccadilly Circus yma' i gyfleu prysurdeb arbennig, ar adeg pan oedd y lle hwnnw yn un o'r ychydig fannau yn Llundain yr oedd y Cymry wedi clywed amdanynt. Nodwyd *Pall Mall* hefyd yn Nhywyn, ond mae'n anodd gwybod beth oedd arwyddocâd yr enw hwnnw. Ceir annedd o'r enw *Llundan* [sic] yn Llanfrothen yng Nghyfrifiad 1851.

Yng Nghyfrifiad 1851 hefyd nodwyd annedd o'r enw *Babilon* yn Nhal-y-llyn. *Babilon* oedd yng Nghyfrifiad 1871 ac 1911, ond yn 1881 fe'i cofnodwyd fel *Babilon Cottage*. Yn aml fe ddefnyddir enwau mannau pellennig am anheddau a chaeau diarffordd, ond mae John Field yn awgrymu y defnyddid yr enw *Babylon* ar gaeau nid yn unig i gyfleu eu pellter ond hefyd mewn ffordd ddilornus, gan gofio'r cyfeiriadau difrïol at Babilon yn y Beibl (EFND).

Un o ddigwyddiadau cofiadwy canol y bedwaredd ganrif ar bymtheg oedd Rhyfel Crimea rhwng 1853 ac 1856. Roedd gan y bwlch sydd yn arwain i lawr o'r gogledd tuag at Flaenau Ffestiniog hen enw, sef *Bwlch y Gerddinen*, neu *Gorddinan* ar lafar gwlad. Mae'n bosib nad yw'r rhan fwyaf o'r Bwlch ym Meirionnydd, ond gan ei fod yn arwain i Flaenau Ffestiniog gallwn dwyllo ychydig a'i gynnwys yma. Dechreuwyd galw'r Bwlch yn *Bwlch Crimea* pan agorwyd y lôn drwyddo yn 1854 yng nghanol y rhyfel. Roedd traddodiad lleol hefyd fod rhai o'r waliau cerrig yn yr ardal wedi eu hadeiladu gan Rwsiaid a gymerwyd yn garcharorion ym mrwydrau Inkerman a Balaclava.

Ceir enghraifft arall o ddylanwad Rhyfel y Crimea yn Harlech, lle nodwyd annedd o'r enw *Sebastopol* yng Nghyfrifiad 1861. Caer a phorthladd yn yr Wcráin a chwaraeodd ran flaenllaw yn Rhyfel y Crimea yw *Sebastopol*. Dyna'r sillafiad fel rheol, ond cafodd cofnodwyr y Cyfrifiad dipyn o drafferth gyda'r enw, gan nodi *Sepastapol* yn 1871, *Sepastopol* yn 1881, a *Sepastapool* yn 1891. Mae'n gywir yn 1901, ond ceir *Sepastopol* unwaith eto yn 1911.

Cofnodwyd yr enw *Pennsylvania* ar annedd yn Llanuwchllyn yng Nghyfrifiad 1851 ac 1911 fel *Pensylvania*, ond yn gywir fel *Pennsylvania* yn 1871. Mae hwn yn enw a welir ambell dro yng Nghymru, ond yn amlach o gryn dipyn yn Lloegr, fel enw ar gae diarffordd ym mhen pellaf tir fferm. Gwelir nifer o enwau tebyg sy'n cyfleu pellter: ceir enghreifftiau o *America* a *Canada* ym Môn. Cofnodwyd cae o'r enw *Palestina* yn RhPDegwm plwyf Llandanwg. Byddai hwn yn enw cyfarwydd i'n cyndeidiau a oedd yn dipyn mwy golau yn eu Beibl na'n hoes ni. Gallai gyfleu pellter, ond efallai, oherwydd ei gysylltiadau Beiblaidd, fod yma elfen o barch hefyd. Yn Lloegr, os oedd y tir yn anodd ei drin yn ogystal ag yn ddiarffordd ceir enwau megis *Botany Bay* a *Van Diemen's Land,* sy'n dangos cryn wreiddioldeb, yn ogystal â gwybodaeth hanesyddol a daearyddol (HEFN).

Planhigion

'Aur dan y rhedyn, arian dan yr eithin a newyn dan y grug', meddai'r hen air, gan farnu gwerth pob un o'r planhigion hyn. Roedd rhedyn yn hynod o ddefnyddiol fel gwasarn i anifeiliaid y fferm. Cofnodwyd *Kay yr rhydynen* yn Llanfachreth yn 1640 (Nannau). Y ffurf yn 1669 oedd *y kay rhydynen.* Nodwyd yr anheddau *Cornel Rhedyn* (Gwyddelwern), *Rhedyn cochion* (Llanfachreth) a *Byrhedyn fach / Byr hedyn fawr* [sic] (Llanegryn) yn RhPDegwm. Mae *Byrhedyn-fawr* ar y map OS cyfredol i'r gogledd o Lanegryn. Roedd caeau o'r enw *Rhedyn cochion* yn Llanenddwyn a Llanddwywe. Ceir y caeau canlynol hefyd yn RhPDegwm: *Cae['r] rhedyn* (Llangywer, Trawsfynydd, Gwyddelwern a Llanddwywe); *Bryn rhedyn* (Llanfor a Gwyddelwern); *Buarth rhedyn* (Llanycil); *Cae mwdwl rhedyn* (Corwen); *Llanerch redyn* a *Pant Rhydynog* (Llanycil); *Tir Rhedyn goch* (Gwyddelwern) a *Llechwedd rhedyn* (Llandrillo).

Heddiw, efallai y byddem ni yn ystyried tir llawn eithin yn dir digon sâl, ond nid felly yn y gorffennol. Ar un adeg arferid malu eithin yn borthiant i geffylau. Defnyddid eithin a rhedyn hefyd fel tanwydd, ac ystyrid fod siwrwd eithin, sef eithin wedi ei falu'n fân, yn arbennig o dda i gynnau tân. Cofnodwyd *Eithynfynydd* yn RhPDegwm plwyf Llanuwchllyn yn 1847, ac mae hen ffermdy *Eithinfynydd*, sy'n dyddio o'r ddeunawfed ganrif, yno hyd heddiw.[87] Ceir cofnod o *Craige y mwdwl Eythyn* yn Nhywyn ac *ynys yr*

---

87 Gweler erthygl Penri Jones ar *Eithinfynydd* yn *Fferm a Thyddyn*, Rhif 61, Calan Mai 2018. Fodd bynnag, gwell peidio â chyfeirio yma at gywydd Dafydd ap Gwilym i'r fun o Eithinfynydd, gan fod Syr Thomas Parry yn bur amheus yn ei gylch ac nid yw Dafydd Johnston wedi ei gynnwys o gwbl yn CDapG.

ythine yn Llanaber yn 1592 (AMR). Roedd *Kay Eithin bach / mawr* yn Llwyngwril yn 1633 (Nannau). Mae Edward Lhuyd yn nodi *pen y mwdwl eithin yn ystratgwyn* yn Nhal-y-llyn a *Mwdwl eithin ar vryn heilog* yn Llangywer tua 1700 (Paroch). Nododd Lhuyd *Nant yr Eithin* yn Llandderfel, ac mae hwn yn RhPDegwm hefyd yn 1838. Cedwir yr enw yno hyd heddiw. Ymhlith y cyfeiriadau at eithin yn RhPDegwm enwir annedd *Nant yr eithin* yn Llandderfel a'r caeau canlynol: *Eithin* (plwyfi Llanycil, Gwyddelwern a Llanenddwyn); *Cae['r] eithin* (plwyfi Tywyn, Trawsfynydd, Llanycil a Phennal); *Cae Eithinog* (Llanfihangel-y-traethau); *Bank yr eithin* a *Dalar eithin* (Llanegryn); *Caer clwt eithyn* (Trawsfynydd); *Buarth eithin* (Llangywer); *Park eithin* (Tywyn); *Mwdwl eithin* (Llanfor) a *Daran eithin* (Llangar).

Gwelwyd llai o gyfeiriadau at y grug, ond nodwyd *Maen-grygog* ar fap OS 1838 yn Llanycil. Cofnodwyd annedd ym Mrithdir fel *y buarth grygog* yn 1656 ac *y buarth Crigog* yn 1754 (Hg). Mae annedd *Rugog* yn Nhal-y-llyn. Nodwyd y caeau a ganlyn yn RhPDegwm: *Cae grygog* (Llanycil); *Cae Grygog* a *Ffridd rugog* (Llanenddwyn) a *Gwndwn grygog* (Trawsfynydd).

Cofnodwyd annedd o'r enw *Maes y Banadl* yn Llanfor. Ffurf yr enw yn 1592/3 oedd *y Maes Bannadle* (AMR) ond erbyn 1764 roedd wedi troi'n *Meusydd Banhadl* (Maenan). Ceir cyfeiriad at fanadl mewn sawl cae yn RhPDegwm: *Cae['r] banadl* (plwyfi Corwen, Llanfor, Llanycil, Gwyddelwern, Betws Gwerful Goch, Llanegryn a Llangar) a *Llechwedd banadl* (Llanegryn). Tybed a oes rhywfaint o ddylanwad sillafiad Saesneg yn *Bank y Banadle* a *Cae banadle* a nodwyd yn Nhywyn a'r *Cae banadle* yn Llanenddwyn? Gwelir amrywiadau ar yr enw yn *Banal* a *Banad* (Llandrillo), ond mae'n debyg mai gwall yw'r *Cae banald* (Corwen).

Ychydig o enghreifftiau sydd o'r eiddew. Mae *Nant Cwmeiddaw* ger Corris Uchaf ac roedd chwarel o'r enw *Abercwmeiddaw* yno ar un adeg. Nodir anheddau *Abercwm*

Eiddw a *Cwm eiddew* yn RhPDegwm plwyf Tal-y-llyn. Trafodir y rhain ar wahân uchod. Cofnodwyd *Ty yn'r Eiddaw* yn Llangelynnin yn 1796 (Cyn). Nodwyd *Tŷ Eiddew* ym Mrithdir a Thalsarnau. Mae'r mieri, drain ac ysgall yma fel ym mhobman arall. Nodwyd y caeau a ganlyn yn RhPDegwm y plwyfi a nodir: *Cae['r] mieri* (Llangywer, Llanfor, Trawsfynydd, Llandderfel a Llanegryn); *Fron fiarog* (Corwen); *Llechwedd mierog* (Llandderfel); *Cae mierog* (Pennal a Llanuwchllyn), ac efallai mai'r un ystyr sydd yn *Cae Meirog* (Tywyn) a *Ddol ferog* (Llanfair). Mae RhPDegwm yn nodi anheddau o'r enw *Rhyd y drain* yn Llanuwchllyn a *Draen llwyn* yn Llanycil, ac annedd *Tyn drain* a'r caeau *Cae'r drain duon*; *Gardd y cae drain*; *Buarth y ddraenan* a *Draenllwyn cwtta* yn Nhrawsfynydd; *Buarth bryn drainiog* yn Llanfihangel-y-traethau a *Clwt y ddraenen* yn Llanycil. Nodwyd annedd *Cefndreiniog* yn Llanfrothen. Dylid crybwyll hefyd *Y Domen Ddreiniog*, sef olion mwnt a ffos o'r oesoedd canol i'r gorllewin o Fryn-crug ac i'r gogledd o Dywyn. Mae'n anodd gwybod pa fath o ddrain a olygir yn enwau'r annedd *Drainllwydion* ym mhlwyf Pennal a'r cae *Ffridd draingleision* ym mhlwyf Llanddwywe yn RhPDegwm.

Enw diddorol ar annedd yw'r *Yspyddadog* a nodwyd yn RhPDegwm plwyf Llanfor. Mae dwy ystyr eithaf gwahanol i *ysbyddad*. Gall olygu'r ddraenen wen. Os felly, ystyr enw'r annedd yn Llanfor fyddai man lle ceid llawer o ddrain gwynion yn tyfu. Ond ystyr arall *ysbyddad* yw lletygarwch, felly gellid deall yr enw fel lle croesawus. Fodd bynnag, mae'r defnydd o'r ail ystyr yn eithaf prin. Tybed ai'r un elfen sydd yn enw'r annedd *Pantspydded* a nodwyd yn RhPDegwm Pennal? Dyn a ŵyr beth oedd ym meddwl Edward Lhuyd pan gofnododd yr enw *Ysbyddadog* fel *Ysprydhadog* (Paroch). Esboniad annhebygol un o awduron *Ystyron Enwau* yw 'lle y byddid yn yspaddu ar anifeiliaid'. Cofnodwyd anheddau *Pant ysgellog* yn Nhywyn a *Bronsgellog* yn Nhrawsfynydd yn RhPDegwm. Mae'r caeau a ganlyn hefyd y RhPDegwm: *Cae ysgall*

(Llanfihangel-y-traethau); *Vron ysgellog* a *Fridd ysgell* (Llanycil) a *Bryn yr ysgall* (Llanegryn). Nodir annedd *Bronasgellog* ar y map OS cyfredol i'r dwyrain o Drawsfynydd. Dyma enghraifft o newid yr *y* ar ddechrau'r ansoddair i *a*, gan lwyr newid yr ystyr. Ceir dau air eithaf tebyg eu sain yn y Gymraeg, sef *ysgall* ac *asgell*. Ystyr *asgell* yw adain aderyn, ond yn ôl Syr Ifor Williams, bu cryn gymysgu rhwng y ddau air hyn. Dywed fod yr ymadrodd 'lladd esgill' yn gyffredin am ddifa ysgall. Mae'n amlwg fod y cymysgu hwn yn digwydd yn Arfon hefyd, oherwydd mae O. H. Fynes-Clinton yntau yn cyfeirio at *asgall* fel llurguniad o *ysgall* (WVBD).

Mae *craf* yn elfen weddol gyffredin mewn enwau lleoedd ac eto ni welwyd llawer o enghreifftiau ym Meirionnydd. Garlleg gwyllt yw'r *craf* neu *cra*. Mae RhPDegwm yn cynnwys yr anheddau canlynol: *Gelligravog* ym Mrithdir ger Dolgellau a *Crafnant* yn Llanbedr. Hen ffermdy yn dyddio o ddiwedd yr unfed ganrif ar bymtheg neu ddechrau'r ail ganrif ar bymtheg yw *Crafnant*. Mae ffurfiau'r enw yn aros yn bur sefydlog dros y blynyddoedd ac eithrio'r *Cravenant* a gofnodwyd yn 1639 (AMR). Mae RhPDegwm plwyf Llanfihangel-y-traethau yn 1842 yn nodi cae o'r enw *Pant y cra*, ond nodir hwn fel annedd yng Nghyfrifiad 1871. Mae'r caeau a ganlyn yn RhPDegwm: *Cralwyn* (Llandanwg); *Cae cra* (Llanenddwyn) a *Cae nant y cra* (Tywyn).

Ceir nifer o enwau sy'n cyfeirio at frwyn. Cofnodwyd annedd *Dolyfrynog* yn Llanfachreth yn 1701 (Nannau) a *Doleufrwynog* yn 1795 (JE/MNW). *Dolfrwynog* sydd ar y map OS cyfredol. Ceir sawl cyfeiriad at *Buarth Brwynog* yn mynd yn ôl i ddiwedd yr ail ganrif ar bymtheg. *Buarth brwynog* yw'r ffurf yn RhPDegwm plwyf Trawsfynydd yn 1840 ac ni fu nemor ddim amrywiad yn y sillafiad dros y blynyddoedd. Nodwyd y caeau canlynol yn RhPDegwm: *Brwyn* (Trawsfynydd); *Brwyn gwyn* (Llanfihangel-y-traethau); *Cae brwyn*, *Erw Cae brwyn* a *Cwm brwynog* (Llandrillo); *Wern frwynog* (Llangar); *Clyttia brwynog*

208

(Gwyddelwern); *Ffrydd frwyn duon* (Llandanwg); *Morfa brwyn* (Llanegryn) ac ambell enghraifft fwy anghyffredin fel *Morhesg* yn Llanfihangel-y-traethau. Cofnodwyd *Hesglwyn* a *Cae porfa pabwyr* (Trawsfynydd) a *Pwll pabwyr* (Llanegryn). Ystyr arferol *pabwyr* yw'r llinyn neu edafedd a geir mewn cannwyll neu lamp olew ('wick'), ond yn aml defnyddid y gair am gannwyll frwyn ac am y brwyn eu hunain. Mae tueedd i ddefnyddio'r ffurf *pabwyr* am yr unigol a'r lluosog, er bod GPC yn nodi'r ffurfiau unigol *pabwyryn / pabwyren*.

Mae rhywfaint o sôn am wiail. Cofnodwyd annedd *Celli'r gwiail* yn Llandecwyn yn 1671 (Poole). Roedd ar fap OS 1838; *Gelli gwiail* yw'r ffurf yn RhPDegwm plwyf Llandecwyn yn 1842 a *Gelligwial* yng Nghyfrifiad 1881. Ceir cae o'r enw *Pant Gwiail* yn RhPDegwm plwyf Gwyddelwern a *Hirdir gwiail* yng Nghorwen. Gwelwyd rhai cyfeiriadau prin at ddail tafol yn RhPDegwm: *Erw dafolog* (Corwen) a *Tir tafolog* (Llandrillo). Ar y map OS cyfredol nodir *Aber-Tafol* a *Tafolgraig* i'r dwyrain o Aberdyfi. Cofnodwyd cae o'r enw *Talar mint* yn Llandanwg. Ceir cyfeiriad prin at y glesin yn enw'r annedd *Dôl y Glesyn* yng Nghorwen. Trafodir yr enw hwn ar wahân uchod. Mae'n debyg mai'r suran sydd yn *Cae Syran* a nodwyd yn RhPDegwm plwyf Llanycil a *Cae surans* (Trawsfynydd). Ceir sawl math o suran, ond mae'n debyg mai *suran y cŵn* ('common sorrel') neu *suran y coed* ('wood sorrel') a olygir yma gan mai'r rheiny a ddefnyddid amlaf gynt. Credid fod y suran yn llesol i buro'r gwaed ac i gryfhau'r stumog a rhoi archwaeth am fwyd i'r claf.

Cyfeiriad hyfryd a chwbl annisgwyl sydd yn enw'r *Werglodd lestrog* yn Llanddwywe, ac nid oedd yn hawdd ei adnabod ar yr olwg gyntaf. Y ffurf yn 1552 oedd *y Weirglodd elestrok* (Mostyn). Yn 1612 nodwyd *y weirglodd lestrog* yn yr un ffynhonnell, a cheir *y gweirglodd lestrog* yn 1636 (Dfrïog). Diolch am yr *e* ar ddechrau *elestrok* yng nghofnod 1552. Dangosodd mai'r planhigyn *elestr* sydd yma, sef y gleiflys neu 'iris' gwyllt. Ansoddair yw *elestrog* sy'n cyfleu fod y weirglodd ddymunol hon yn llawn o flodau melyn yr elestr.

Mae'n debyg mai'r hyn sydd gennym yn enw'r anheddau *Efeidiog uchaf / ganol / isaf* a gofnodwyd yn RhPDegwm plwyf Trawsfynydd yw'r planhigyn *beidiog* ac mai'r fannod *y* wedi troi'n *e* sydd ar ddechrau'r gair. Enw arall ar Fantell Mair neu Balf y Llew yw y feidiog. Trafodir yr enw hwn ar wahân uchod. Ceir cyfeiriad at fysedd y cŵn yn y *Cae Bysedd Cochion* yn RhPDegwm plwyf Llandanwg. Ymhlith y llu o enwau a geir yng *Ngeiriadur yr Academi* am fysedd y cŵn, nodir mai ffurf o ogledd Cymru yw *bysedd cochion*. Cyn i'r byd meddygol wir sylweddoli a datblygu rhinweddau'r bysedd cochion ar gyfer trin anhwylderau'r galon, defnyddid y planhigyn fel eli i drin doluriau ac wlserau. Mae Dr Emyr Wyn Jones, a oedd ei hun yn arbenigwr ar glefydau'r galon, yn sôn am gamp nain ei nain (LlLl). Rywsut neu'i gilydd darganfuasai hi rinweddau eraill y planhigyn a byddai'n paratoi trwyth o ddŵr glaw ynghyd â blodau, coesau a dail y bysedd cochion fel meddyginiaeth ar gyfer gwendid y galon. Camp yn wir, a gwaith hynod o beryglus a oedd yn galw am ofal mawr gan fod hwn yn blanhigyn gwenwynig iawn. Mae'n wir fod William Salesbury yn gwybod ei fod yn llesol ar gyfer 'y ceulet a vo yn y gwythi' (LlS). Pwy a ŵyr nad oedd ambell hen wraig yng nghefn gwlad Meirionnydd hefyd wedi taro ar gyfrinach y bysedd cochion?

Gold Mair ('marigold') neu Gold y Gors ('marsh marigold') yn ddiau sydd yn enw'r annedd *Erw gold* yn RhPDegwm plwyf Dolgellau a'r cae *Wern goldiog* yn Nhywyn. Gwyddai William Salesbury am rinweddau'r gold. Mae'n argymell golchi'r geg â sudd Gold Mair ar gyfer y ddannoedd. Ond gellid defnyddio'r blodau hefyd i felynu gwallt os nad oeddech yn fodlon 'ir lliw a roes Deo' (LlS). Cyffredinol iawn yw enwau *Cae'r blodau* (Llanfor) a *Ffridd y blodau* (Trawsfynydd).

Plas Esgair

Lleolir plasty Sioraidd *Plas Esgair* neu *Esgair Hall* ym Mhantperthog i'r gogledd-ddwyrain o Bennal. Bu'n anodd olrhain hanes yr annedd hwn oherwydd y newidiadau a'r llurguniadau mynych yn ffurf yr enw. Yn ffodus, gwnaethpwyd cryn dipyn o'r ymchwil eisoes gan Melville Richards pan fu'n pori yn llawysgrifau Esgair a Phantperthog yn y Llyfrgell Genedlaethol. Roedd ef ar drywydd yr enw *Esgairfoeleirin*[88] a welsai ar y map OS. Er ei fod ef yn amlwg yn edrych ar fap cynharach, gan ei fod wedi ysgrifennu'r nodyn yn y *Bwletin* bron hanner can mlynedd yn ôl, mae'r ffurfiau a ganlyn ar y map OS cyfredol: *Foel Eirin*, *Esgair Foel Eirin*, a *Coed Esgair-foel-eirin* yng nghyffiniau Pantperthog.

Ar fap OS 1837 nodwyd yr enw *Esgair-lefuryn*, ac yn RhPDegwm plwyf Pennal yn 1838 ceir *Esgirlyfirin*. Roedd yn amlwg mai'r un lle a nodwyd ar fap 1837 a'r RhPDegwm, ond nid oedd yn eglur ar unwaith mai'r un lle hefyd oedd *Esgair Foel Eirin*. Dyna sut mae'n digwydd gyda llurguniadau: maent yn ein twyllo a'n harwain ar gyfeiliorn. Dyna hefyd pam mae'n bwysig olrhain enwau yn ôl i'r ffurfiau cynharaf posibl, a dyna a wnaeth Melville Richards. Ym mhapurau Esgair a Phantperthog darganfu lu o gyfeiriadau at yr enw hwn mewn amryw ffurfiau. Syml iawn yw'r cynharaf, sef *Esgair* o'r flwyddyn 1550/1. Ond ni fu erioed unrhyw broblem ynglŷn â'r elfen *esgair*: gweddill yr enw oedd y benbleth.

Nodwyd *Tythyn Esgair valyryn* yn 1568; *Eskair Velyryn* yn 1610/11; *Esgaire Velirin* yn 1661; *Esgair Voel Euryn* yn 1692; *Esgur voelyrun* yn 1711; *Esgeir lefieryn* yn 1721/2; *Esgair feol* [sic]-*Eyrin* yn 1731; *Esgir lyviryn* yn 1759 ac *Esgair llyferin* yn 1832 (Esg). Mae'n amlwg fod ail elfen yr enw yn annealladwy, a phan mae hynny'n digwydd mae'r

---

88 'Nodiadau Amryfal: *Esgairfoeleirin*' yn BBGC, Cyf. XXIII, Rhan IV, 1970.

'gwybodusion' a'r ymyrwyr yn camu i mewn i geisio esbonio'r enw. Yn yr achos hwn, penderfynwyd mai 'moel eirin' oedd ystyr yr ail elfen. Fodd bynnag, mae'n amlwg na chydiodd yr esboniad hwnnw ac yn raddol fe'i gollyngwyd. Yn y Cyfrifiad yn 1851 nodwyd *Esgir* ac *Esgir Farm*, ac yn 1881 ceir *Esgir Ucha*, *Esgir Isaf* ac *Esger Mansion*. Yn ddiweddarach ailenwyd y 'mansion' yn *Plas Esgair* neu *Esgair Hall*.

Ond nid oedd Meville Richards yn fodlon â'r esboniad ffug, ac mae'n mynd ati i geisio deall ffurf gynharaf yr ail elfen, sef *valyryn* o 1568. Tybiodd mai *maluryn* oedd yma wedi ei dreiglo'n feddal ar ôl yr enw benywaidd *esgair*.[89] Cofiodd fod y gair *maluria* yn digwydd yng Ngeirfâu'r beirdd a chyfeiria at y ffurfiau: 'maluria .i. pridh y wadh … molüria: pridd twrch dayar'. Wrth gwrs, rydym ninnau'n hollol gyfarwydd â'r ferf *malurio* yn yr ystyr o dorri rhywbeth yn fân. Felly, mae Melville Richards yn awgrymu mai ystyr yr enw *Esgair Faluryn* fyddai cefnen o dir naill ar siâp twmpath y twrch daear, neu gefnen â'r pridd yn fân iawn. Efallai, wir. Yn sicr, nid oes yma *foel* nac *eirin*.

Powls

Cynhwyswyd yr adran hon yn bennaf i borthi mympwy personol yr awdur a chael cyfle i grwydro rhywfaint ar ôl rhyw damaid blasus. Mewn gwirionedd, ychydig iawn o wybodaeth sydd gennym am yr annedd hwn. Prin iawn yw'r cyfeiriadau a welwyd at yr enw *Powls* ym Meirionnydd, a phob un yn dod o'r un ffynhonnell. Ceir cofnod o *Tyddyn y Llyffant alias Powls* yn 1656/7, 1657, 1694, 1707 ac 1726–7, i gyd yng nghasgliad Maesyneuadd yn Adran Archifau Prifysgol Bangor. Er na lwyddwyd i leoli'r annedd yn bendant, gwelir o'r cofnodion hyn ei fod yn nhrefgordd Ystradgwyn yn Nhal-y-llyn. Felly, mae'n bur debyg ei fod rywle yng nghyffiniau Minffordd i'r gogledd o'r llyn.

89 Am *esgair* gweler yr adran 'Rhannau'r corff' isod.

Y rheswm dros drafod yr enw yw'r elfen anarferol *Powls*, ac mae ffurf yr elfen hon yn ddigyfnewid ym mhob un o'r cofnodion a welwyd. Gwyddom beth oedd *Powls*, gan ei fod yn enw a ddefnyddid gan y beirdd. Daw'r cyfeiriad enwocaf, mae'n debyg, o farwnad Guto'r Glyn i Wiliam Herbert. Mae'r bardd yn cyffelybu dienyddiad Herbert a chyflafan brwydr Edgecote Moor i Ddawns Angau. Dyma'r *danse macabre*, sef y ddelwedd o ddynion o bob gradd, o'r Pab hyd at y taeog, yn dawnsio gydag ysgerbydau'r meirwon. Ond sylwer nad 'Dawns Angau' yw enw Guto'r Glyn ar y ddelwedd arswydus hon, ond:

> Dawns o Bowls! Doe'n ysbeiliwyd,
> Dwyn yr holl dynion (sic) i'r rhwyd. (Guto'r Glyn.net)

Cyfeiriad sydd yma at lun enwog o'r Ddawns Angau yn *Powls*, sef Eglwys Gadeiriol Sant Paul yn Llundain.

Mae gan Guto'r Glyn gyfeiriad at *Powls* hefyd yn ei gywydd yn gofyn am gorn hela gan Sieffrai Cyffin ap Morus. Cyfreithiwr oedd Sieffrai, ac mae Guto yn canmol ei ddylanwad a'i allu yn y Gyfraith:

> Pleder[90] ar bob hawl ydwyd,
> Powls oll a'r Comin Plas[91] wyd. (Guto'r Glyn.net)

Eglurir yma mai cyfeiriad at Eglwys Gadeiriol Sant Paul yw *Powls*. Defnyddia Guto'r enw eto wrth ganmol tŷ Syr Rhisiart Herbert. Awgryma fod y tŷ yn rhagori ar bob tŷ arall fel mae *Powls* yn rhagori ar bob eglwys arall. Mae'n amlwg fod Guto yn hoffi'r gyffelybiaeth, oherwydd yn ei gywydd yn amddiffyn ei le yng Nglyn y Groes cyfeiria'r bardd at yr abaty fel 'Plas-y-Groes, *Powlys* [sic] i gred', gan awgrymu fod lle Glyn y Groes ym myd cred cyn bwysiced â'r eglwys gadeiriol yn Llundain.[92]

90 Plediwr mewn llys barn
91 Common Pleas
92 Mae Lewys Glyn Cothi yntau yn dweud iddo weld llun o'r ddawns 'ynghappel powls'. *Studia Celtica*, XLVII. (2013); *Dwned*, XVIII (2012).

Dyna ddigon o grwydro. Mae'n amlwg na ellid cyffelybu'r *Powls* bach distadl yn Nhal-y-llyn ag Eglwys Gadeiriol Sant Paul. Felly, pam *Powls*? Yr ateb gonest yw na wyddom yn bendant. Rhaid ymchwilio'n bellach. Mae'n debyg fod a wnelo'r enw *Powls* yn Nhal-y-llyn rywbeth â'r Apostol Paul, os nad â'r eglwys gadeiriol. Fodd bynnag, nid *Powls* Tal-y-llyn yw'r unig enghraifft o'r elfen mewn enw lle yng Nghymru. Mae AMR yn nodi *Bowls* yn Llandygwydd yng Ngheredigion. *Bowls* sydd ar fap OS 1834 ar gyfer hwnnw ac yng Nghyfrifiad 1841, felly, ni allwn fod yn gwbl sicr mai'r un enw sydd yma. Ceir enghraifft gadarnach o bosib yn Llanllechid ger Bethesda yn Arfon. Er bod J. Lloyd-Jones yn cyfeirio ato fel *Y Bowls* (ELlSG), *Powls* yw'r ffurf yng Nghyfrifiad 1841. Ond mae J. Lloyd-Jones yn ein cynorthwyo drwy nodi mai 'St Paul's' yw'r ystyr, ac yn ein cyfeirio at dai elusennol o'r un enw yn Llanrwst (ELlSG). *Powls* yn sicr oedd enw'r elusendai hyn ar lafar, ond yng Nghyfrifiad 1841 fe'u nodir fel 'St Paul's'.

Pam y galwyd elusendai yn *St Paul's*? Ceir enghreifftiau o hyn yn Lloegr hefyd: roedd ysbyty i'r tlodion a sefydlwyd cyn 1190 ar dir yr eglwys gadeiriol ei hun yn Llundain, ac roedd elusendai o'r un enw yng Nghaersallog.[93] Ceir cyfeiriadau at Sant Paul yn casglu arian gan y Cristionogion cynnar er mwyn i Iago a Phedr allu ei rannu rhwng y tlodion yn Jeriwsalem (Actau XXIV, 17; 1 Cor. XVI, 1–4). Felly, a oedd yn arfer enwi elusendai ar ôl Sant Paul oherwydd hyn? Ac yn bwysicach fyth, a oedd *Powls* yn Nhal-y-llyn yn dŷ a neilltuwyd ar gyfer y tlodion? Cwestiynau sydd gennym, ond nid atebion, gwaetha'r modd.

Gair o rybudd cyn gadael yr enw hwn. Gwelsom fod Guto'r Glyn wedi defnyddio'r ffurf *Powlys*, ac yr oedd yn amlwg mai cyfeiriad oedd hwn at Eglwys Gadeiriol Sant Paul. Yn awr, beth am yr annedd *Clwt Powlis* a gofnodwyd yn Llanfihangel-y-traethau yng Nghyfrifiad 1861? Cofier rhybudd Syr Ifor Williams i beidio â chymryd un dim yn

93 Salisbury

ganiataol wrth drafod enwau lleoedd. Mae ystyr gwbl wahanol i *Powlis* yma. Ceir awgrym cryf iawn i brofi hynny, sef yr elfen *clwt*. Llain o dir oedd yma lle arferid chwarae *bowls*. Mae'n debyg mai rhyw rimyn cul oedd y clwt, a byddai'r gêm o ran ei natur yn debycach i fowlio decpin heddiw na'r bowlio a chwaraeir ar lawnt wastad sgwâr. Mae'r enw yn cyfateb i enw'r annedd yn Y Waunfawr ger Caernarfon, sef *Alabowl* (HEALlE). Rhydd GPC y ffurf *bowl alai* yn ogystal, a cheir y ffurf *Alafowlia* yn Ninbych. Arferir y term *bowling alley* hyd heddiw yn Saesneg.

'Prennau yr Arglwydd sydd lawn sugn'
(Salm 104)

Dechreuwn gyda'r brenhinbren. Y dderwen sy'n cael y teitl hwn fel arfer, ac mae gan y dderwen le amlwg mewn enwau lleoedd. Nodwyd yr aneddhau canlynol yn RhPDegwm: *Bryn Derw* (Llandderfel a Llanfor); *Derwlwyn* (Llanddwywe); *Derwgoed* (Llandderfel); *Fron Dderw* (Llanycil). Mae'r caeau a ganlyn hefyd yn RhPDegwm y plwyfi a nodir: *Cae['r] dderwen* (Betws Gwerful Goch, Corwen, Llanycil, Tywyn, Gwyddelwern, Llandrillo a Llandderfel); *Caeau y dderwen* (Llanfair); *Werglodd dderwen* (Tywyn a Llangar); *Glan y dderwen* (Pennal); *Llechwedd derwen* (Tywyn); *Gwern y coed derw* (Llanddwywe). Nodir yr enw tlws *Gallt y mes* yn Llandecwyn a *Coppa deri* yn Llangar. Yr oedd ein hynafiaid yn ymwybodol iawn o rinweddau'r coed a'r llwyni, 'oherwydd bywyd dyn yw pren y maes' (Deut. XX, 19). Yn ôl William Salesbury roedd y bilen rhwng y plisgyn a'r cnewyllyn mewn mes yn dda at anhwylderau'r galon. Roedd y mes yr un mor effeithiol 'rhac brathey pryfed gwenwynic'. (LlS).

Gellid tybio mai'r dderwen fyddai'r goeden a grybwyllir amlaf mewn enwau lleoedd, ond ym Meirionnydd mae gennym gymaint os nad mwy o gyfeiriadau at y fedwen. Mae'n ddiddorol sylwi mai *Bedwenni* oedd ffurf wreiddiol yr annedd *Bodwenni* yn Llandderfel. Trafodir yr enw hwn ar

215

wahân uchod. Nodwyd yr anheddau a ganlyn yn RhPDegwm: *Fedw* (Llanfrothen a Llanycil); *Fedw-arian Isa / Ucha* a *Fedwlwyd* (Llanycil); *Tyn y fedw* (Gwyddelwern a Mallwyd); *Braich Fedw* (Llanfachreth); *Ffridd y Fedw* (Llanfihangel-y-traethau); *Hafod-y-Fedwen* (Betws Gwerful Goch); *Y Fedw* a *Bryn Bedwog* (Llangywer). Ceir cofnodion o'r unfed ganrif ar bymtheg ar gyfer *Bryn Bedwog*, sef *Tyddyn y Brynn Bedwoc* o 1515 a *Tyddyn y Bryn Beddwock* o 1592 (AMR). Yn RhPDegwm cofnodwyd y caeau canlynol hefyd: *Cae bedw* (Llandrillo); *Y Fedw rywiog* a'r *Fedw arw* (Llanfor); *Cae'r fedwen* (Tywyn); *Bedwlwyn bach / mawr*, *Cae'r bedwlwyn* a *Yr hen fedwen* (Trawsfynydd); *Hafod y fedw* (Llanelltud); *Erw yr Fedw* (Betws Gwerful Goch). Mae'n debyg mai'r cofnod mwyaf diddorol am y fedwen yw cae o'r enw *Frith fedw friesland* yn RhPDegwm plwyf Llansanffraid Glyndyfrdwy. Mae'n anodd darganfod pa rywogaeth yn union o'r fedwen a olygir, na pham y dewiswyd eu plannu yma, ond yr oedd Ynysoedd Ffrisia yn enwog am eu coed bedw.

Cawn nifer o gyfeiriadau at goed helyg yng nghofnodion RhPDegwm. Nodir *Helygogfach* a *Helygogfawr* yn RhPDegwm plwyf Dolgellau yn 1838. Mae annedd *Helygog* ym Mrithdir ger Dolgellau. Trafodir yr enw hwn ar wahân uchod. Nodir *Penhelig-issa* a *Penhelig-ucha* yn RhPDegwm plwyf Tywyn. Heddiw cedwir cof am *Benhelyg* yn enwau gwestai *Plas Penhelig* a'r *Penhelig Arms* yn Aberdyfi. Mae *Tafarn Helyg* yn dŷ o ddiwedd y ddeunawfed ganrif neu ddechrau'r bedwaredd ganrif ar bymtheg ym Maentwrog. Fel yr awgryma'r enw, roedd yn dafarn ar un adeg, gyda thŷ ynghlwm wrtho lle cynhelid ysgol Sul. Tŷ preifat sydd yno heddiw. Nodir yr anheddau hyn hefyd yn RhPDegwm: *Tyhelig* (Llangar) a *Pwllhelig* (Tywyn). Ceir rhai enwau caeau sy'n cyfeirio at goed helyg yn RhPDegwm: *Bryn yr helig* (Betws Gwerful Goch); *Cae tan yr helyg* (Corwen); *Ffridd yr helig* (Llangywer); *Gwern helig* (Llanycil); *Werglodd Helygen* (Llanymawddwy).

Coeden a grybwyllir yn aml, yn enwedig mewn enwau tai,

yw'r gelynen. Ceir yr anheddau canlynol yn RhPDegwm: *Allt y celyn* (Corwen); *Braich celyn* (Tywyn); *Bryncelyn* (Llanymawddwy); *Bryngelynen* (Llanfrothen); *Celyn coed* a *Ty celyn* (Gwyddelwern); *Tyn y Celyn* (Corwen, Llanelltud, Mallwyd a Gwyddelwern); *Dolgelynen* (Pennal). Mae'r caeau a ganlyn hefyd yn RhPDegwm: *Buarth y gelynnen* (Llanaber); *Cae celyn* (Llanegryn a Llangar); *Cae[r] gelynnen* (Llangar, Corwen, Llanaber a Llanfor); *Erw y gelynen* (Betws Gwerful Goch); *Glynnog* (Llandrillo). Yr un enw yw'r *Glynnog* hwn ag a geir yn enw *Clynnog Fawr* yn Arfon. Ond nid enw sydd yma, mewn gwirionedd, ond ansoddair, sef *celynnog*, oherwydd ceir rhywfaint o gywasgu ar lafar. Dyma fan lle mae llawer o gelyn yn tyfu. Mae'r enw *Clynnog* yn nodweddiadol o'r enwau hynny sydd mewn gwirionedd yn ansoddeiriau i ddisgrifio man lle ceir llawer o blanhigyn arbennig. Ceir digon o enghreifftiau o hyn mewn enwau lleoedd ledled Cymru, megis *Rhedynog* (*Rhedynogfelen*, Llanwnda); *Eithinog* (fferm ym Mangor gynt, enw ar stad o dai yn awr); *Danhadog* (am dir lle tyf llawer o ddanadl poethion, a roes ei henw i fferm *Nhadog*, Dolwyddelan); *Grafog* (annedd yn Y Groeslon, Arfon, lle ceid llawer o *graf* neu arlleg gwyllt). Gellid hefyd sôn am *Brwynog*, *Mawnog* a *Chegidog*.

Mae'n syndod cynifer o gyfeiriadau a geir at y griafolen neu'r gerddinen. Nid yw'n un o'r coed mwyaf cyffredin, ond, wrth gwrs, mae'n bren hardd iawn gyda'i aeron coch llachar, ac o'r herwydd byddai'n nodwedd werth ei chynnwys mewn enw lle. Ond efallai fod yna reswm arall dros boblogrwydd y goeden hon. Credai ein hynafiaid fod gan y pren criafol rinweddau arbennig ac y byddai cael un yn tyfu yn agos at y tŷ yn amddiffynfa rhag gwrachod, ellyllon a thriciau'r Tylwyth Teg (CC). Nodir yr anheddau canlynol yn RhPDegwm: *Gelli griolen* (Llanfor) a *Tynygriafolen* (Trawsfynydd). Yn Nhrawsfynydd hefyd y cofnodwyd *Bryn y Grifiolen* yn 1636 a *Y Griviolen* yn 1656 (Pen). Roedd annedd o'r enw *Griolen* yn Llanuwchllyn yng Nghyfrifiad 1871. Yn RhPDegwm plwyf Trawsfynydd nodwyd caeau

217

Y Griafolen isaf / uchaf. Cyfeirir at y caeau a ganlyn hefyd: *Cae'r griolen* a *Cae pant griolen* (Corwen); *Cae griolen* a *Bryn griolen* (Llanycil); *Gallt Criafol* (Llandecwyn). Gwelir yr enw arall ar y griafolen yn RhPDegwm plwyf Llanymawddwy mewn cae o'r enw *Cerddin*. Ceir sawl cyfeiriad at y ffurf hon mewn annedd yn Nanmor yn ail hanner yr ail ganrif ar bymtheg a dechrau'r ddeunawfed ganrif. Rhaid cofio fod Nanmor ym Meirionnydd tan 1894. Daw'r holl gyfeiriadau a ganlyn o gasgliad Dolfrïog yn LlGC. Cofnodwyd annedd o'r enw *kelli y kerddenni* yn 1647. Y ffurf yn 1654 oedd *Tu mawr otherwise Gelli r Cerddeine*; *Celli y Cerddenai* yn 1689; a dau gofnod yn 1716, sef *Gelli Garddinen otherwise y Ty mawr* a *Kelli y Kerddenni otherwise Celli y Cerddenai.*

Trown yn ôl yn awr at goeden ychydig yn fwy cyffredin, sef yr onnen. Nodwyd anheddau *Llwynon* yn RhPDegwm plwyf Llanymawddwy yn 1842 a *Llwyn ynn* yn Llanddwywe yn 1840. Mae *Llwyn Onn* yn fwy cyffredin ar y cyfan, yn ddiau oherwydd yr alaw werin boblogaidd o'r un enw. Yng Nghyfrifiad 1911 nodwyd *Llwynnon* [sic] *Ucha, Llwynon Bach* a *Llwynon Isa* yn Abermo. Mae *Llwynon* a *Llwyn-on-isaf* ar y map OS cyfredol i'r gogledd-ddwyrain o Abermo. Nodir enwau'r anheddau canlynol hefyd yn RhPDegwm: *Llwyn Ynn* (Llanddwywe); *Pant-yr-Onn* (Tywyn); *Pant yr Onnen* (Llanfair a Llangywer); *Park yr Onnen* (Llanenddwyn); *Tyddynronen* (Llanuwchllyn) ac *Onnen* (Llandecwyn). Mae'r olaf yno o hyd, wedi ei nodi fel *Yr Onen* ar y map OS cyfredol. Yn RhPDegwm nodwyd y caeau hyn: *Cae rhyd yr onen* (Tywyn); *Cefn ynn* (Llanfair); *Clwt tan yr ynn* (Gwyddelwern) a *Cae'r ynn* (Llanaber).

Rhaid bod yn ofalus â'r elfen *gwern*. Mae'n wir fod *gweren* a *gwern* yn enw ar goed sydd yn tyfu ar dir gwlyb ac mewn corsydd, ond daeth *gwern* hefyd i olygu'r math o dir lle mae'r coed hyn i'w gweld. Felly, yn aml iawn mewn enwau lleoedd, yr ystyr yw gweirglodd laith neu gors. Dyna yn ddiau yw'r ystyr yn enwau'r anheddau canlynol a nodwyd yn RhPDegwm: *Wern* (Llanfrothen); *Tyn y Wern*

(Llandrillo, Llanuwchllyn, Llanymawddwy a Chorwen); *Pen y Wern* (Llanegryn a Thywyn); *Pengwern* (Ffestiniog); *Hafod y wern* (Llanfihangel-y-traethau). Fodd bynnag, mae'n debyg mai'r goeden ei hun sydd yn enw'r cae *Llechwedd y gwerni* yn Nhrawsfynydd.

Gwelwn goed eraill mewn rhai enwau. Rhestrir y caeau a ganlyn yn RhPDegwm: *Llwyn coll* (Gwyddelwern); *Cae'r cyll* (Llangywer) ac *Erw gollen* (Llandrillo); *Erw [y]sgawen* (Corwen a Llandrillo). Mae gan lawer un heddiw gryn ffydd mewn gwin ysgaw ar gyfer lleddfu peswch a sawl anhwylder arall. Gwyddai William Salesbury yntau am ei effeithiolrwydd 'y gahel escor color a phlêm', ond yn wahanol i ni, gwyddai hefyd ei fod yn llesol 'rhac brath gwiperae'[94] (LlS).

Nid yw mor hawdd gweld y llwyfenni. Mae'n debyg mai'r goeden sydd yn enwau'r caeau *Brynllwyfan* (Llandderfel) ac *Erw llwyfain* (Corwen), ac o bosib yn enw'r annedd *Pantllwyfog* (Llanelltud) yn RhPDegwm. Ni ddylid anghofio chwaith am afon *Llefenni* a phentref *Aberllefenni*. Y ffurf yn 1650 oedd *Aber llwyfeni* (ELl; DPNW). Yn sicr, y goeden sydd yn yr enw tlws *Nant llwyven vrigog* a gofnodwyd ym Mhennal yn 1510, ac yn y ffurf *Nant y llwven vrygog* yn 1523 (AMR). Enwau hyfryd eraill yw'r caeau *Ffridd glasddail* a *Bryn deiliog* yn Llanenddwyn, a'r annedd *Y Fachddeiliog* yn Llangywer. Ystyr yr enw deniadol hwn yw 'cornel fach ddeiliog'. Roedd yn dŷ o bwys yn nyddiau Edward Lhuyd, a gyfeiriodd ato tua 1700 fel *y fach dheiliog* (Paroch). *Y Vachddeiliog* oedd ffurf yr enw yn RhPDegwm plwyf Llangywer yn 1842. Fe'i trowyd yn westy yn ddiweddarach. Mae'r annedd â'r enw tlws *Nant-y-gwyrddail* ger Arthog hyd heddiw. Enw pert arall yw *Coedmwsoglog* a gofnodwyd yn y Cyfrifiad ym Mrithdir.

Mae'r coed ffrwythau yma hefyd. Yn RhPDegwm nodwyd annedd *Maesfallen* yn Llanaber a'r caeau *Cae['r] fallen*

---

94 Mae'n debyg mai 'choler' = bustl a olygir wrth *color*. Gwiberod yw'r *gwiperae*.

(Llanycil a Llanenddwyn); *Cae'r fallen lwyd* (Llanfor); *Clwt yr afallen* (Trawsfynydd) a *Llidiart y fallen* (Corwen). Ceir cyfeiriad yn RhPDegwm at annedd *Rhydyreirin* (Llanfair). Mae'r ffermdy hwn, sy'n dyddio o'r ail ganrif ar bymtheg, i'r dwyrain o Harlech hyd heddiw. Ymhlith y caeau yn RhPDegwm sy'n cyfeirio at goed eirin ceir *Cae perth eirin* (Llanaber); *Ffrydd pant yr Eiryn* a *Pant yr Eirin* (Llandecwyn); *Wern tan bryn eirin* (Llanfihangel-y-traethau).

Cyn gadael y coed mae'n werth sylwi ar ddau air diddorol sy'n ymwneud â choed. I'r Cymry hynny sy'n olau yn eu Beibl nid oes ond un ystyr i'r gair *gwinllan*, sef darn o dir i ddyfu gwinwydd. Rydym i gyd yn gyfarwydd iawn â'r gweithwyr yn y winllan ac â Naboth a'i winllan. Ond magodd y gair ystyr arall wahanol yng Nghymru, sef coedlan neu blanhigfa. Yn RhPDegwm nodwyd *Winllan* yn enw ar anheddau yng Ngwyddelwern a Thrawsfynydd ac ar gaeau yn Llandderfel a Llanenddwyn. Planhigfa hefyd yw ystyr yr enw arall dan sylw, sef *nurse*. Benthyciad o'r Saesneg yw hwn, er y byddai *nursery* yn fwy arferol yn Saesneg am fan lle tyfir coed a phanhigion. Nodwyd yr enghreifftiau a ganlyn o'r gair yn RhPDegwm: *Buarth y nurse* (Llanycil); *Ffrith nurse* (Gwyddelwern); *Nurse isaf / uchaf* (Llanddwywe); *Cae tan y nurse* (Llangywer). Chwarae teg i Lanegryn, roedd ganddyn nhw *Fridfa*.

Prysg / Prys

Hen air yw *prysg / prys* am glwstwr o fân lwyni neu blanhigfa goed, ac mae'n elfen a geir mewn sawl enw lle ym Meirionnydd a rhannau eraill o Gymru. Ceir yr enw yn y ffurf *prysg* yn y drydedd ganrif ar ddeg yn yr 'Oianau' yn Llyfr Du Caerfyrddin. Mae Myrddin yn rhoi gorchymyn i'r mochyn bach a oedd yn gydymaith iddo yng Nghoed Celyddon: 'nachlat im *prisc*', sef 'paid â thyrchu yn y mân lwyni'. Ym Meirionnydd heddiw mae *Cefn Prys* a *Prys*

Mawr yn Llanuwchllyn, *Bron Prys* yn Nhywyn, a *Prysgau Uchaf, Ganol* ac *Isaf* yn Llangelynnin. Rhaid ystyried hefyd yr enw *Prysor* a welir nifer o weithiau yn ardal Trawsfynydd.

Mae AMR yn nodi cyfeiriadau at *Kefn y Prys* yn 1697/8 a *Kefn y Preese* yn 1740. *Keven y Prys* oedd gan Edward Lhuyd tua 1700 (Paroch). Ar fap OS 1838 fe'i nodwyd fel *Cefn Prysc.* Yn y Cyfrifiad cofnodwyd *Cefn Prus* yn 1841, a *Cefnprys* yn 1851, 1891 ac 1911. *Cefn Prys* sydd ar y map OS cyfredol. Ystyr yr enw fyddai cefnen o dir â mân lwyni yn tyfu arni.

Gwelwyd llai o gofnodion ar gyfer *Prys Mawr.* Ar fap OS 1838 nodwyd *Prysc-mawr*, ond yn y Cyfrifiad yn 1841 ceir *Prus Mawr* a *Prus bach.* Yn 1851 ceir *Prysmawr* a *Prys bach*, ond *Prys Mawr* yn unig a nodwyd yn 1911. *Prys-mawr* sydd ar y map OS cyfredol.

Lleolir annedd *Bron Prys* ar gyrion Tywyn. Ceir cyfeiriad ato yn y ffurf *bron y pris* yn 1571; *Bron price* yn 1592/3; a *Bron y Prys* yn 1626 ac 1653/4, i gyd ym mhapurau Peniarth. Yn 1795 mae *The Cambrian Register* yn nodi *Bron y Prys*, ac yn ei gyfieithu'n hollol gywir fel 'the hill of the brushwood'. *Bron-prys* sydd ar y map OS cyfredol.

Yn 1662 cofnodwyd *Prysge Ucha*, *Prysge ganol* a *Prysge Issa* yn Llangelynnin (MHTax). Ar fap OS 1838 nodwyd *Prysgiau*. Erbyn map OS 6" 1888–1913 y ffurfiau a gofnodwyd yw *Prysgau-uchaf*, *Prysgau-ganol* a *Prysgau-isaf*, ac mae'r un ffurfiau yn union ar y map OS cyfredol. Ond yn y Cyfrifiad yn 1841 nodwyd *Pryscae canol* a *Pryscae ucha*, a'r un fath yn 1861, heblaw am newid *canol* i *ganol*. Erbyn 1881 mae'r enwau wedi troi'n *Prysgae Isaf / Ganol / Uchaf*, a'r un ffurfiau sydd yn y Cyfrifiad yn 1891, 1901 ac 1911. Beth yn hollol yw'r enw? Dechreuwn gyda ffurf 1838, sef *Prysgiau*. Nid yw GPC yn cynnwys y ffurf *prysgiau*, ond mae'n nodi *prysgau* fel ffurf luosog *prysg*. Mae'n debyg mai'r ystyr fyddai llawer o glystyrau o fân lwyni. Am y tro, derbyniwn mai'r enw lluosog *prysgau* sydd yma. Os felly, pam y treiglad meddal ar ddechrau'r ansoddair *canol* > *ganol* yn y Cyfrifiad o 1881 ymlaen? Ac ai ymyrryd bwriadol a ddigwyddodd erbyn Cyfrifiad 1841, oherwydd i rywun dybied mai *cae* oedd yn yr ail elfen? A pham newid yr enw eto i *Prysgae* erbyn 1881? Mae'n bosib fod y ffurf hon yn adlewyrchu'r hyn a glywai'r glust, ac mai *Prysgau* sydd yma ar hyd yr amser. Yn sicr, fe'i newidiwyd yn ôl i *Prysgau* yn y mapiau OS diweddaraf, ac mae'n hollol bosib mai hon oedd y ffurf gywir o'r dechrau.

Wrth drafod yr enw *Croesor* cyfeiriwyd at yr hen derfyniad lluosog –*awr*. Yn enw *Croesor* yr ystyr oedd llawer o groesau; yn yr enw *Prysor* yr ystyr yw llawer o fân lwyni. Ceir cofnod o'r enw yn y ffurf *Pressor* mor gynnar ag 1285 yn Stent Meirionnydd, ac mewn cyfeiriad yn 1419–20 at *ffrith Prissor* (Rec.C). Gwelir yr elfen yn enw *afon Prysor*, a roes ei henw i'r ardal o'i chwmpas, sef *Cwm Prysor*. Fe'i ceir hefyd yn *Castell Prysor*, hen olion mwnt a beili, ac yn *Pont Dolydd Prysor*, i gyd yng nghyffiniau Trawsfynydd.

Mae *prys* yn elfen a welir yn amlach o bosib yng ngogledd Cymru nag yn y De. Ym Môn ceir plasty o'r enw *Prysaeddfed*, er y cyfeirir yn aml ato fel *Presaeddfed*. Gwelir y ffurf *Pres–* hefyd yn enw *Mynydd Presely* neu *Preselau* ym Mhenfro. Yr ystyr yno oedd coedlan gŵr o'r enw Seleu, ffurf Gymraeg ar Solomon. Ceir *Prysiorwerth* a *Prysdolffin* hefyd ym Môn. Enw personol gwrywaidd yw ail elfen yr enwau hyn. Gwelir yr un elfen yn *Prysgol*, ger Caeathro, Arfon, sef coedlan gŵr o'r enw Coel; yn *Prysdyrys*, ger Pontrhythallt, Llanrug; yn *Penprys* yn Llannor, Llŷn, a Llanwnnog, Powys, ac yn *Prysgyll* ym mhlwyf Llandygái ger Bangor. Mae'n amlwg o ffurfiau cynharach enw'r annedd *Bryscyni*, ger Clynnog Fawr, mai *prys* sydd yn hwnnw hefyd. Mae'r un elfen yn digwydd yn y Gernyweg, ac fe'i gwelir yn yr enwau lle *Priske* a *Preeze* (CPNE).

Rafel a Rola

Annedd yn ardal y Parc ger Y Bala yw *Rafel*. Ychydig o gofnodion ohono a welwyd, a *Rafel* yw'r ffurf bob tro: ar y map OS cyfredol, yn RhPDegwm plwyf Llanycil yn 1838, ac yn y Cyfrifiad yn 1841, 1871, 1891 ac 1911. Mae hwn yn un o'r enwau bach camarweiniol hynny fel *Rachub*, *Rala*, *Regal*, *Refal* a *Rola*. Maent yn gamarweiniol oherwydd nad y gytsain *R* yw llythyren gyntaf yr enw mewn gwirionedd ond llafariad. Y fannod *yr* yw'r *R*, a'r enwau llawn yw *Yr Afael*, *Yr Achub*, *Yr Ala*, *Yr Egel*, *Yr Efail* ac *Yr Ole[ddf]*.

Er na welwyd cofnod o'r annedd yn Y Bala yn y ffurf *Yr Afael*, rhaid casglu mai *gafael* sydd yma. Enw yw *gafael* yn y cyswllt hwn, nid berf, a'r ystyr yw darn etifeddol o dir. Roedd yn rhan o'r *gwely*, sef y rhaniad a oedd yn eiddo'r tylwyth ar y cyd. Darn o dir neu dyddyn yw ystyr *achub* hefyd.[95] Mae'n enw ar bentref ger Bethesda yn Arfon. Fodd bynnag, mae'n digwydd hefyd ym Meirionnydd. Fe'i gwelir yn RhPDegwm plwyf Llanycil, yn enwau'r caeau *Achub*, *Achub isa* ac *Achub ucha*. Darn arall o dir yw *ala*. Gall fod yn stribed hirgul, neu yn llwybr cul, yn aml wedi ei orchuddio â glaswellt. Ceir yr elfen *ala* yn *Ala Las* (Caernarfon), yn *Alafynydd* (Llanfair-yng-Nghornwy, Môn), yn *Yr Ala* (Pwllheli) a *Phenyrala* (Tregarth). Enw llawn *Rala* yn y Waunfawr yn Arfon oedd *Alabowl*. O gyfuno *ala* â'r elfen *bowl* mae i'r enw cyfan ystyr neilltuol, sef darn o dir ar gyfer chwarae bowliau (HEALlE). Darn o dir sydd yn *Yr Egel* hefyd. Trafodir hwn yn fwy manwl uchod yn yr adran 'Cotel a chlwt: y caeau bychain'. Fe'i cofnodwyd fel *Yr Hegel* yn enw ar gae yn Llanfihangel-y-traethau.

Ffurf a glywir ar lafar yng ngogledd-orllewin Cymru yw *Refal*. Mae'n cyfeirio, wrth gwrs, at *yr efail*, sef gweithdy'r gof. Cofnodwyd yr enw yn y ffurf *Refal* yn RhPDegwm

---

95 Trafodir y term yn llawnach uchod yn yr adran 'Cotel a chlwt: y caeau bychain'.

plwyf Llangelynnin yn 1839, ond fel *R'efail* yng Nghyfrifiad 1891.

Gwelir y ffurf *Rola* mewn enw annedd a leolir i'r de o Lwyngwril ac i'r gogledd o Langelynnin. Nodwyd *dryll yr Ole* ym mhlwyf Llangelynnin ym mhapurau Peniarth yn 1663. Yn 1837 ceisiwyd esbonio'r enw ar y map OS, drwy nodi *Rhol-le*, er nad oedd hynny'n gwneud llawer o synnwyr. Rhoddwyd cynnig arall ar ei esbonio yn y Cyfrifiad yn 1841 pan nodwyd *Yr Olau*, ac eto yn 1891 gyda *Rolau*. Y ffurf lafar arferol *Rola* sydd yng Nghyfrifiad 1861 ac 1871 ac ar y map OS cyfredol. Mae GPC yn nodi'r ffurf *gole,* ac yn ein cyfeirio'n syth i'r adran ar *goleddf.* Mae'n fwy na thebyg mai *Yr Ole[ddf]* sydd yn *Yr Ole*, yn yr ystyr o 'lechwedd' neu 'lethr'.

Ratgoed Hall

Plasty i'r gogledd o Aberllefenni yw *Ratgoed Hall*. Fe'i hadeiladwyd gan berchennog chwarel o'r enw Horatio Nelson Hughes rhwng 1860 ac 1870. Bu'n hostel ieuenctid yn ddiweddarach ond bellach mae'n wag ac angen ei atgyweirio. Er bod naws Seisnig i'r enw, mae ei darddiad yn gwbl Gymraeg. Yr hyn sydd gennym yma yw *Yr Atgoed*. Glynodd yr *r* yn y fannod wrth yr ail elfen *atgoed* i roi *ratgoed*, yn union fel y trodd *Yr Achub* yn *Rachub* yn enw'r pentref ger Bethesda yn Arfon. Beth, felly, yw *atgoed*? Ar ôl lladd y gwair ym mis Mehefin fe geir ail gnwd. Dyma'r *adladd* neu *adlodd*. Ystyr y rhagddodiad *ad–* yw 'ail'. Fe'i gwelir mewn berfau megis *adennill*. Yn *atgoed* yr hyn sydd gennym yw *ad* + *coed* gyda'r cyfuniad o sain *d* ac *c* yn caledu i roi *atgoed*. Digwyddodd yr un peth yn union yn y cyfuniad *ad* + *cof* i roi *atgof.* Os mai ail gnwd o wair yw'r *adladd*, yn yr un modd ail dyfiant o goed yw'r *atgoed*.

Roedd yr enw *Ratgoed* yn bodoli ymhell cyn adeiladu *Ratgoed Hall*. Mae *Cwm Ratgoed* yn ymestyn i'r gogledd o Aberllefenni. Roedd anheddau o'r un enw yno ar un adeg. Cofnodwyd *Tyddyn yr Atkoyd issa* a'r *Atkoyd vcha* yn 1592/3

(AMR) ac *Yr Atcoed ycha / Yr Atcoed Isa* yn 1633 (RCLCE). *Ratgoed* sydd gan Edward Lhuyd tua 1700 (Paroch), ond mae'r ffurf gysefin *Yr atgoed* ar fap OS 1837. Mae'n amlwg fod hwn yn enw anghyfarwydd, a'r duedd gydag enwau o'r fath yw ceisio eu hesbonio – yn aflwyddiannus fel rheol. Am gyfnod cyfeirid at *Yr Atgoed* fel *Ralltgoed*, a dyna sydd yng nghofnod Cyfrifiad 1841. Mae'r ffurf hon yn ailymddangos mor ddiweddar â Chyfrifiad 1911, lle cofnodir *Ralltgoed Cottages* yn Aberllefenni. Roedd hyn cyn adeiladu'r plasty. *Ratgoed* a *Ratgoed Hall* sydd yng Nghyfrifiad 1891. *Ratgoed Hall* a *Cwm Ratgoed* sydd ar y map OS cyfredol, ond yn 1901 nodwyd *Capel Ratgoed* a *Ratgoed Cottages* yn ogystal.

Nid yw'r enw yn unigryw. Yn wir, mae cofnod ohono mewn man arall ym Meirionnydd: cofnodwyd *kay yr atkoyd* yn Llanddwywe yn 1544 ac 1546 (Mostyn). Ceir cyfeiriad hefyd at *Gweirglodd Ratgoed* a *Llain y Ratgoed* yn Llandygái ger Bangor yn 1789 (Penrhyn).

Rug / Y Rug

Lleolir plasty a stad *Rug* i'r gorllewin o Gorwen. Mae'r tŷ presennol yn dyddio o ddiwedd y ddeunawfed ganrif. Heddiw mae'r stad yn fwyaf adnabyddus am y fferm organig a'i chynnyrch o safon. Gerllaw saif *Capel Rug*, sef capel preifat yn dyddio o 1637, sy'n enwog am ei gerfiadau, ei addurniadau a'i beintiadau lliwgar.

Enw ar arglwyddiaeth yn Edeirnion oedd *Rug*, er bod rhai cyfeiriadau ati fel trefgordd: ceir cofnod o *Villa de Gruc* yn 1292–3 (MLSR). Mae hanes y teulu yn dechrau i bob pwrpas tua diwedd y bymthegfed ganrif gyda phriodas Pyrs Salbri o Fachymbyd â Marged Wen, aeres *Rug*. Gwyddom fod taid Marged yn arfer croesawu'r beirdd i *Rug*: ceir cywydd gan Gutun Owain yn gofyn am gŵn ganddo, a chanodd Tudur Aled farwnad iddo. Ffynnodd stad *Rug* dan Pyrs a'i fab Robert. Ceir disgrifiad o wychder y plas yn nyddiau Robert mewn cywydd gan y bardd Raff ap Robert:

Siambrau, parlyrau lwyrwys,
Byrddau'n llawn, beirdd yn y llys;
Pibau gwin, pawb i'w gynnwys,
Peunod ac alarchod glwys;
Powdwr, siwgwr ar seigiau,
Brawn a sew[96] obry nos Iau;
Cynnal gwledd mewn canol gwlad,
Yr wyt, arglwydd, i'r teirgwlad.   (RhNBSF)

Â'r bardd ymlaen i ganmol ffrwythlondeb y tir a haelioni ei noddwr:

Gwrychoedd, llynnoedd, perllannau,
Gweirdir, a brig ytir[97] brau;
Percydd mewn ffrwythydd a'u ffrith,
Dolydd a gynnydd gwenith;
Cyfleu pob cyfle pybyr,
Aur at waith i rowt o wŷr;
Aur o'th bwrs o waith y banc,
Hwn a gâi hen ac ieuanc.   (RhNBSF)

Roedd aer Robert, sef Siôn Salbri y Cyntaf, yn un o gomisiynwyr ail eisteddfod Caerwys yn 1567, ac yn noddwr brwd i'r beirdd. Canodd Simwnt Fychan ei glodydd:

Lliosawg odlau lle lleisir – tannau,
    Llawen gywyddau lle'n gwahoddir;
Llawn fyrddau'r gwyliau lle gwelir – mwythau,
Llysieuau, bwydau nid arbedir.   (RhNBSF)

Parhaodd Syr Robert Salbri yr Ail, aer Siôn, i noddi'r beirdd a chlodforwyd ef am ei gyfraniad fel siryf. Ond ffynnodd ei yrfa ar draul y stad a bu farw mewn dyled. Bu farw ei aer pan oedd yn blentyn a dilynwyd ef gan ei frawd Siôn II, a wnaeth ychydig iawn i wella'r stad.

   Daeth rhyw gymaint o dro ar fyd ar farwolaeth Siôn pan

96 sew = cawl
97 ytir = tir ŷd

ddaeth y stad i ddwylo'r brawd arall, William, a adwaenid fel 'Yr Hen Hosanau Gleision'. Ef a adeiladodd y capel yn Rug. Rhannwyd y stad ar ei farwolaeth ef rhwng ei feibion Owain a Siarl (RhNBSF).

Mae'n bryd i ni ystyried yr enw *Rug*. Ceir cofnod ohono fel *Ruge* yn 1592–3, ac fel *Rug* yn 1743–4 ac 1747 ym mhapurau Rug ei hun. *Rhug* sydd ar fap John Evans ac yn *The Cambrian Register* yn 1795. Nodwyd *Rug Demesne* a *Rug Mill* yn RhPDegwm 1839. Yn y Cyfrifiad yn 1911 nodwyd *Rûg Mansion*, *Rûg Lodge*, *Rûg Bailiff's House*, *Bothy (Rûg)*, *Rûg Stables*, *Felin Rûg* a *Rûg Chapel*. *Rûg* sydd ar y map OS cyfredol. Fe welir mai *Rug* oedd y sillafiad gwreiddiol, yna dechreuwyd ychwanegu'r acen ddianghenraid ar yr *u*. Ond, gwaeth na hynny, yn ddiweddar, a barnu oddi wrth y cyfeiriadau a welir yn gyffredin, daethpwyd i ystyried *Rhug* fel ffurf amgen ar yr enw. Gwelir cyfeirio at y tŷ yn aml bellach fel *Rhug Hall*.

Ffurf gywir yr enw yw *Y Rug*. Ystyr yr enw yw man lle mae llawer o flodau'r grug yn tyfu. Mae Syr Ifor Williams yn cymharu ffurfiant yr enw â'r hyn a welir yn *Y Gors*, *Y Wern* a'r *Ro*. Er mwyn esbonio'r ffurfiant cyfeiria at y planhigyn sydd yn tyfu ar dir gwlyb. *Corsen* yw'r unigol a *cors* neu *cyrs* yw'r lluosog. Enw gwrywaidd lluosog yw'r ffurf *cors* yma. Beth, felly, yw *Y Gors*? Enw benywaidd yw hwn am fan lle ceir llawer o'r planhigyn. Yn yr un modd ceir *y wernen* am un goeden ('alder'), *y Gwern* am nifer ohonynt, ac *y Wern* am fan lle mae llawer ohonynt yn tyfu. Felly hefyd ceir blodau *grug*, ond *Y Rug* yw man lle mae llawer o'r blodau hyn yn tyfu. Nid yw'r defnydd hwn yn gyfyngedig i blanhigion. Ystyriwch yr enw *Y Ro-wen*. Mae'n amlwg fod hwn yn fan lle ceid llawer o *ro*. Felly, *Y Rug* yw enw'r plasty ger Corwen, er y gollyngir y fannod gan amlaf. Fodd bynnag, mae'r ffurf *Rhug* yn hollol anghywir.

Rhagad

Lleolir *Rhagad*, neu *Rhagatt Hall* fel y cyfeirir ato yn fynych bellach, i'r dwyrain o Gorwen. Ceir sôn yn gynnar am y lle, ond cyfeiriadau at yr hen drefgordd yw'r rhain, gan mai mabwysiadu enw'r drefgordd a wnaeth y tŷ. Mae'r plasty presennol, fodd bynnag, yn eithaf modern, yn dyddio o ddechrau'r bedwaredd ganrif ar bymtheg. Ceir y cofnod amwys a ganlyn gan yr hynafiaethydd John Leland yn 1536–9, ond cred Melville Richards mai cyfeiriad at *Ragad* sydd yma:

> Owen Glindour had a place yn Yale upon the north side of De caullid Ragarth V. mile above Dinas Brane.

Cofnodwyd *Ragad* yn 1549 (Rug); *Rhagad* yn 1581 (Bach); *Rhagatt* yn 1662 (MHTax) a *Plas yn Rhagat* yn 1696 (MyN). Ceir *Rhagad* tua 1700 (Paroch) ac yn 1795 (Camb.Reg). *Ragad* sydd ar fap John Evans o ogledd Cymru yn 1795; *Rhagatt* yn RhPDegwm plwyf Corwen yn 1839; *Rhagatt Mansion* yn y Cyfrifiad yn 1891 a *Rhagatt Hall* yn y Cyfrifiad yn 1911.

Roedd *Rhagad* yn un o'r tai lle croesewid y beirdd. Mae Tudur Aled (*fl.* 1480–1526) yn canu clodydd ei noddwr Gruffudd Llwyd o Ragad.[98] Canmol ei ddewrder fel milwr a wna'r bardd yn bennaf:

> Bonheddig, tebyg i'r tad,
> Brigwyn fo'r mab o Ragad;
> Bual du, o blaid Owain,[99]
> Brawychwr maes, breichir, main;
> Buan d'ofn ar bendefig,
> Bwa yw'n braff, bôn a brig;
> Llew o Ragad, llurigwyn,[100]
> Llid Galâth[101] llewod y glyn.   (NBM a GTA)

---

98 Teitl y cywydd yn GTA yw 'Pennaeth Rhagad: i Ruffudd Llwyd ab Elisau i ddiolch am farch'.

99 Owain Glyndŵr

100 llurig = arfwisg, dwyfronneg

101 Galâth = un o farchogion y Ford Gron. Ffurf Saesneg ei enw yw Galahad.

Ni chadwyd llawer mwy o ganu i deulu *Rhagad*, ond cysylltir enw un bardd â'r lle. Mae'n rhaid fod gan Robert Humphreys, a oedd yn fyw yn 1720, gysylltiad agos â *Rhagad* gan y cyfeirir ato fel Rhobert Rhagad. Ni wyddom lawer o'i hanes, ond cyfansoddwyd englyn gan fardd dienw i fod yn feddargraff iddo:

> Yn fud mewn gweryd mae'n gorwedd – Rhagad
> A'i rugl gynghanedd;
> Ni roir, gwn, yn nhir Gwynedd
> Un o'i fath rhawg yn ei fedd.   (NBM)

Yn awr mae'n bryd ystyried ystyr yr enw *Rhagad*, ac ni lwyddodd neb i wneud hynny'n foddhaol hyd yn hyn. Rhaid tybio mai *rhag* yw bôn yr enw, ond mae'n anodd gwybod ym mha ystyr. Cynigiodd D. Geraint Lewis yr esboniad: 'rhag (o flaen, neu fel yn "rhagori") + -ad *prominent place*' (LlE). Mae'n bur debyg mai ymgais i gyfleu rhyw fath o ragoriaeth yw ystyr y *rhag*. Er nad yw'n gyfieithiad boddhaol iawn, ni ellir awgrymu un gwell. Yn sicr, mae'n gwneud mwy o synnwyr na'r esboniad yn *The Cambrian Register* yn 1795, sef 'the station for opposing'.

Rhannau'r corff

Roedd yn naturiol iawn i'n cyndeidiau, a oedd yn sylwi'n llawer craffach nag a wnawn ni ar dirwedd y wlad, weld tebygrwydd rhwng ambell nodwedd ddaearyddol a rhannau o'r corff. Ni ddeuem byth i ben petaem yn dechrau rhestru'r holl enghreifftiau o'r elfen *Bron / Fron* a hyd yn oed *Vron* a gofnodwyd ym Meirionnydd. Nodwyd anheddau â'r enw *Fron* yn syml yn RhPDegwm plwyfi Llanfor, Llansanffraid Glyndyfrdwy, Llanuwchllyn, Mallwyd a Thrawsfynydd. Un o'r anheddau mwyaf adnabyddus sy'n cynnwys y ffurf *bron* yw *Plas Brondanw* yn Llanfrothen. Nodwyd hefyd anheddau *Bronyfoel* (Llanfachreth a Maentwrog); *Bronyfoel isa / ganol / ucha* (Llanenddwyn); *Bronnewydd* (Llanegryn); *Bronsgellog* (Trawsfynydd) a *Bron'r Erw*

(Ffestiniog). Yn Nhrawsfynydd nodwyd caeau o'r enw *y fron felan* ac *y fron lâs*. Ceir yr anheddau *Vron isa / ucha*, *Vron dderw*, *Vron Gain* a *Tyn vron* yn Llanycil, *Vrongaled* yn Llanddwywe, a *Vron Newydd* yn Llansanffraid Glyndyfrdwy. Ffurf gyfansawdd yn golygu bron â cheudod ynddi neu lechwedd pantiog yw *ceufron*. Cofnodwyd anheddau o'r enw *Geufron* ym mhlwyfi Corwen, Gwyddelwern, Llandderfel a Thrawsfynydd. Ffurf fwy anarferol yw'r benthyciad o'r Saesneg yn enw'r cae *Brest y goedre* yn Llanfihangel-y-traethau. Mae'n hawdd gweld sut y cafodd bryn crwn neu lechwedd ag ymchwydd iddo yr enw disgrifiadol hwn. Mae'r Sais a'r Ffrancwr hwythau yn sôn am 'the *breast* of the hill' a 'le *sein* de la colline'.

Os oes gan gorff fron, mae'n rhaid iddo hefyd gael *cefn*, a dyma elfen gyffredin arall mewn enwau lleoedd. Yr ystyr fel rheol yw trum neu esgair mynydd a bryn. Ymhlith yr enwau a nodwyd yn RhPDegwm Meirionnydd ceir y ffurf syml *Cefn* fel enw annedd ym mhlwyfi Corwen, Ffestiniog, Llandrillo, a Llanycil. Gwelir yr *e* ymwthiol yn enw'r annedd *Cefen* yn RhPDegwm plwyf Pennal. Gyda'r elfen *cefn* wedi ei chyfuno ag elfen arall, nodwyd anheddau *Cefen caer* (ym Mhennal, gyda'r *e* ymwthiol unwaith eto); *Cefn Coch* (Tywyn); *Cefn y rhos* (Llanuwchllyn), *Cefn cam* (Llanddwywe) a *Cefn main* (Llandanwg), ynghyd â'r caeau *Pen cefn* a *Cefn gwyn* (Corwen), *Cefn y bwa* (Llangywer) a *Cefn ucha / issa* (Llanycil).

Ystyr yr elfen *braich* mewn enw lle yw esgair bryn neu fynydd. Gall hefyd olygu cainc o fôr, ond ni welwyd defnyddio'r ystyr hon i'r elfen mewn enw lle ym Meirionnydd. Fel rheol, byddem yn ystyried fod y gair *braich* yn fenywaidd, a byddem yn cyfeirio at 'y fraich *dde*' neu 'braich *glwyfus*' ond mewn enw lle, mae'r elfen yn tueddu i fod yn wrywaidd fel y gwelwn yn yr enghreifftiau isod.

Ceir cyfeiriad at annedd o'r enw *Braich* yn Llanfrothen yng Nghyfrifiad 1851, er mai *Brauch* sydd yn y cofnod. Mae'n llawer mwy cyffredin fel elfen ar ei phen ei hun mewn enwau caeau. Cofnodwyd *Braich* fel enw cae yn RhPDegwm plwyfi Llanfor, Trawsfynydd, Llanfair a Llanuwchllyn. Gwelir yr elfen yn amlach wedi ei chyfuno ag elfen arall. Cofnodwyd anheddau o'r enw *Braich du* yn Llandderfel a Llanfor, er mai *y Briachdy* sydd gan Edward Lhuyd yn y *Parochialia* ar gyfer yr un yn Llanfor. Yn RhPDegwm nodwyd yr anheddau a ganlyn: *Braich fedw* (Llanfachreth); *Braich melyn* (Mallwyd); *Braich gwyn*, *Braich coch*, *Braich celyn*, *Braich y rhew*, *Braich yr Henllys* a *Breichiau Caeau* (Tywyn). Mae gwreiddiau teulu *Tyn y Braich* yn Ninas Mawddwy yn mynd yn ôl yn yr un llecyn am rai canrifoedd. Cofnodwyd anheddau o'r un enw yn Nhal-y-llyn a Llanfor. Mae annedd *Cefn Braich* yn Llanfachreth yno hyd heddiw, a dyna gyfuno dwy ran o'r corff yn dwt mewn un enw. Yn RhPDegwm ceir y caeau a ganlyn: *Ffridd y braich* (Llanaber); *Braich coch* (Tal-y-llyn), *Braich [y] ceunant* (Trawsfynydd a Llanycil).

Mae'r elfen *coes* yn eithaf prin yn enwau lleoedd Meirionnydd, ond nodwyd cae o'r enw *Coes* yn RhPDegwm plwyf Llandanwg, ac roedd y caeau *Tir coes* yn Llandrillo, a *Coes tyddyn y cefn* a *Coed y coes isa* yn Llanfair. Mae'r term a welwyd eisoes yn yr adran hon, sef *esgair,* yn fwy cyffredin. 'Coes' yw'r ystyr eto, a bellach rydym yn tueddu i gyfyngu'r gair *esgair* i ddisgrifio nodwedd ddaearyddol. Ond gynt fe'i defnyddid am goes dyn neu anifail. Yn hanes croeshoelio Crist cyfeirir at y milwyr yn torri *esgeiriau*'r ddau leidr a groeshoeliwyd gydag ef, ond wedi gweld fod Crist eisoes wedi marw, 'ni thorasant ei *esgeiriau* ef' (Ioan XIX, 32). Mae rhannau o annedd *Esgair Weddan* ym Mhennal yn dyddio o'r ail ganrif ar bymtheg (Gwy). Nodwyd yr enwau *Esgeiriau* ac *Esgair Gawr* yn Rhydymain, ac *Esgair Wen* yn Llanfachreth. Yn RhPDegwm nodwyd yr anheddau *Esgair issa / ucha* ac *Esgirgoch* [sic] ym Mhennal, a'r annedd *Resgair adda* a chae *Esgair gwm* yn Llanymawddwy. Trafodir enw *Plas Esgair* ar wahân uchod.

Elfen arall a welir mewn sawl lle yng Nghymru, yn enwedig ar yr arfordir, yw *trwyn*. Y rheswm am hyn yw mai ei ystyr fel rheol mewn enw lle yw penrhyn neu bentir, er y gall gyfeirio at unrhyw big neu nodwedd sy'n ymwthio allan o'r dirwedd. Cofnodwyd y caeau a ganlyn yn RhPDegwm: *Cae'r Trwyn*, *Trwyn Penrhyn*, *Cae mur Trwyn* a *Cae Trwyn y lone* (Llanfihangel-y-traethau); *Trwyn Nyth y Gigfran* a *Trwyn Swch* (Llandecwyn); *Trwyn y Clippa* (Llanfair); a *Trwyn y Wal* (Trawsfynydd).

Defnyddir *talcen* a *tal*, sef rhan uchaf yr wyneb, yn ffigurol mewn enwau lleoedd ym Meirionnydd fel ym mhob rhan o Gymru i ddynodi rhan uchel adeilad neu dir. Cofnodwyd yr enwau hyn yn RhPDegwm: yn anheddau *Tal-y-ffynnonau* (Llanenddwyn) a *Cae Talcen* (Llandrillo). Ceir *Cae['r] talcen* fel enw cae ym mhlwyfi Llanenddwyn, Llanfair, Llandrillo a Llandderfel. Cofnodwyd hefyd y caeau hyn yn y plwyfi a nodir: *Cae talcen ty* (Llanfor, Tywyn, Llandderfel a Llanegryn); *Cae tan talcen* (Llanfor); *Erw talcen ty* (Llandderfel); *Erw tan y talcen* (Betws Gwerful Goch). Mae'n debyg mai enw'r ardal a'r plwyf, sef *Tal-y-llyn*, a phentrefi *Talsarnau* a *Tal-y-bont* yw'r enwau mwyaf adnabyddus i gynnwys yr elfen *tal*, ond mae'n elfen a welir hefyd mewn sawl enw cae yn RhPDegwm: *Tal ystrad* (Betws Gwerful Goch); *Tal y sarn* (Llanaber); *Tal yr ynys* (Llanenddwyn), a *Talrhos yr ael* (Llandecwyn). Yn yr enw olaf hwn gwelir rhan arall o'r corff, sef *ael*. Mae'r elfen hon yn digwydd hefyd yn enw annedd *Hafod yr ael* yn Llangywer.

Ceir rhai enghreifftiau eraill o rannau'r corff yn elfennau mewn enwau lleoedd ym Meirionnydd. Yn RhPDegwm nodwyd y canlynol: caeau *Gwar y coed* (Llanfor); *Cae gwar ty* a *Ffrydd gwar ty* (Tywyn); annedd *Troed yr allt* (Corwen) a chaeau *Troed y foel* a *Troed rhiw* (Llanymawddwy); anheddau o'r enw *Cesail* (Llanfihangel-y-Pennant) a *Cesailgwm Mawr* a *Cesailgwm Bach* (Llanelltud), a chaeau *Buarth y gesail ddu* (Trawsfynydd) a *Gesail* (Llanfor). Cofnodwyd caeau o'r enw *Gwegil y bryn* yng Ngwyddelwern; *Gwddf* yn Llanaber; *Talar genau* yng Nghorwen; ac annedd o'r enw *Bwlch y Safn* yn Llandderfel. Mae enw'r cae *Clust coch* yn Llanuwchllyn yn taro'n rhyfedd rywsut. Ystyriwn yr enw *clust* yn fenywaidd fel rheol, er y gall hefyd fod yn wrywaidd yn ôl GPC. Cofnodwyd annedd o'r enw *Ysgwyddglyn* yn Llanfachreth, a chae *Pen yr Ysgwydd* yn Llanbedr. Ac mae'r enw hwn yn dod â ni at yr elfen *pen*. Afraid dweud na ellir trafod yr elfen hon yn fanwl yma gan fod rhai cannoedd o enghreifftiau ohoni mewn enwau lleoedd ym Meirionnydd fel ym mhob rhan arall o Gymru. Ac mewn gwirionedd, mae'n elfen mor gyffredin nes ei bod fwy neu lai wedi colli ei hystyr ffigurol o fod yn rhan o'r corff.

Rhinog a Rhobell

Nid oedd yn fwriad trafod nodweddion daearyddol yn y gyfrol hon, ond ceir dau enw pur anarferol y gofynnwyd am esboniad o'u hystyr. Y ddau enw a achosodd ychydig o benbleth yw *Rhinog* a *Rhobell*.

Dau fynydd yw *Rhinog Fawr* a *Rhinog Fach* i'r dwyrain o Lanbedr ac i'r gogledd-orllewin o'r Ganllwyd. Cyfeirir atynt yn y lluosog fel *Y Rhinogydd* neu'r *Rhinogau*. Ni ddylai fod problem ynglŷn ag ystyr y gair *rhinog*, gan ei fod yn air a ddefnyddir yn gyson yn y cartref. Y maen tramgwydd yw ein bod ni fel rheol yn dweud *rhiniog* yn hytrach na *rhinog*. Ystyr *rhiniog* yw 'trothwy', 'carreg drws', 'ffrâm drws' neu 'gilbost'. Pan ddisgrifiodd y proffwyd Eseia ei alwad a'i weledigaeth o Dduw, dywedodd, 'A physt y *rhiniogau* a symudasant' oherwydd llef uchel y seraffiaid (Eseia VI, 4). Hynny yw, roedd fframiau'r drysau yn crynu.

Bu camrannu yn y gair. *Yr hiniog* sydd yma, wedi troi'n *y rhiniog*. Daw *hiniog* o'r hen air *hin*, nid yn yr ystyr arferol o 'dywydd', ond â'r ystyr o 'ochr', 'ymyl', 'terfyn', 'goror' (GPC). Fodd bynnag, yr ystyr o 'gilbost' sy'n gweddu orau i *rhiniog* yn enwau'r mynyddoedd. Rhwng *Rhinog Fawr* a *Rhinog Fach* mae bwlch o'r enw *Drws Ardudwy*. Ystyr *drws* mewn enw lle yw 'bwlch' neu 'adwy', fel rheol rhwng mynyddoedd. Gwelir yr un elfen mewn man arall ym Meirionnydd, sef

Bwlch yr Oerddrws rhwng Dolgellau a Dinas Mawddwy. Fe'i ceir hefyd yn *Drws y Coed* yn Nyffryn Nantlle yn Arfon. A dyna yw ystyr *drws* yn gyffredinol mewn gwirionedd, sef adwy neu fwlch. Esboniodd Syr Ifor Williams fwy nag unwaith y gwahaniaeth rhwng *drws* a *dôr* (ELl; MSI). Yr adwy yr eir drwyddi yw'r *drws*, a'r darn coed sy'n agor a chau'r adwy yw'r *ddôr*. Felly, os ystyriwn fod *Drws Ardudwy* yn adwy, yna gellid dychmygu fod yna ddau gilbost o boptu i'r adwy. Y *Rhinog Fawr* a'r *Rhinog Fach* yw'r cilbyst hynny.

Rhaid cyfaddef fod *Rhobell* yn enw mwy dieithr, ond mae'n enw ar dri mynydd ym Meirionnydd. Mae *Rhobell Fawr* i'r gogledd o Llanfachreth, ac mae'n rhyfedd meddwl fod hwn yn llosgfynydd marw. Ymhellach i'r gogledd ceir *Rhobell Ganol*, ac ymhellach fyth i'r gogledd ceir *Rhobell [y] Big*. Yr hyn sydd gennym yma yw'r enw benywaidd *gobell*. Ystyr *gobell* yw 'cyfrwy', sef y sedd ledr a roddir ar gefn ceffyl. Ond mewn enwau lleoedd mae gan *gobell* yr ystyr o gefnen neu esgair mynydd. Dyma sut y datblygodd yr enw: *gobell > yr obell > Rhobell*. Defnyddir y gair *saddle* yn Saesneg yn yr un ystyr o esgair neu gefnen mynydd.

Rhiwbryfdir

Mae *Rhiwbryfdir* bellach yn enw ar ardal ym Mlaenau Ffestiniog, ond enw ar annedd ydoedd i gychwyn. Ceir cofnod ohono yn 1508 yn y ffurf *Riwe Brythdyr*, ac fel *Riw bryvdyr* yn 1532 (Bodrh). Nodwyd *Rhiw Bryfder* yn 1655 (MyN); *Rhiw-briwdir* ar fap OS 1838, a *Rhiw bryfdir* yn RhPDegwm plwyf Ffestiniog yn 1842. Fe'i rhestrir ymysg yr anheddau yn RhPDegwm, ac eto, a barnu wrth y nifer o bobl a restrir dan yr enw yng Nghyfrifiad 1841, ymddengys fod yma egin bentref bychan.

Wrth drafod *Coed y Pryf* awgrymwyd mai *pryf* yn yr ystyr o anifail gwyllt, bychan ei faint fel rheol, megis ysgyfarnog, a welir yn yr enw, ac mae'n bosib mai'r un ystyr sydd i'r ail elfen yn *Rhiwbryfdir*. Os felly, yr ystyr fyddai gallt o dir lle arferid hela'r *pryf*, sef ysgyfarnogod o bosib. Fodd bynnag, sylwer ar y cofnod cynharaf a welwyd hyd yn hyn o'r enw. *Riwe Brythdyr* a nodwyd yn 1508. Ystyr y ffurf hon fyddai gallt o dir ac iddi bridd lledryw neu gymysglyd ei naws. Ond erbyn 1532, penderfynwyd mai tir y *pryf* oedd yno. Byddai'r ffurf ar fap OS 1838, sef *Rhiw-briwdir* yn awgrymu ystyr wahanol eto, er ei bod yn anodd gweld beth yw grym yr elfen *briw*, onid yw'n dir toredig o ryw fath. Y ffurf *Rhiwbryfdir* sy'n ennill y dydd, a dyna sydd ar y map OS cyfredol.

Rhoslefain

Bellach mae *Rhoslefain* yn enw ar bentrefan i'r gorllewin o Lanegryn ac i'r de o Langelynnin. Enw ar fferm ydoedd i gychwyn: fe'i rhestrir yn RhPDegwm plwyf Llangelynnin yn 1839 fel *Rhoslefan*. Cofnodwyd y ffurfiau *y ros leaven* yn 1592–3 a *Rhôsleven* yn 1731 (DPNW). *Rhos Leven* sydd yn *The Cambrian Register* yn 1795. Yn y Cyfrifiad nodwyd fferm o'r enw *Rhoslefen* yn 1841, 1861 ac 1871. Yna ceir rhywfaint o newid yn 1881 pan nodwyd *Rhoslefen Farm, Rhoslefain Smithy* a *Rhoslefen Gate.* Yn 1891 ceir *Rhoslefen Farm, Rhoslefain Smithy* a *Rhoslefen B'd School.* Erbyn Cyfrifiad 1911, mae'r lle wedi tyfu i fod yn bentrefan y gellir ei gynnwys mewn cyfeiriad fel *Rhoslefain, Towyn, Meirioneth* yn iaith y Cyfrifiad.

Fe welwn mai *leven / lefen* yw ail elfen yr enw o 1592–3 hyd rywbryd rhwng 1871 ac 1881. Yna mae'r ffurf *Rhoslefain* yn dechrau ymddangos. Dyma oes aur yr ymyrryd, y rhamanteiddio a'r llurgunio mewn enwau lleoedd. Roedd yr elfen *llefain* yn fêl ar fysedd y llurgunwyr, yn gyfle gwych i sôn am gyflafan a gwaed. Dim rhyfedd i R.S. Thomas ddweud am y Cymry: 'We were a people bred on legends / Warming our hands at the red past'.[102] Mae unrhyw *Fron goch* yn troi'n safle brwydr waedlyd, yn

102 R.S. Thomas, 'Welsh History', *Collected Poems 1945–1990*, (Llundain, 1993).

hytrach na chyfeiriad at liw'r pridd neu redyn crin, a phob *Cae cleddyf* yn fan lle darganfuwyd cleddyf coll rhyw dywysog a laddwyd mewn brwydr yn hytrach na disgrifiad o gae cul pigfain. Os nad oeddynt yn gwybod ystyr enw arbennig, byddai'r llurgunwyr yn creu un yn sydyn iawn, a gorau oll os oedd yn llawn rhamant, neu'n well fyth yn diferu gwaed. Felly, roedd yn rhaid cael gwared â'r elfen *lefen* amwys a'i newid i *lefain*, a oedd yn llawn o bosibiliadau cyffrous. Cyn bo hir mae hanesion yn tyfu am ryw frwydr a fu yn yr ardal. Erbyn 1890 mae Robert Prys Morris yn mynd i hwyliau yn *Cantref Meirionydd* wrth ddychmygu'r gyflafan:

> Dywed traddodiad, neu ymsynir gan y werin, ddarfod i frwydr gael ei hymladd ar Ros Lefain; ac y mae y dynodiant o *lefain* yn ffafriol i gywirdeb y cyfryw draddodiad neu ymsyniad, canys canlyniad naturiol ofnadwyaeth aerfa yw llefain neu waeddi. (CM)

Mae dau o'r awduron yn *Ystyron Enwau* yn cydio yn y syniad o'r frwydr, a golygai poblogrwydd y llyfr hwnnw fod y frwydr yn dod yn rhan o 'hanes' Meirionnydd.

Dyma enghraifft arall o lurgunio i greu stori dda: ceir man o'r enw *Cad Leisiau* rhwng Penmaenmawr a Bwlch y Deufaen. Crëwyd hanes brwydr enfawr, mor enfawr nes y gellid clywed lleisiau'r gad yn atsain yno hyd heddiw. Fodd bynnag, mae gwir ystyr yr enw yn llawer llai cyffrous. Un o ffurfiau lluosog *cadlas* yw *cadleisiau*. Mae sawl ystyr i *cadlas* – 'llannerch, gardd, talwrn, buarth' ac ati, ond nid yw 'lleisiau brwydr' yn un ohonynt. Yn yr un modd, ni fu unrhyw lefain torcalonnus ar ôl brwydr yn *Rhoslefain*. *Lefen* oedd ffurf wreiddiol yr ail elfen, sef yr ansoddair *llyfn* yn ei ffurf fenywaidd *llefn*, wedi ei dreiglo ar ôl yr enw benywaidd *rhos*, a chyda'r –e– ymwthiol dafodieithol wedi tyfu rhwng yr *f* a'r *n*. Ystyr yr enw yw rhostir gweddol wastad, neu *ros lefn*. Roedd *The Cambrian Register*, a oedd fel rheol mor hoff o ystyron blodeuog, rhamantaidd, wedi deall ystyr yr ail elfen a chyfieithu enw'r fferm fel 'the level meadow'. Ond roedd hynny yn 1795, cyn i'r llurgunwyr ddechrau ymyrryd â'r enw.

Rhyd y Criw

Lleolir annedd *Rhyd y Criw* rhwng Llanegryn a Rhoslefain. Mae hwn yn hen, hen enw. Dyna oedd enw'r drefgordd gynt a chyfeiriadau at y drefgordd yw llawer o'r cofnodion cynharaf. Daw'r cyfeiriad cynharaf a welwyd o 1292–3 yn y ffurf *Redcru* (MLSR). Yn 1308–9 nodwyd amrywiaeth o ffurfiau megis *Rettru*, *Retcru* a *Retcre*.[103] Cofnodwyd *Rytkrywe* rywbryd ar ôl 1400 (Rec.C). Yna ceir nifer o gyfeiriadau yng nghasgliad Peniarth: *Rytgrywe* (1506); *Rydcryw* (1519/20); *Rutcrew* (1550); *Rytgryw* (1594); *Rutcrew* (1609); *Ryttcrewe* (1631) a *Rhytt crew* (1653). Yn 1691 gwelwyd y fannod yng nghanol yr enw am y tro cyntaf yn y ffurf *Rhydycriw* (MyN).

Yng nghofnodion y Cyfrifiad ceir y fannod yn y canol yn amlach na pheidio. Ond mae rhywbeth rhyfedd yn digwydd yng nghofnod Asesiad Treth y Tir yn 1798, gan mai'r ffurf a nodwyd yno yw *Rhydyrhiw*. Ailadroddir y ffurf hon yn y Cyfrifiad yn 1841. Ar fap OS 6" 1901 hefyd nodwyd *Rhyd-y-rhiw* a *Coed Rhyd-y-rhiw*. A oedd yr elfen *criw* wedi mynd yn anesboniadwy nes peri ymyrryd bwriadol yma i geisio egluro ystyr yr enw? Ond ceir *Rhydcriw* yn y Cyfrifiad yn 1881 ac 1891, a *Rhydycriw* yn 1901 ac 1911. Pan gyhoeddwyd *Ystyron Enwau* yn 1907, er mai *Rhyd y Criw* yn amlwg oedd yr ynganiad ar lafar gwlad, honnwyd yn eithaf hyderus yn y gyfrol honno: 'Ymddengys mai llygriad yw yr enw o *Rhyd-y-rhiw.*' Fodd bynnag, adferwyd yr hen enw a *Rhyd-y-criw* sydd ar y map OS cyfredol.

Gwelir yr elfen *cryw* mewn enwau lleoedd eraill yng Nghymru; ceir sawl cofnod o *Dôl-y-cryw* yn Llandyrnog i'r dwyrain o Ddinbych. Ar y map OS cyfredol nodir *Criw* a

---

103 Rhôl Siryf Meirionnydd am 1308–9 yn E.A. Lewis, 'The decay of tribalism in North Wales', *Trans. Cymm.*, 1902–3.

Tyddyn-y-criw i'r de o Langristiolus ym Môn. Mae *Llyn Cryw* yn afon Saint yng Nghaernarfon. A faint ohonom sy'n sylweddoli, wrth ruthro i newid trên yng ngorsaf brysur *Crewe* dros y ffin yn Sir Gaer, mai'r un enw Cymraeg sydd yno hefyd?

Cryw yw'r sillafiad cywir, a dyna sydd yn RhPDegwm yn 1841. Gall olygu rhyw fath o rwystr megis cawell a osodir mewn afon i ddal pysgod, neu rywbeth mwy sylweddol fel cored. Ambell dro, gall y cryw fod yn rhyd i groesi afon. Felly, mae'r ddwy elfen yn enw *Rhyd y Cryw* fwy neu lai yn gyfystyr â'i gilydd.

Sebonig

Lleolir yr annedd o'r enw *Sebonig* i'r de o Dal-y-bont yn Ardudwy. Ceir cyfeiriad at yr enw yn 1587/8 (Mostyn) yn yr un ffurf *sebonig*. Nodwyd *Sebonig* hefyd yn 1747 (CalMerQSR). Ond yn *The Cambrian Register* yn 1795 ceir y ffurf *Ysbonig*, a dyna'r sillafiad hefyd ar fap OS 1838. Mae'n ôl yn y ffurf *Sebonig* ar fap OS 6" 1901, ac ar y map OS cyfredol. Gwelir enghraifft o drawsnewid llythrennau ac o rywfaint o ymyrryd bwriadol neu anfwriadol yn yr *Ysbonig* a gofnodwyd yn 1795 ac 1838. Efallai fod rhywun wedi tybio fod *Sebonig* yn enw rhyfedd ar annedd a phenderfynu ceisio ei esbonio. Ond mae'n anodd gweld y byddai *ysbonig* yn welliant, gan nad yw'n gwneud unrhyw synnwyr. Mae *The Cambrian Register* yn cynnig y cyfieithiad 'the bottom' i *Ysbonig*, ond ar ba sail, onid tybio fod 'bôn' yn rhan o'r enw? Digwyddodd trawsnewid llythrennau eithaf tebyg yn enw'r annedd *Sybylltir*[104] ger Bodedern ym Môn, pan drowyd yr enw hwnnw'n *[Y]sbylltir.* Tybed ai am fod pobl wedi arfer â geiriau megis *ysbaid*, *ysbryd*, ac *ysbyty* y dechreuwyd tybio mai *ysb–* a ddylai fod ar ddechrau'r enwau ym Modedern ac Ardudwy?

Ystyr *sebonig* yw fod rhywbeth yn llawn sebon, a byddai'n

---

104 'Tir corsiog' yw'r ystyr.

naturiol tybio ei fod yn enw rhyfedd ar annedd. Ond mae'n ddigon hawdd ei esbonio. Mae'r annedd wedi mabwysiadu enw nant fechan sydd yn llifo gerllaw. Byddai *sebonig* yn ddisgrifiad ardderchog o nant os oedd ynddi ewyn yn byrlymu fel trochion sebon. Mae'r nant arbennig hon yn codi i'r dwyrain o annedd *Sebonig* ac yn llifo i'r môr i'r de-ddwyrain o Landdwywe (EANC). Gwelir yr elfen *sebon* yn bur aml mewn enwau lleoedd. Er enghraifft, nodwyd *Nant [y] Sebon* yn Llangynnwr a Llanfynydd yn Sir Gaerfyrddin, yn Llanrhaeadr-ym-Mochnant yn Sir Drefaldwyn, ac ym Mhenrhosllugwy ym Môn. Ond mae'n debyg fod ystyr wahanol i *sebon* yn enw *Craig Sebon* yn Llandygái ger Bangor, ac mai cyfeiriad at sebonfaen sydd yno, math o garreg a ddefnyddid gynt ar gyfer golchi.

Selwrn a Bryn Selwrn

Lleolir *Bryn Selwrn* yn Llandderfel ac mae'r annedd yno hyd heddiw. Gellir olrhain yr ail elfen yn ôl i'r drydedd ganrif ar ddeg. Enw ar hen drefgordd yn Llandderfel oedd *Selwr*, ac fe'i cofnodwyd yn y ffurf *Selour* yn 1292–3 (MLSR). Dyma'r ffurf yn 1419–20 hefyd (Rec.C). Sylwer nad oes *–n* ar ddiwedd yr enw yn y cofnod hwn, ond am ryw reswm mae'r *–n* yn ymddangos yn bur fuan yn ei hanes. Wedyn mae hi'n mynd a dod am gyfnod nes dod yn rhan sefydlog o'r enw tua chanol yr ail ganrif ar bymtheg. Cofnodwyd y ffurfiau canlynol yn y llawysgrifau yng nghasgliad Rug yn y blynyddoedd a nodir: *Sellourne* (1592); *Selwr* (1593); *Sellowure* (1609); *Selwr* (1615 ac 1617); *Selwrne* (1643). Yn 1609 nodwyd y ffurf *Selwre* yng nghasgliad llawysgrifau Bachymbyd. Yna cawn nifer o gofnodion o'r enw yng nghasgliad E. Francis Davies yn LlGC. Nodwyd *Selwr* (1560); *Selowr* (1599); *Selwrn* yn 1650 a *Sealwrn* yn 1659/60.

Trafodwyd yr elfen *Selwrn* hyd yn hyn, ac mae llawer o'r cofnodion cynnar yn cyfeirio at y drefgordd. Beth am annedd *Bryn Selwrn*? Ceir cyfeiriad ato fel *Bryn Selwr* yn 1597/8

(EFD). *Bryn Sylwrn* sydd yn *The Cambrian Register* yn 1795, a *Bryn-Sylwrn* sydd ar fap OS 1838. *Bryn-selwrn* sydd ar y map OS cyfredol.

Nid yw GPC yn nodi'r ffurf *selwrn*, ond rhydd yr ystyron 'gwyliwr' ac 'ysbïwr' ar gyfer *selwr*. Byddai 'bryn y gwyliwr' yn enw digon derbyniol, ond mae *The Cambrian Register* yn 1795 yn dehongli'r enw fel 'the conspicuous Knob-hill'. Ni wyddys yn hollol pam y trodd *selwr* yn *selwrn*. Go brin fod y gair *celwrn* (llestr) yn ddigon cyffredin a chyfarwydd i fod wedi dylanwadu arno. Ond mae'r *–n* yma yn ymddangos weithiau ar gynffon gair sy'n diweddu yn *–wr*. Digwyddodd yr un peth yn *Ysgwr* a drodd yn *Ysgwrn*. Trafodir hyn dan *Ysgwrn* isod.

Swch

Dyma elfen a welir yn eithaf aml mewn enwau lleoedd. Mae'n swnio'n ddieithr i'r genhedlaeth ifanc drefol, ond fe fyddai'n hollol gyfarwydd yng nghefn gwlad. Ystyr *swch* yw blaen aradr, ac fe'i defnyddir mewn enw lle am ddarn o dir o'r siâp hwnnw.

Lleolir annedd *Pig y Swch* i'r gogledd o bentref Cynwyd: mae yno hyd heddiw. Yn RhPDegwm nodwyd *Pig y swch* hefyd yn enw ar annedd ym mhlwyf Llanuwchllyn, a cheir *Pigswch* yng Nghyfrifiad 1841 yn Llanfachreth. Mae'n amlwg fod yr anheddau wedi cael eu hadeiladu ar ddarnau o dir pigfain. Ceir sawl cofnod o'r elfen yn AMR: nodwyd anheddau o'r enw *Swch* yn Ffestiniog, Llanfor a Llanfrothen. Ar fap OS 1838 ceir anheddau *Ty'n-y-swch* yn Llanfor a *Trwynswch* yn Llangar. Cofnodwyd yr enw *Trwyn y swch* ar annedd yn Llanddwywe yn 1554 (MyN), ac fel *trwin y swch* ar annedd yng Nghorwen yn 1639 (Rug). Mae'r un ystyr yn union i'r enw hwn â *Pig y Swch*.

Yn RhPDegwm nodwyd y caeau a ganlyn: *Swch* (Trawsfynydd, Llanycil, Llanuwchllyn a Ffestiniog); *Gwern swch* (Llanaber); *Ffridd swch* (Llandderfel) a *Trwyn swch* (Llandecwyn).

Taltreuddyn

Lleolir *Taltreuddyn Fach* a *Taltreuddyn Fawr* yn Nyffryn Ardudwy. Cofnodwyd yr enw yn y ffurf *Taltreuethin* yn 1292–3 (MLSR). Nodwyd *Talytryddyn* yn 1613/14; *Taltrythyn* yn 1664 a *Talytryddyn* yn 1724 (LlB). *Tal Treiddyn* oedd yn *The Cambrian Register* yn 1795. Ceir *Taltreuddyn* ar y map OS yn 1838 a *Taltreuddyn Bach* yn RhPDegwm plwyf Llanenddwyn yn 1840. Yn y Cyfrifiad yn 1861 cofnodwyd *Taltreuddynfawr* a *Taltreyuddynbach*. Fodd bynnag, yn 1881 *Taltreuddynbach* yn unig a gofnodwyd, gyda nodyn i esbonio fod *Taltreuddynfawr* ym mhlwyf Llanfair.

Roedd *Taltreuddyn* yn dŷ lle croesewid y beirdd, er na chadwyd llawer o'r canu. Ceir cywydd moliant gan Edward Urien (*c.* 1580–1614) i'w noddwr Robert ab Ifan o Daltreuddyn:

> Da [yd]yw gwaith dy dŷ gwyn,
> Dêl at raddau Daltryddyn;
> Bir [a] gwinoedd, piboedd pêr,
> Bid draw sail bwtri, seler,
> Torri 'mlaen tair mil enwyd,
> Tir iach, am gynnal tŷ'r wyd.   (NBM)

Canmolir y croeso yn Nhaltreuddyn hefyd gan Ieuan Llwyd o Wauneinion tua dechrau'r ail ganrif ar bymtheg:

> Lle caiff clêr, heb chwerwder chwith,
> Bir, gwin, a bara gwenith.   (NBM)

Ceir dwy elfen yn yr enw, sef *tal* + *treuddyn*. Mae *tal* yn elfen gyffredin iawn mewn enwau lleoedd yn yr ystyr o 'ben pellaf neu uchaf' neu 'blaen'. Roedd *The Cambrian Register* yn gywir pan gyfieithodd yr elfen hon fel 'the head', ond camddehonglodd *treuddyn* fel 'the ridge'. Amrywiad yw *treuddyn* o'r enw *trefddyn*. Noda GPC yr ystyron 'tŷ, cartref, preswylfa' i *trefddyn*. Pwysleisia Hywel Wyn Owen mai ail elfen *trefddyn* / *treuddyn* sydd yn arwyddocaol, gan y gall

241

dynn olygu amddiffynfa. Felly, mae'r enw yn awgrymu annedd wedi ei amgylchynu gan wrych neu ffens i'w amddiffyn (PNF).

Tonfannau

Pentref bychan yw *Tonfannau* i'r gogledd o Dywyn ac i'r de o Langelynnin, ond enw ar annedd ydoedd i gychwyn. Yn ystod yr Ail Ryfel Byd roedd gwersyll milwrol o'r un enw gerllaw. Trafodwyd yr enw yn fanwl gan Melville Richards,[105] gan ei fod wedi achosi trafferth i esbonwyr enwau lleoedd ac arwain at gamddehongli. Daethpwyd i gredu mai *Tryfannau* oedd ffurf gywir yr enw, ac mai enw wedi ei fathu yn ddiweddar oedd *Tonfannau*. Mae'n debyg y gellir beio un o awduron *Ystyron Enwau* am y camsyniad hwn, gan iddo honni hyn â'r fath bendantrwydd fel na feiddiodd neb anghytuno ag ef am gyfnod:

> Nid oes dim petrusder ynom i ddweyd fod hwn yn enw newydd, ac nad oes ynddo ddim perthynas o gwbl a'r hen enw, ond yn nychymyg yr ychydig lenorion cartrefol gafodd y pleser o'i *goinio*, tua deugain mlynedd yn ol.

Fodd bynnag, mae Melville Richards yn mynd ati i wrthbrofi hyn yn eglur iawn. Yn sicr, nid enw modern yw *Tonfannau*. Fe'i cofnodwyd fel *Tonvanet* yn 1285 yn Stent Meirionnydd, ac yn 1419/20 yn y ffurf *Tonovane* (Rec.C). Ceir cyfeiriad at *y Tonovane vcha / yssa* yn 1592, a chofnodwyd *y Tynvane* tua 1600 gan Lewys Dwnn. Nodwyd y ffurf *Tonfane* yn 1678 (Cynwch); a *Tynvane* yn 1681 (Pen). *Ton-'fanau* oedd ar fap OS 1837. Ceir y camsillafiad *Tonfannen* yn y cofnod yn RhPDegwm plwyf Llangelynnin yn 1839. Yn y Cyfrifiad nodwyd *Tanfanau* yn 1851, 1861 ac 1871, a *Tonfanau* a *Tonfanau Crossing* yn 1881, 1891, 1901 ac 1911. *Tonfanau* sydd ar y map OS cyfredol.

Mae Melville Richards yn hollol argyhoeddedig mai *tyno*

---

105 CCHChSF, Cyf. IV, Rhan III, (1963).

sydd yn rhan gyntaf yr enw. Dywed nad oedd *Tryfannau* yn gwneud unrhyw synnwyr o safbwynt daearyddol yr ardal, gan mai ystyr *tryfan* yw 'mynydd uchel' neu 'fynydd â blaen main iddo' (ELl). Ar y llaw arall, byddai *tyno* yn gweddu'n berffaith i leoliad *Tonfannau*, gan fod iddo'r ystyr o dir gwastad, ac mae *Tonfannau* yn y gwastadedd ar lan y môr. Roedd Melville Richards yn llai sicr o'r ail elfen. Dywed ei bod yn bosib mai *mannau* sydd yma, ond ni allai esbonio pam ei fod wedi ei sillafu'n ddieithriad ag un *n*. Ond mae'n anodd gwybod pa ystyr arall i'w rhoi iddo. Yn sicr, byddai 'gwastadeddau' wedi bod yn enw cwbl addas i annedd yn y safle hwn.

Trychiad

Lleolir *Trychiad Uchaf* a *Trychiad Isaf* yn agos at ei gilydd ar gyrion dwyreiniol pentref Llanegryn. Mae *Trychiad Uchaf* yn dyddio o ganol yr ail ganrif ar bymtheg, er iddo gael ei foderneiddio yn y ddeunawfed ganrif ac eto yn y bedwaredd ganrif ar bymtheg. Roedd adeilad ar safle *Trychiad Isaf* yn yr ail ganrif ar bymtheg, ond mae'r tŷ presennol yn dyddio o ddechrau'r bedwaredd ganrif ar bymtheg.

Ceir cofnod o *Morva Trychiarde at Riuulum de Desynny*[106] yn 1592, ac yn yr un flwyddyn nodir enwau dau annedd, sef *Tyddyn Trichiad vwya* a *Tyddyn Trichiad leya* (AMR). Ceir cyfeiriad at *Morva Trychiad* eto yn 1661 (Pen). Nodwyd *Trychiad* yn 1743 (CalMerQSR); ar fap OS 1837 ac ar y map OS cyfredol. Yn RhPDegwm plwyf Llanegryn yn 1841 ceir *Trychiad* a *Trychiad Ucha*. Nodwyd *Trychiad* yn syml heb unrhyw ansoddair ynghlwm wrtho ddwywaith yn y Cyfrifiad yn 1841. Ceir *Trychiad* ar ei ben ei hun yn y Cyfrifiad yn 1881, ond yn 1911 nodwyd *Trychiad isaf* a *Trychiad uchaf*. Ar fap 6" 1888–1913 ceir *Trychiad-isaf* a *Trychiad-uchaf*.

106 Morfa Trychiad yn afon Dysynni.

Mae GPC yn esbonio *trychiad* fel 'toriad' Wrth drafod nant fechan o'r enw *Trychan* ym Mrycheiniog mae R.J. Thomas yn awgrymu mai *trwch* yn yr ystyr o doriad, agen neu ffos sydd yn yr enw hwnnw, ac yn croesgyfeirio'n benodol at *Trychiad* (EANC). Felly, awgrymir mai 'toriad' o ryw fath sydd yn *Trychiad*. Mae'n debyg ei fod yn cyfeirio at ryw nodwedd yn y dirwedd, ond gan fod yr enw yn mynd yn ôl i'r unfed ganrif ar bymtheg o leiaf, mae'n anodd iawn dweud bellach beth oedd y bwlch neu'r toriad hwnnw.

Tryweryn

'Cofiwch Dryweryn' yw'r arysgrif ar y garreg enwog ar ochr ffordd yr A487 ger Llanrhystud yng Ngheredigion. Ac mae'r enw *Tryweryn* yn sicr yn fyw iawn yng nghof trigolion Meirionnydd a Chymru gyfan. *Tryweryn* yw enw'r afon sy'n llifo drwy *Gwm Tryweryn* i'r gorllewin o'r Bala. Yno y boddwyd pentref *Capel Celyn* a dwsin o ffermydd rhwng 1960 ac 1965 er mwyn creu cronfa i ddarparu dŵr i ddinas Lerpwl. Crëwyd llyn mawr ar y safle a'i alw'n *Llyn Celyn*. Fodd bynnag clywir cymysgu'r enwau yn aml, a chyfeirio at *Lyn Celyn* fel *Llyn Tryweryn*. Bellach *Tryweryn* yw'r enw a gysylltir amlaf â hanes boddi'r cwm.

Ond mae yna *Lyn Tryweryn* i'r gorllewin o'r gronfa, llyn naturiol dipyn llai ei faint na *Llyn Celyn*. Hwn yw'r llyn y cyfeiriodd Edward Lhuyd ato fel *Lh. Tryweryn* a *Lhyn Trywerin* tua 1700 (Paroch). Hwn hefyd oedd y llyn yr esboniwyd ei enw am ryw reswm fel 'the transparent lake' yn *The Cambrian Register* yn 1795. Fe'i nodwyd fel *Llyn Treweryn* ar fap John Evans yn yr un flwyddyn.

Mae'r enw *Tryweryn* yn mynd yn ôl ymhell iawn. Fe'i cofnodwyd mor gynnar ag 1232/3 (AMR). Cyfeiriadau at yr afon sydd ym mwyafrif y cofnodion cynharaf. Ar fap Saxton yn 1578 nodwyd *Troweryyn flu*[107] ac ar fap Blaeu yn 1600.

Syr Ifor Williams â'i wybodaeth ieithyddol ddihafal a

---

107 *Flu* < *flumen* = y gair Lladin am afon.

sylweddolodd beth oedd wrth wraidd yr enw. Adnabu ef y ferf *gwerynnu*, a welsai ym *Mrut Dingestow*, mewn brawddeg yn cyfeirio at afonydd 'y rhai a werynant wywon wefusoedd dynion' (ELl; GPC). Ystyr *gwerynnu* yw 'gwlychu'. O roddi rhagddodiad cadarnhaol o flaen berf fe gryfheir yr ystyr. Yr enghraifft a rydd Syr Ifor i egluro hyn yw'r modd y cryfheir y ferf *gwanu* trwy ychwanegu *try–* o'i blaen ac fe geir *try-gwanu* > *trywanu*. Felly, os rhoddwch *try–* o flaen *gweryn[nu]* fe gewch *try-gweryn* > *Tryweryn*, gair a fyddai'n cyfleu nid yn unig wlychu ond gwlybaniaeth mawr iawn, enw digon addas ar afon a llyn.

Twthill / Tantwthill

Cofnodwyd *Tantwthill* yn RhPDegwm Llandanwg yn 1840. Ceir cryn dystiolaeth o'r enw hwn yn Harlech, ac mae yno stryd o'r enw *Twtil* ar y map hyd heddiw. Yn y Cyfrifiad cofnodwyd *Twtil* dan Llandanwg yn 1851; *Tai Tantwthill* yn 1861; *Twtil* a *Tantwtil* yn 1871 a *Twthill* a *Tantwthill* yn 1891 ac 1901. Cyfeirir at *Twt Hill* fel tŷ ar lethr i'r de o'r castell yn 1914 (IAMMer).

Benthyciad o'r Saesneg *toothill*, Hen Saesneg **tōt-hyll*, sef 'gwylfa ar fryn' yw'r enw. Mae'r enw *Twthill* yn digwydd hefyd yng Nghaernarfon, Rhuddlan a Chonwy, hwythau i gyd, fel Harlech, yn drefi â chestyll a garsiwn ynddynt lle byddai galw am wylfa i rybuddio am ddyfodiad y gelyn. Bu cryn bendilio yn y sillafiad yng nghofnodion y safle yn Harlech dros y blynyddoedd, ac mae'r un peth yn wir am yr enw yng Nghaernarfon (HEALlE). Mae'r sillafiad arferol bellach yn cynnwys Cymreigiad o'r sillaf gyntaf > *twt*, ac yn cadw'r ffurf Saesneg yn yr ail sillaf *hill*.

Tyddyn Inco

Enw ychydig yn anarferol ar annedd yn Llandderfel yw *Tyddyn Inco*. Fe'i cofnodwyd gan Edward Lhuyd tua 1700 fel *Tyddyn Inko* (Paroch). Y ffurf a nodwyd yn 1748 oedd y ffurf a ddefnyddir amlaf heddiw, sef *Tyddyn Inco* (CalMerQSR), er mai *Tyddyninco* sydd ar y map OS. *Tyddyninco* oedd yn RhPDegwm plwyf Llandderfel yn 1838, ac yn y Cyfrifiad yn 1841, 1861 ac 1891. *Tyddyn inco* a gofnodwyd yn 1911.

Er bod yr enw'n swnio braidd yn ddieithr i ni, mae'r esboniad yn ddigon syml. Elfennau'r enw yw *tyddyn* + ffurf ar yr enw personol gwrywaidd *Inigo*. Nid yw'r enw hwn yn y ffurf *Inco* yn gyfyngedig i'r annedd yn Llandderfel. Cofnodwyd *Pencraig / Penrallt Inco* yn Nhrefriw yn Sir Gaernarfon (ELlSG), ac yn 1629 yn y ffurf *Rhossinko* yn Llangernyw yn Sir Ddinbych (AMR).

Utica

Enw capel ar ffordd yr A470 rhwng Gellilydan a Thrawsfynydd yw *Utica*. Roedd yr *Utica* wreiddiol yn ddinas yn Nhiwnisia. Ar ôl i'r Rhufeiniaid ddinistrio Carthago bu *Utica* yn drefedigaeth Rufeinig bwysig am ganrifoedd. Bellach nid oes unrhyw olion o'r lle. Nid yr hen ddinas hon a roddodd ei henw i gapel *Utica* ger Gellilydan, ond fe roddodd ei henw i ddinas *Utica* yn nhalaith Efrog Newydd yn America. Ceir nifer o'r enwau hynafol hyn ar ddinasoedd yn y dalaith honno: Ithaca, Rome, Syracuse, Troy ac Utica.

Rhaid mynd yn ôl i'r flwyddyn 1788 i ddarganfod y cysylltiad rhwng Gellilydan a'r ddinas yn America. Yn y flwyddyn honno ganwyd mab o'r enw William i Rowland ac Ann Jones o *Bandy'r Ddwyryd* ym mhlwyf Maentwrog.[108] Er ei fod wedi ei fagu ar aelwyd grefyddol, bachgen braidd yn ddi-hid oedd William. Fodd bynnag, pan oedd yn 36 oed ymfudodd i ddinas Utica. Yno cafodd dröedigaeth grefyddol. Arhosodd yno am bedair blynedd a ffynnu'n rhyfeddol.

Daeth yn ôl i'w hen gynefin a phenderfynu gwario peth o'i

---

108 Mae'r tŷ bellach dan ddyfroedd Llyn Trawsfynydd. Cafwyd y rhan fwyaf o'r manylion am William Jones o ysgrif gan Ella Wyn Jones, Llandecwyn, yn *Llafar Bro*, 26 Awst, 2015 dan y teitl 'Trem yn Ôl – Utica'.

gyfoeth ar adeiladu capel ger Gellillydan. Mynnodd mai *Utica* fyddai enw'r capel o barch at y ddinas yn America a fu'n ddylanwad mor fendithiol arno yn ysbrydol ac yn faterol. Mae RhPDegwm plwyf Maentwrog yn 1840 yn nodi'r enw *Utica* ar ddarn o dir o ddwy acer ar bymtheg. Enwir perchennog y tir fel William Jones, ac enw'r deiliad oedd Owen Humphreys. Felly, roedd y tir a'r enw yn barod gan William Jones yn 1840, ac adeiladwyd y capel arno yn 1843. Neilltuwyd darn o dir hefyd ar gyfer mynwent. Yn 1843 priododd William â Mary Williams, merch o'r Ganllwyd. Ganwyd tair merch iddynt, a daeth un ohonynt yn adnabyddus fel cenhades dan yr enw Myfanwy Meirion.

Ysgwrn

Dyma enw sydd wedi cael llawer iawn o sylw yn ddiweddar wrth goffáu canmlwyddiant y Rhyfel Mawr, 1914–18. Nid oes angen dweud mai'r ffermdy hwn ychydig i'r de-ddwyrain o bentref Trawsfynydd oedd cartref Ellis Humphrey Evans (Hedd Wyn, 1887–1917). Cysylltir ei enw ef am byth â 'Chadair Ddu' Eisteddfod Genedlaethol Birkenhead yn 1917. Pan alwyd enw'r bardd buddugol yng nghystadleuaeth y Gadair, ni bu ateb. Roedd yr enillydd, Hedd Wyn, wedi cwympo ar faes y gad ryw fis cyn y seremoni. Fe'i lladdwyd ym mrwydr Pilkem Ridge ger Ypres yng Ngwlad Belg. Gorchuddiwyd y gadair wag â lliain du a bu'n symbol o genhedlaeth goll byth ers hynny (GFFM). Yn ddiweddar, gydag atgyweirio'r tŷ, daeth cartref y bardd yn gyrchfan boblogaidd i ymwelwyr.

Mae'r enw *Ysgwrn* wedi peri penbleth i bawb a geisiodd ei drafod. Yn gyntaf oll, rhaid gofyn a oes angen y fannod o'i flaen? Ai *Ysgwrn* ynteu *Yr Ysgwrn* yw'r enw? Daw un o'r cyfeiriadau cynharaf a welwyd o'r enw o 1519, o bapurau stad Peniarth yn LlGC. *Yrysgwr* yw'r ffurf yno. Ceir nifer fawr o gyfeiriadau yn y ffynhonnell hon o'r unfed a'r ail ganrif ar bymtheg: *Yr Yskwrn* (1589); *Yr Ysgurne* (1636); *Yr Ysgwrne* (1653, 1654, 1656, 1678/9); *Yr Yskin* (1654);

Yr Yskwrne (1684 ac 1691), a'r ffurf ryfedd *Eruscwrn* yn 1771. Fe welir fod y fannod wedi ei chynnwys ym mhob un o'r enghreifftiau hyn. Trown yn awr at enghreifftiau o *Ysgwrn* heb y fannod. Ar y cyfan, mae'r rhain yn ddiweddarach: nodwyd *Yscwrn* gan Edward Lhuyd tua 1700 (Paroch), a chofnodwyd y ffurf hon ddwywaith yn 1710 ym mhapurau stad Peniarth. *Ysgwrn* oedd ar fapiau OS 1838 ac 1901 a dyna sydd ar y map OS cyfredol. *Ysgwrn* oedd yn RhPDegwm yn 1840. Yn y Cyfrifiad nodwyd *Ysgwrn* heb y fannod yn 1841, 1891, 1901 ac 1911.[109] Gwyddom i Hedd Wyn ei hun ysgrifennu ei gyfeiriad heb y fannod.[110] Tybed a ystyrid mai *Ysgwrn* heb y fannod oedd ffurf safonol yr enw a bod y fannod wedi dod i mewn ar lafar? Tueddwn i gyfeirio at ffermydd o'r enw *Hafod* neu *Hendre* fel *Yr Hafod* ac *Yr Hendre* ar lafar yn yr un modd.

Ond mae problem waeth yn ein hwynebu na defnyddio'r fannod neu beidio, sef beth yw ystyr yr enw? Yn awr, rhaid gofyn a oes yna *–n* ar ddiwedd yr enw. Ai *Ysgwr* ynteu *Ysgwrn* yw'r ffurf gywir? Yn sicr, nid oedd *–n* ar ddiwedd y ffurf gynharaf a welwyd, sef *Yrysgwr* o 1519 (Pen). Mae Melville Richards yn mynd i'r afael â'r broblem hon yn ei adran ar *Ysgwrn* (heb y fannod, sylwer) yn *Atlas Meirionnydd*. Dywed fod *–n* yn tueddu i dyfu ar ôl *–wr* yn Gymraeg. Yr enghraifft a rydd ef yw *siswr > siswrn*. Ond mae gennym enghraifft well yma ym Meirionnydd yn y modd y trodd *Selwr > Selwrn*.[111] Awgrymodd yr Athro mai *ysgwr* yn yr ystyr o 'waywffon, cangen, dernyn' sydd yn yr enw, a gofynnodd ai cyfeiriad at siâp y tir sydd yma. Mae'n ailadrodd yr un ddamcaniaeth yn *Enwau Tir a Gwlad*. Rydym o bosib yn fwy cyfarwydd â'r ffurf luosog *ysgyrion*, sef darnau mân.

---

109 Yng Nghyfrifiad 1911 disgrifir Ellis H. Evans (Hedd Wyn), 24 oed, fel 'Mab fermwr [sic] yn gweithio ar fferm. Delin y Gyffylau [sic]'.

110 Llythyr a ddyddiwyd Chwefror 9, 1909, LlLlY, t. 52

111 Gweler yr adran ar 'Selwrn a Bryn Selwrn' uchod.

Roedd *Ysgwrn* (heb y fannod, sylwer) wedi poeni Syr Ifor Williams yntau. Meddai:

> Yr unig air y gwn i amdano a all helpu i'w esbonio yw gair Llydaweg, *scourn, scorn* am ddarn o rew, llithrigfa, darn o dir gwlyb wedi caledu gan rew. (ELl)

Ond roedd Syr Ifor eisoes wedi bod yn ystyried y gair *ysgwr*, heb ei gysylltu ag *Ysgwrn* yn y drafodaeth. Wrth egluro'r llinell 'Ymswyn ag *ysgwr* gŵr gwrdd' yng nghywydd Rhys Goch Eryri i Robert ap Meredudd,[112] mae'n dehongli *ysgwr* fel pren neu gangen braff, ac yn cyfeirio at ddefnydd Dafydd ap Gwilym o'r gair yn ei gywydd i'r don yn afon Dyfi (CIGE). Yno cyfeiria Dafydd at enghreifftiau o gryfder, megis pren praff, ond mae cryfder y don yn rhagori arnynt i gyd. Yn ei nodiadau ar y gerdd mae Syr Thomas Parry yn derbyn dehongliad Syr Ifor ac yn nodi ystyr *ysgwr* fel 'cangen braff' (GDapG). Cydiodd yr Athro Gwynedd Pierce yntau yn yr ystyr hon, gan ddweud y gallai *ysgwr* mewn enw lle ddisgrifio safle cadarn neu amlwg, neu yn llythrennol gyfeirio at goeden gref (LlLlY). Felly, beth yw ystyr *Ysgwrn*? Gosodwyd y damcaniaethau o'ch blaen. Fe gewch chwi benderfynu.

---

112 'Cywydd yn galw am adfer Gwynedd' yw teitl y cywydd yn GRhGE. Mae'r golygydd yn derbyn yr un ystyr, sef 'cangen braff'.

BYRFODDAU A LLYFRYDDIAETH

ACLW   David H. Williams, *Atlas of Cistercian Lands in Wales*, (Caerdydd, 1990)

ACR   Rhian Parry, 'An Ardudwy Crown Rental of 1623', CCHChSF, Cyf. XV, (2009)

ADG   Gwynedd O. Pierce, Tomos Roberts, Hywel Wyn Owen, *Ar Draws Gwlad*, Cyf. 1, (Llanrwst, 1997)

ADG2   Gwynedd O. Pierce, Tomos Roberts, *Ar Draws Gwlad*, Cyf. 2, (Llanrwst, 1999)

AMR   Archif Melville Richards ar y We yn www.e-gymraeg.org/enwaulleoedd/amr

Arch.Camb. *Archaeologia Cambrensis*, (1846–)

AtM   Geraint Bowen (gol.), *Atlas Meirionnydd*, (Y Bala, 1974)

ATT   Asesiadau Treth y Tir

AWR   Huw Pryce (gol.), *The Acts of the Welsh Rulers 1120–1283*, (Caerdydd 2005)

B18g   D. Gwenallt Jones, *Blodeugerdd o'r Ddeunawfed Ganrif*, (Caerdydd, 1953)

Bach   Cofnodion Stad Bachymbyd, LlGC

Bangor   Llawysgrifau Bangor yn archifau'r Brifysgol

BBeirdd   Eirug Salisbury (gol.), *Buarth Beirdd*, (Barddas, 2014)

BBGC   *Bwletin y Bwrdd Gwybodau Celtaidd / The Bulletin of the Board of Celtic Studies*, (Caerdydd, 1921–)

BBO   Dyfed Evans, *Bywyd Bob Owen*, (Caernarfon, 1977)

BCG   Gwyn Thomas, *Y Bardd Cwsg a'i Gefndir*, (Caerdydd, 1971)

Bodrh	Casgliad Bodrhyddan, LlGC
Brog	Casgliad Brogyntyn, LlGC
Bron	Casgliad Bronwydd, LlGC
BWLl	J.C. Morrice (gol.), *Barddoniaeth Wiliam Llŷn*, (Bangor, 1908)
B'wylfa	Casgliad Bronwylfa, Llandderfel, LlGC
CA	Ifor Williams (gol.), *Canu Aneirin*, (Caerdydd, 1938)
CalCR	*Calendar of the Charter Rolls preserved in the Public Record Office*
CalMerQSR	Keith Williams-Jones (gol.), *A Calendar of the Merioneth Quarter Session Rolls 1733–65*, (Merioneth County Council, 1965)
Cal. Pat. R.	*Calendar of the Patent Rolls* (PRO) (Llundain, 1891–)
Camb-Brit	*The Cambro-Briton*, Cyf. 1, (Llundain, 1820)
Camb.Reg.	*The Cambrian Register*, Cyf. II, (Llundain, 1796 ar yr wynebddalen, ond wedi ei chyhoeddi yn 1795)
CarCym	O.M. Edwards, *Cartrefi Cymru*, (Wrecsam, 1896)
CC	Evan Isaac, *Coelion Cymru*, (Aberystwyth, 1938)
CCHChSF	*Cylchgrawn Cymdeithas Hanes a Chofnodion Sir Feirionnydd*
CCoch	John Fisher (gol.), *The Cefn Coch Manuscripts*
CDapG	Dafydd Johnston *et al.* (gol.), *Cerddi Dafydd ap Gwilym*, (Caerdydd, 2010)
CDEPN	Victor Watts (gol.), *The Cambridge Dictionary of English Place-Names,* (Caergrawnt, 2004)
CE	Myfi Williams, *Cartrefi Enwogion*, (Lerpwl, 1960)
CENgh	Cofnodion yr Eglwys yng Nghymru, (Esgobaeth Bangor), LlGC
CGB	Casgliad Crafnant a Gerddi Bluog, LlGC
CIGE	Henry Lewis, Thomas Roberts, Ifor Williams (gol.), *Cywyddau Iolo Goch ac Eraill*, (Caerdydd, 1937)
CLC	Meic Stephens (gol.), *Cydymaith i Lenyddiaeth Cymru*, (Caerdydd, 1986)

CLlH	Ifor Williams (gol.), *Canu Llywarch Hen*, (Caerdydd, 1953)
CM	Robert Prys Morris, *Cantref Meirionydd*, (Dolgellau, 1890)
CODEPN	Eilert Ekwall, *The Concise Oxford Dictionary of English Place-Names*, (Rhydychen, 1991)
Col	Casgliad Coleman, LlGC
CPNE	O.J. Padel, *Cornish Place-Name Elements*, (Nottingham, 1985)
CV	Casgliad Carter Vincent, Prifysgol Bangor
CyC	Rhys Prichard, *Y Seren Foreu neu Ganwyll y Cymry*, (Wrecsam, 1867).
Cyn	Casgliad Cynhaiarn, Prifysgol Bangor
Cynwch	Casgliad Caerynwch, LlGC
DDDB	*Dawn Dweud o Dan y Bwlch*, (Llanrwst, 2013). Sgyrsiau a draddodwyd yn Nhan y Bwlch, gan gynnwys un ar gaeau gan Bedwyr Lewis Jones.
Dfrïog	Casgliad Dolfrïog, LlGC
DHDC	Gwefan *Darganfod Hen Dai Cymreig / Discovering Old Welsh Houses*
DPNW	Hywel Wyn Owen a Richard Morgan, *Dictionary of the Place-Names of Wales*, (Llandysul, 2007)
Drhyd	Casgliad Dolrhyd, LlGC
DTHE	Richard Suggett a Margaret Dunn, *Darganfod Tai Hanesyddol Eryri / Discovering the Historic Houses of Snowdonia,* (Aberystwyth, 2014)
DWL	William Owen Pughe, *A Dictionary of the Welsh Language*, (Dinbych, 1832)
EANC	R.J. Thomas, *Enwau Afonydd a Nentydd Cymru*, (Caerdydd, 1938)
EE	Iwan Arfon Jones, *Enwau Eryri*, (Talybont, 1998)
EFD	Casgliad E. Francis Davies, LlGC
EFND	John Field, *English Field Names: A Dictionary*, (Caerloyw, 1989)
ELl	Ifor Williams, *Enwau Lleoedd*, (Lerpwl, 1945)
ELlBDA	Hywel Wyn Owen, *Enwau Lleoedd Bro Dyfrdwy ac Alun*, (Llanrwst, 1991)

ELlSG	J. Lloyd-Jones, *Enwau Lleoedd Sir Gaernarfon*, (Caerdydd, 1928)
Elwes	Casgliad Elwes, LlGC
ErthKR	David Jenkins (gol.), *Erthyglau ac Ysgrifau Llenyddol Kate Roberts*, (Abertawe, 1978)
Esg	Casgliad Esgair a Phantperthog yn LlGC.
ETG	Melville Richards, *Enwau Tir a Gwlad*, (Caernarfon, 1998)
Ex.P.H-E	Emyr Gwynne Jones (gol.), *Exchequer Proceedings (Equity) concerning Wales, Henry VIII–Elizabeth*, (Caerdydd, 1939)
FfCym.	Eirlys a Ken Lloyd Gruffydd, *Ffynhonnau Cymru*, Cyfrol 2 (Llanrwst, 1999)
GAG	Gwasanaeth Archifau Gwynedd
GBC	Patrick J. Donovan a Gwyn Thomas (gol.), *Gweledigaethau y Bardd Cwsg*, (Llandysul, 1991)
GDapG	Thomas Parry (gol.), *Gwaith Dafydd ap Gwilym*, (Caerdydd, 1952)
GFFM	Alan Llwyd, *Gwae Fi Fy Myw*, (Llandybïe, 1991)
GGG	Barry J. Lewis ac Eurig Salisbury (gol.), *Gwaith Gruffudd Gryg*, (Aberystwyth, 2010)
GGuGl	Ifor Williams a J. Llywelyn Williams (gol.), *Gwaith Guto'r Glyn*, (Caerdydd, 1961). Fodd bynnag, o http://www.gutorglyn.net y daw'r cyfeiriadau yn y gyfrol hon.
GHDLlM	A. Cynfael Lake, (gol.), *Gwaith Huw ap Dafydd ap Llywelyn ap Madog*, (Aberystwyth, 1995)
GIBH	M. Paul Bryant-Quinn (gol.), *Gwaith Ieuan Brydydd Hir*, (Aberystwyth, 2000)
GIG	D.R. Johnston (gol.), *Gwaith Iolo Goch*, (Caerdydd, 1988)
GLGC	Dafydd Johnston (gol.), *Gwaith Lewys Glyn Cothi*, (Caerdydd, 1995)
Glynllifon	Casgliad Newborough (Glynllifon), GAG
GPC	*Geiriadur Prifysgol Cymru*, (Caerdydd, 1950–)
GRhGE	Dylan Foster Evans (gol.), *Gwaith Rhys Goch Eryri*, (Aberystwyth, 2007)

GTA	T. Gwynn Jones (gol.), *Gwaith Tudur Aled*, (Caerdydd, 1926)
Gwy	Richard Haslam, Julian Orbach ac Adam Voelcker, *The Buildings of Wales: Gwynedd*, (New Haven a Llundain, 2009)
GyB	Cledwyn Fychan, *Galwad y Blaidd*, (Aberystwyth, 2006)
GyeL	Gwyn Thomas, *Gair yn ei Le*, (Talybont, 2012)
HEALlE	Glenda Carr, *Hen Enwau o Arfon, Llŷn ac Eifionydd*, (Caernarfon, 2011)
HEFN	John Field, *A History of English Field Names*, (Harlow, 1993)
HenEng	Gwyn Thomas, *Hen Englynion*, (Llandybïe, 2015)
HEYM	Glenda Carr, *Hen Enwau o Ynys Môn*, (Caernarfon, 2015)
Hg	Casgliad Helygog, LlGC
HM	J. Beverley Smith a Llinos Beverley Smith (gol.), *History of Merioneth, II, The Middle Ages*, (Caerdydd, 2001)
HOSJJ	William Rees, *A History of the Order of St John of Jerusalem in Wales and the Welsh Marches*, (Caerdydd, 1947)
HWW	Francis Jones, *The Holy Wells of Wales*, (Caerdydd, 1992)
IAMMer, RCAHMW	*An Inventory of the Ancient Monuments of Wales and Monmouthshire, VI, County of Merioneth*, (Llundain, 1921)
JE/MNW	John Evans, *Map of North Wales*, (1795)
LDwnn	Samuel Rush Meyrick (gol.), *Heraldic Visitations of Wales and Part of the Marches, Between the Years 1586 and 1613*, (Llanymddyfri, 1846)
Leland	Lucy Toulmin Smith (gol.), *The Itinerary in Wales of John Leland*, (Llundain, 1906)
LGO	J.H. Davies, *The Letters of Goronwy Owen (1723–1769)*, (Caerdydd, 1924)
LGW	Alan R. Thomas, *The Linguistic Geography of Wales*, (Caerdydd, 1973)

LlB	Casgliad Llanfair a Brynodol, LlGC
LlDC	A.O.H. Jarman (gol.), *Llyfr Du Caerfyrddin*, (Caerdydd, 1982)
LlE	D. Geraint Lewis, *Y Llyfr Enwau*, (Llandysul, 2007)
LlGC	Llyfrgell Genedlaethol Cymru
LlGSG	J. Jones (Myrddin Fardd), *Llên Gwerin Sir Gaernarfon*, (Caernarfon, 1908)
LlLI	Emyr Wyn Jones, *Lloffa yn Llŷn*, (Dinbych, 1994)
LlLlY	Myrddin ap Dafydd (gol.), *Llyfr Lloffion yr Ysgwrn*, (Llanrwst, 2005)
LlS,	Iwan Rhys Edgar, *Llysieulyfr Salesbury*, (Caerdydd, 1997)
Maenan	Casgliad Maenan, Prifysgol Bangor
MarMem	David N. Parsons, *Martyrs and Memorials: Merthyr Place-names and the Church in Early Wales*, (Aberystwyth, 2013)
MedAng	A.D. Carr, *Medieval Anglesey*, (Ail Arg., Llangefni, 2011)
MedLep	Peter Richards, *The Medieval Leper and his Northern Heirs*, (Woodbridge, 2000)
MHTax	Owen Parry, 'Merioneth Hearth Tax of 1662', CCHChSF, (Cyf. II, 1953–4)
MGC	Anne Elizabeth Williams, *Meddyginiaethau Gwerin Cymru*, (Talybont, 2017)
MLSR	Keith Williams-Jones (gol.), *The Merioneth Lay Subsidy Roll 1292–3*, (Caerdydd, 1976)
Mostyn	Casgliad Mostyn, Prifysgol Bangor
MSI	Syr Ifor Williams, *Meddai Syr Ifor*, (Caernarfon, 1968)
MvM	W.J. Gruffydd, *Math vab Mathonwy*, (Caerdydd, 1928)
MyN	Casgliad Maesyneuadd, Prifysgol Bangor
MyyB	Gwyn Thomas, *Mannau yn y Blaenau,* Darlith y Fainc 'Sglodion, 2012.
Nan	Philip Nanney Williams, *Nannau*, (Y Trallwng, 2016)

NanDeu	Colin A. Gresham, 'Nanmor Deudraeth', CCHCHSF, Cyf. VIII, Rhan II, 1978
Nannau	Casgliad Nannau, Prifysgol Bangor
NBM	Glenys Davies, *Noddwyr Beirdd ym Meirion,* (Dolgellau, d.d.)
OFiF	Trefor O. Jones, *O Ferwyn i Fynyllod*, (Cymdeithas Lyfrau Meirion, 1975)
PA	Casgliad Porth yr Aur, Prifysgol Bangor
Pen	Casgliad Peniarth, LlGC
Penrhyn	Casgliad Penrhyn, Prifysgol Bangor
PFA	Casgliad Penrhyn Castle Further Additional, Prifysgol Bangor
PKM	Ifor Williams (gol.), *Pedeir Keinc y Mabinogi*, (Caerdydd, 1951)
PLlPC	Bruce Griffiths, *Pennau Llifiau, Pennau Cŵn*, (Darlith Llyfrgell Blaenau Ffestiniog, 1984)
PNDPH	Gwynedd O. Pierce, *The Place-names of Dinas Powys Hundred*, (Caerdydd, 1968)
PNF	Hywel Wyn Owen a Ken Lloyd Gruffydd, *Place-names of Flintshire*, (Caerdydd, 2017)
PNPem	B.G. Charles, *The Place-Names of Pembrokeshire*, 2 gyf. (Aberystwyth, 1992)
Poole	Casgliad Poole, GAG
PWDN	Thomas Roberts ac Ifor Williams (gol.), *The Poetical Works of Dafydd Nanmor*, (Caerdydd, 1923)
RCLCE	E.D. Jones, 'Rental of Crown Lands in Commote of Estimanner', CCHChSF (1956)
Rec.C	H. Ellis (gol.), *Registrum Vulgariter Nuncumpatum The Record of Caernarvon*, (Llundain, 1838)
Rec.C.Aug.	E.A. Lewis a J. Conway Davies, *Records of the Court of Augmentations relating to Wales and Monmouthshire*, (Caerdydd, 1954)
RhNBSF	A. Lloyd Hughes, 'Rhai o Noddwyr y Beirdd yn Sir Feirionnydd', *Llên Cymru*, Cyf. X, 1969
RhPDegwm	Rhestr Pennu'r Degwm
Rug	Casgliad Rhug, Archifdy Dolgellau

Sotheby	Casgliad Sotheby, LlGC
SoW	John a Sheila Rowlands, *The Surnames of Wales*, (Birmingham, 1996)
Speed	Map John Speed, 1610
StentM	Stent Meirionnydd, 1285. TNA SC11/ 789
Tax.Nich.	S. Ayscough a J. Caley (gol.), *Taxatio Ecclesiastica Angliae et Walliae, auctoritate Papae Nicholai IV, c. 1291*, (Llundain, 1802)
TC	T.J. Morgan, *Y Treigladau a'u Cystrawen*, (Caerdydd, 1952)
TCHSG	*Trafodion Cymdeithas Hanes Sir Gaernarfon*
Tgl	Casgliad Tynygongl, Prifysgol Bangor
Thor	Casgliad Thorowgood, Tabor a Hardcastle, LlGC
TNA	The National Archives / Yr Archifdy Gwladol
Trans. Cymm.	*Transactions of the Honourable Society of Cymmrodorion* (passim)
TW	Richard Fenton, *Tours in Wales, 1804–13, Arch.Camb.* (1917)
Tyb	Llawysgrifau Tanybwlch, LlGC
TYP	Rachel Bromwich (gol.), *Trioedd Ynys Prydein*, (Caerdydd, 1961)
WChCom	Papurau'r *Welsh Church Commission*, LlGC
WFB	W. Jenkyn Thomas, *The Welsh Fairy Book*, (Caerdydd, 1995)
WFL	Elias Owen, *Welsh Folk-Lore*, (Croesoswallt, 1896)
WG	Peter C. Bartrum, *Welsh Genealogies A.D. 300–1400*, (Caerdydd, 1974)
WOP	Glenda Carr, *William Owen Pughe*, (Caerdydd. 1983)
Worr.	*Worrall's Directory of North Wales*, (Oldham, 1874)
WS	T.J. Morgan a Prys Morgan, *Welsh Surnames*, (Caerdydd, 1985)
WVBD	O.H. Fynes-Clinton, *The Welsh Vocabulary of the Bangor District*, (Rhydychen, 1913; Adargraffiad Ffacsimile, Felinfach, 1995)

WWF	William Linnard, *Welsh Woods and Forests: History and Utilization*, (Caerdydd, 1982)
Wynn	Casgliad Wynnstay, LlGC
YEE	Bedwyr Lewis Jones, *Yn ei Elfen*, (Llanrwst, 1992)
Ygn	Casgliad Ynysgain, LlGC
YODW	Myrddin ap Dafydd, *Yn ôl i'r Dref Wen*, (Talybont, 2015)
YstE	Amryw, *Ystyron Enwau*, (Caernarfon, 1907)

MYNEGAI

DIOLCHIADAU

Diolch i staff yr archifdai a'r llyfrgelloedd y bûm yn gweithio ynddynt wrth baratoi'r gyfrol hon. Diolch yn arbennig i staff Adran Archifau Prifysgol Bangor.

Diolch o galon i Marred Glynn Jones, Cliff Thomas a holl staff Gwasg y Bwthyn am eu cymorth hynaws a'u gwaith cymen ar y gyfrol. Diolch i Siôn Ilar am ddylunio'r clawr, ac i Alison Davies, Mapping Co. Ltd. am lunio'r map.

Rwy'n gwerthfawrogi'n fawr barodrwydd yr Athro Hywel Wyn Owen i drafod gwahanol agweddau ar enwau lleoedd. Rydym wedi cael llawer sgwrs ddifyr a buddiol dros y blynyddoedd.

Fel erioed, mae fy niolch pennaf i'm gŵr, Tony. Bu'n gefn ac yn gymorth di-ffael imi tra oeddwn yn gweithio ar y llyfr hwn. Er mawr dristwch imi, bu farw cyn cael cyfle i'w ddarllen. Fe'i cyflwynir er cof diolchgar amdano.